中国教育事业统计年鉴

EDUCATIONAL STATISTICS YEARBOOK OF CHINA

1993

中华人民共和国
国家教育委员会计划建设司
DEPARTMENT OF PLANNING & CONSTRUCTION
STATE EDUCATION COMMISSION
THE PEOPLE'S REPUBLIC OF CHINA

(京) 新登字 113 号

中 国 教 育 事 业 统 计 年 鉴
1993
中华人民共和国国家教育委员会计划建设司 编
*
人民教育出版社出版发行
新华书店总店科技发行所经销
北京新华彩印厂印装
*
开本787×1092 1/16 印张22 字数 520,000
1994年 8 月第 1 版 1994年 8 月第 1 次印刷
印数 1－2,770
ISBN7－107－11215－5
G・3979 定价：35.00元

说　　明

《中国教育事业统计年鉴》(1993)是一本全面反映中华人民共和国教育事业发展情况的资料性年鉴，是由国家教委计划建设司根据全国各省、自治区、直辖市教育委员会、高教局、教育厅(局)填报的基层报表整理汇编而成的。

本年鉴包括以下部分：综合部分、高等教育、中等教育、初等教育、幼儿教育、特殊教育、成人教育、全国各级各类学校的分布情况等。

本年鉴是各有关部门研究教育改革和发展的必备资料工具书，是教育界各机关、学校指导部门制定教育计划、指导教育改革必不可少的依据。

本年鉴所列资料，暂缺台湾省的数字。

Notes from the Compiler

The Educational Statistics Yearbook of China for 1993 is an informational yearbook comprehensively reflecting the development of the educational undertaking of the People's Republic of China, and it was compiled by the Department of Planning and Construction of the State Education commission, based on the synthetic statistical returns relating to schools of various types and levels completed by the Educational Commissions (or the Bureaus of Education and Higher Education) of the provincial governments and the governments of various autonomous regions and municipalities directly under the State Council.

The yearbook is composed of the following parts: summary tables, higher education, secondary education, primary education, pre-primary education, special education, adult education, geographical distribution of schools by type and level.

The yearbook is a requisite reference for all departments concerned with the study of educational reform and development, and provides indispensable factual information to the educational community (circles), the state organs, and all supervisory bodies of education (schools) engaged in curricular development and the guidance of educational reform.

The yearbook lacks the data of Taiwan Province.

目　录

一、综合部分

二、高等教育

（一）普通高等学校

（二）研究生

三、中等教育

（一）中等专业学校

（二）普通中学

（三）职业中学

四、初等教育（小学）

五、特殊教育

六、幼儿教育

七、成人教育

八、各级各类学校分布情况

CONTENTS

Ⅰ. SUMMARY TABLES

Ⅱ. HIGHER EDUCATION

A. REGULAR HIGHER EDUCATIONAL INSTITUTIONS

B. GRADUATES EDUCATION

Ⅲ. SECONDARY EDUCATION

A. SPECIALIZED SECONDARY SCHOOLS

B. GENERAL SECONDARY SCHOOLS

Ⅳ. PRIMARY EDUCATION (PRIMARY SCHOOLS)

Ⅴ. SPECIAL EDUCATION

Ⅵ. PRE-PRIMARY EDUCATION

Ⅶ. ADULT EDUCATION

Ⅷ. GEOGRAPHICAL DISTRIBUTION OF SCHOOLS BY TYPE AND LEVEL

一、综 合 部 分

I. SUMMARY TABLES

一九九三年全国各级普通学校基本情况

Basic Statistics of Regular Schools in China by Level & Type for 1993

单位:万人
in 10 thousand

	学校数(所) Schools	毕业生数 Graduates	招生数 Entrants	在校学生数 Enrolment	教职工数 Teachers, Staff & Workers 计 Total	其中:专任教师 Of which: Full-time Teachers
总　计 Total	965382	5028.45	6252.52	20813.01	1377.52	1061.55
一、研究生 Graduate Education	(722)	2.82	4.22	10.68		
1.高等学校 Inst. of Higher Education	(402)	2.58	3.91	9.84		
2.科研机构 Research Organizations	(320)	0.24	0.31	0.84		
二、普通高等学校 Reg. Inst. of Higher Educations						
本专科 Undergraduates	1065	57.07	92.40	253.55	102.13	38.78
国家任务 Students enrolled according to state plans		49.46	56.12	192.64		
委托培养 Students enrolled by Contract		5.74	22.62	37.20		
自费生 Tuition-paying students		1.64	13.40	23.17		
教师本专科 In-service Teacher Training Courses		0.23	0.26	0.54		
三、普通中等学校 Reg. Secondary Schools	101316	1591.89	2050.28	5558.14	537.96	381.97
1.中等专业学校 Specialized Sec. Schools	3964	73.55	114.89	282.03	51.13	23.93
中等技术学校 Sec. Technical Schools	3046	50.73	86.54	209.83	40.29	18.12
中等师范学校 Teacher Training Schools	918	22.82	28.35	72.20	10.84	5.81
2.技工学校 Skilled Worker Schools	4477	49.74	66.35	173.90	33.52	15.03
3.普通中学 General Sec. Schools	82795	1365.88	1707.28	4739.11	413.32	316.68
高中 Senior	14380	231.71	228.34	656.91		55.90
初中 Junior	68415	1134.17	1478.94	4082.20		260.78
4. 职业中学 Vocational Schools	9985	102.51	161.53	362.59	39.66	26.17
高中 Senior	8403	87.99	134.88	306.35		22.86
初中 Junior	1582	14.52	26.65	56.24		3.31
5. 工读学校 Correctional Work-study Schools	95	0.21	0.23	0.51	0.33	0.16
四、小学 Primary Schools	696681	1841.51	2353.48	12421.24	621.84	555.16
五、特殊教育学校 Special Education Schools	1123	1.17	3.35	16.86	2.96	2.04
六、幼儿园 Kindergartens	165197	1533.99	1748.79	2552.54	112.63	83.60

一九九三年全国各级成人学校基本情况

Basic Statistics of Adult Schools in China by Level & Type for 1993

单位：万人
in 10 thousand

	学校数(所) Schools	毕业生数 Graduates	招生数 Entrants	在校学生数 Enrolment	教职工数 Teachers, Staff & Workers	
					计 Total	其中：专任教师 of which: Full-time Teachers
总 计 **Total**	469575	6631.74	5975.49	5421.89	89.37	36.50
一、成人高等学校 Higher Educational Institutions for Adults	1183	44.12	86.27	186.29	20.47	8.95
1、广播电视大学 Radio/TV Universities	45	10.16	21.33	43.79	4.11	1.72
2、职工高等学校 Workers' Colleges	714	5.92	11.25	27.52	7.97	3.58
3、农民高等学校 Peasants' Colleges	5	0.01	0.02	0.03	0.03	0.01
4、管理干部学院 Institutes for Administration	166	2.27	5.96	9.31	3.70	1.36
5、教育学院 Educational Colleges	249	6.46	9.55	21.69	4.59	2.24
6、独立函授学院 Independent Correspondence Colleges	4	0.36	0.40	1.21	0.07	0.04
7、普通高等学校举办：Run by Reg. Inst. of Higher Ed.		18.94	37.76	82.74		
函授部 Divisions of Correspondence		13.66	25.30	58.13		
夜大学 Evening Schools		4.65	10.76	22.09		
干部专修科 Short-cycle Courses for Cadraes		0.63	1.70	2.52		
8、合计中：电大、函大、夜大普通专科班(A)		2.37	7.92	13.10		
二、成人中等学校 Sec. Education for Adults	308957	5813.62	5152.11	4447.91	56.06	23.50
1、成人中等专业学校 Specialized Sec. Schools for Adults	4783	54.03	85.67	206.76	20.29	10.39
广播电视中等专业学校 Radio/TV Specialized Sec. Schools	124	10.42	21.50	56.23	1.61	0.74
职工中等专业学校 Specialized Sec. Schools for Staff & Workers	1880	13.08	25.33	56.01	7.41	3.67
干部中等专业学校 Specialized Sec. Schools for Cadres	243	1.86	4.62	8.85	1.11	0.50
农民中等专业学校 Specialized Sec. Schools for Peasants	369	4.06	6.70	14.41	1.43	0.82
函授中等专业学校 Correspondence Specialized Sec. Schools	67	6.02	7.61	21.80	1.05	0.36
教师进修学校 In-service Teacher Training Schools	2100	18.59	19.91	49.46	7.68	4.30
2、成人中学 General Sec. Schools for Adults	5879	52.79	60.30	68.64	3.72	2.04
职工中学 General Sec. Schools for Staff & Workers	2371	31.20	31.07	34.71	2.48	1.34
农民中学 General Sec. Schools for Peasants	3508	21.59	29.23	33.93	1.24	0.70
3、成人技术培训学校 Technical Training Schools for Adults	298295	5706.80	5006.14	4172.51	32.05	11.07
职工技术培训学校 Technical Training Schools for Staff & Workers	9774	425.34	492.53	303.98	5.93	2.61
农民技术培训学校 Technical Training Schools for Peasants	288521	5281.46	4513.61	3868.53	26.12	8.46
三、成人初等学校 Adult Primary Schools	159435	774.00	737.11	787.69	12.84	4.05
1、职工初等学校 Worker Primary Schools	1959	13.72	15.03	15.88	0.26	0.13
2、农民初等学校 Peasant Primary Schools	157476	760.28	722.08	771.81	12.58	3.92
其中：扫盲班 of which: Literacy Classes	106439	548.17	462.92	507.42	9.19	2.60

(A): Of the total: The Regular Short-cycle Courses in Radio/TV Universities, Evening Schools and Correspondence Divisions of Regular Higher Educational Institutions.

各级普通学校校数

Number of Regular Schools by Level & Type

单位：所

	1949	1965	1978	1980	1985	1992	1993
普通高等学校 Reg. Inst. of Higher Education	205	434	598	675	1016	1053	1065
普通中等学校 Reg. Secondary Schools	5219	81274	167118	128065	108494	102271	101316
中等专业学校 Specialized Sec. Schools	1171	1265	2760	3069	3557	3903	3964
中等技术学校 Sec. Technical Schools	561	871	1714	2052	2529	2984	3046
中等师范学校 Teachers Training Schools	610	394	1046	1017	1028	919	918
技工学校 Skilled Worker Schools	3	281	2013	3305	3548	4392	4477
普通中学 General Sec. Schools	4045	18102	162345	118377	93221	84021	82795
高中 Senior	1597	4112	49215	31300	17318	14850	14380
初中 Junior	2448	13990	113130	87077	75903	69171	68415
职业中学 Vocational Schools	–	61626	...	3314	8070	9860	9985
工读学校 Correctional Work – study Schools	–	–	–	...	98	95	95
小学 Primary Schools	346769	1681939	949323	917316	832309	712973	696681
特殊教育学校 Special Education Schools	...	266	292	292	375	1027	1123
幼儿园 Kindergartens	...	19226	163952	170419	172262	172506	165197

各级普通学校学生数

Enrolment of Regular Schools by Level & Type

单位：万人
in 10 thousand

	1949	1965	1978	1980	1985	1992	1993
研究生 (人) Graduate Education(Person)	629	4546	10934	21604	87331	94164	106771
普通高等学校本专科 Undergraduate Education	11.65	67.44	85.63	114.37	170.31	218.44	253.55
普通中等学校 Reg. Secondary Schools	127.05	1441.97	6675.37	5747.83	5167.46	5510.49	5558.14
中等专业学校 Specialized Sec. Schools	22.88	54.74	88.92	124.34	157.11	240.84	282.03
中等技术学校 Sec. Technical Schools	7.71	39.24	52.93	76.13	101.29	174.28	209.83
中等师范学校 Teacher Training Schools	15.17	15.50	35.99	48.21	55.82	66.56	72.20
技工学校 Skilled Worker Schools	0.27	10.10	38.20	70.04	74.17	155.60	173.90
普通中学 General Sec. Schools	103.90	933.79	6548.25	5508.08	4705.96	4770.80	4739.11
高中 Senior	20.72	130.82	1553.08	969.79	741.13	704.89	656.91
初中 Junior	83.18	802.97	4995.17	4538.29	3964.83	4065.91	4082.20
职业中学 Vocational Schools	–	443.34	...	45.37	229.57	342.76	362.59
高中 Senior	–	77.50	...	31.92	184.34	286.38	306.35
初中 Junior	–	365.84	...	13.45	45.23	56.38	56.24
工读学校 Correctional Work-study Schools	–	–	–	...	0.65	0.49	0.51
小学 Primary Schools	2439.10	11620.90	14624.00	14627.00	13370.20	12201.28	12421.24
特殊教育学校 Special Education Schools	...	2.29	3.09	3.31	4.17	12.95	16.86
幼儿园 Kindergartens	...	171.30	787.70	1150.80	1479.70	2428.21	2552.54

各级普通学校招生数

Number of Regular School Entrants by Level & Type

单位:万人
in 10 thousand

	1949	1965	1978	1980	1985	1992	1993
研究生（人） Graduate Education(Person)	242	1456	10708	3616	46871	33439	42145
普通高等学校本专科 Undergraduate Education	3.06	16.42	40.15	28.12	61.92	75.42	92.40
普通中等学校 Reg. Secondary Schools	50.97	673.11	2769.29	2044.92	1825.70	2000.19	2050.28
中等专业学校 Specialized Sec. Schools	9.74	20.85	44.70	46.76	66.83	87.92	114.89
中等技术学校 Sec. Technical Schools	4.28	14.64	26.79	25.29	45.36	63.84	86.54
中等师范学校 Teacher Training Schools	5.46	6.21	17.91	21.47	21.47	24.08	28.35
技工学校 Skilled Worker Schools	...	...	25.70	33.13	35.54	60.18	66.35
普通中学 General Sec. Schools	41.23	345.78	2698.89	1934.31	1606.91	1699.74	1707.28
高中 Senior	7.11	45.89	692.91	383.40	257.51	234.73	228.34
初中 Junior	34.12	299.89	2005.98	1550.91	1349.40	1465.01	1478.94
职业中学 Vocational Schools	–	306.48	...	30.72	116.10	152.14	161.53
高中 Senior	–	55.67	...	24.06	98.49	125.46	134.88
初中 Junior	–	250.81	...	6.66	17.61	26.68	26.65
工读学校 Correctional Work-study Schools	–	–	–	...	0.32	0.21	0.23
小学 Primary Schools	680.00	3296.02	3315.36	2942.34	2298.17	2183.20	2353.48
特殊教育学校 Special Education Schools	...	...	0.59	0.59	0.92	2.95	3.35

各级普通学校教职工数

Number of Regular School Teachers, Staff & Workers by Level & Type

单位:万人

in 10 thousand

	1949	1965	1978	1980	1985	1992	1993
总 计 **Total**	102.30	567.87	1083.45	1167.61	1209.56	1369.30	1377.52
普通高等学校 Reg. Inst. of Higher Education	4.60	33.30	51.80	63.20	87.06	101.36	102.13
普通中等学校 Reg. Secondary Schools	12.80	110.50	422.06	437.21	439.45	533.20	537.96
中等专业学校 Specialized Sec. Schools	2.40	12.20	23.70	29.80	40.32	50.30	51.13
中等技术学校 Sec. Technical Schools	1.10	10.10	17.60	22.30	31.31	39.66	40.29
中等师范学校 Teacher Training Schools	1.30	2.10	6.10	7.50	9.01	10.64	10.84
技工学校 Skilled Worker Schools	...	...	6.66	13.61	21.53	33.65	33.52
普通中学 General Sec. Schools	10.40	67.70	391.70	389.70	355.69	411.26	413.32
职业中学 Vocational Schools	–	30.60	...	4.10	21.59	37.63	39.66
工读学校 Correctional Work－study Schools	–	–	–	...	0.32	0.36	0.33
小学 Primary Schools	84.90	407.50	562.00	605.40	602.10	619.90	621.84
特殊教育学校 Special Education Schools	...	0.37	0.69	0.80	1.15	2.70	2.96
幼儿园 Kindergartens	...	16.20	46.90	61.00	79.80	112.14	112.63

各级普通学校专任教师数

Number of Regular School Full-time Teachers by Level & Type

单位：万人
in 10 thousand

	1949	1965	1 978	1980	1985	1992	1993
总计 **Total**	93.43	467.89	902.31	939.48	933.48	1052.23	1061.55
普通高等学校 Reg. Inst. of Higher Education	1.61	13.81	20.63	24.69	34.43	38.76	38.78
普通中等学校 Reg. Secondary Schools	8.22	70.93	330.96	323.30	305.65	377.47	381.97
中等专业学校 Specialized Sec. Schools	1.56	5.51	9.96	12.87	17.40	23.51	23.93
中等技术学校 Sec. Technical Schools	0.66	4.37	6.93	9.10	12.80	17.81	18.12
中等师范学校 Teacher Training Schools	0.90	1.14	3.03	3.77	4.60	5.70	5.81
技工学校 Skilled Worker Schools	...	...	2.80	6.14	8.89	14.89	15.03
普通中学 General Sec. Schools	6.66	45.71	318.20	301.97	265.16	314.11	316.68
高中 Senior	1.40	7.79	74.13	57.07	49.17	57.61	55.90
初中 Junior	5.26	37.92	244.07	244.90	215.99	256.50	260.78
职业中学 Vocational Schools	–	19.71	...	2.32	14.07	24.80	26.17
高中 Senior	–	5.29	...	1.65	11.58	21.60	22.86
初中 Junior	–	14.42	...	0.67	2.49	3.20	3.31
工读学校 Correctional Work-study Schools	–	–	–	...	0.13	0.16	0.16
小学 Primary Schools	83.60	385.71	522.55	549.94	537.68	552.65	555.16
特殊教育学校 Special Education Schools	...	0.26	0.42	0.48	0.73	1.85	2.04
幼儿园 Kindergartens	...	6.18	27.75	41.07	54.99	81.50	83.60

普通高等学校分科毕业生累计数

Cumulative Total of Graduates by Field of Study in Regular Inst. of Highter Education

	毕业生数（万人）Number of Graduates（in 10 thousand）					解放后45年为解放前20年的倍数 B/A
	解放前毕业生累计数 (A)	1949－1993年解放后毕业生累计数				
		合计 (B) Total	1949－1965	1966－1978	1979－1993	
总计 Total	18.5	917.08	155.44	139.20	622.44	49.57
工科 Engineering	3.2	307.10	53.06	54.31	199.73	95.97
农林 Agriculture & Forestry	1.3	63.57	14.71	12.61	36.25	48.90
医药 Medicine & Pharmacy	0.9	87.75	16.66	20.79	50.30	97.50
师范 Teacher Training	2.1	259.46	39.20	24.46	195.80	123.55
文科 Humanities	2.4	55.16	8.26	10.51	36.39	22.98
理科 Natural Sciences	1.6	53.75	11.24	11.10	31.41	33.59
财经 Finance & Economics	1.9	62.62	7.13	2.79	52.70	32.96
政法 Political Science & Law	5.1	13.34	2.31	0.48	10.55	2.62
体育 Physical Culture	...	7.37	1.41	1.21	4.75	
艺术 Art	...	6.96	1.46	0.94	4.56	

注：解放前累计数是20年（1928－1947）

Notes：Cumulative Total of Preliberation：20－year（1928－1947）

（A）Cumulative total of students graduated during preliberation years .

（B）Cumulative total of students graduated during post－liberation years .

一九九三年高等学校（包括普通高等学校和成人高等学校）毕业生数和在校学生数

Enrolment & Number of Graduates in Institutions of Higher Education (Including Regular & Adult Institutions of Higher Education) for 1993

	毕业生数 Graduates			在校学生数 Enrolment		
	计 Total	本科 Normal Courses	专科 Short－cycle Courses	计 Total	本科 Normal Courses	专科 Short－cycle Courses
总计 Total	1011921	347068	664853	4398444	1598592	2799852
工科 Engineering	285888	136900	148988	1324283	641302	682981
农科 Agriculture	28687	13785	14902	117419	62277	55142
林科 Forestry	6764	3209	3555	28160	15288	12872
医药 Medicine & Pharmacy	63744	33048	30696	309697	157668	152029
师范 Teacher Training	293725	85003	208772	1025603	340166	685437
文科 Humanities	65315	15760	49555	277571	76801	200770
理科 Natural Sciences	23775	15520	8255	117867	80326	37541
财经 Finance & Economics	197170	31656	165514	969315	161983	807332
政法 Political Science & Law	29984	7208	22776	149803	37906	111897
体育 Physical Culture	6071	2532	3539	25334	11706	13628
艺术 Art	10798	2447	8351	53392	13169	40223

中等专业学校分科毕业生累计数

Cumulative Total of Graduates by Field of Study in Specialized Sec. Schools

	毕业生数（万人）Number of Graduates (in 10 thousand)					解放后45年为解放前20年的倍数 B/A
	解放前毕业生累计数 (A)	1949－1993年解放后毕业生累计数				
		合计(B) Total	1949－1965	1966－1978	1979－1993	
总计 Total	54.67	1316.87	295.85	224.80	796.22	24.09
中等技术学校 Sec. Technical Schools	18.14	785.45	159.96	123.45	502.04	43.30
工科 Insdutry	...	275.38	73.76	42.94	158.68	
农林 Agriculture & Forestry	...	112.25	34.14	19.92	58.19	
医药 Medicine & Pharmacy	...	186.69	37.02	40.51	109.16	
财经 Finance & Economics	...	159.17	11.99	14.88	132.30	
政法 Political Science & Law	...	21.97	...	...	21.97	
体育 Physical Culture	...	6.52	0.93	0.39	5.20	
艺术 Art	...	11.67	1.45	2.01	8.21	
其他 Others	...	11.80	0.67	2.80	8.33	
中等师范学校 Teacher Training Schools	36.53	531.42	135.89	101.35	294.18	14.55

注：解放前累计数是16年（1931－1946）

Notes: Cumulative Total of Preliberation: 16－year (1931－1946)

(A) Cumulative total of students graduated during preliberation years.

(B) Cumulative total of students graduated during post－liberation years.

高级中等学校学生数的构成

Composition of Students in Senior Sec. Schools

	合计 Total	普通高中 Senior General Secondary Schools	中等职业技术学校 Secondary Vocational-technical Schools			
			小计 Subtotal	中等专业学校 Specialized Sec. Schools	技工学校 Skilled Worker Schools	职业中学 Vocational Schools
学生数(万人) No. of Students (in 10 thousand)						
1965	271.1	130.8	140.3	52.7	10.1	77.5
1980	1196.0	969.8	226.2	124.3	70.0	31.9
1985	1156.7	741.1	415.6	157.1	74.2	184.3
1990	1322.0	717.3	604.7	224.4	133.2	247.1
1993	1419.3	656.9	762.4	282.0	174.0	306.4
比重(%) Percentage						
1965	100.0	48.2	51.8	19.5	3.7	28.6
1980	100.0	81.1	18.9	10.4	5.8	2.7
1985	100.0	64.1	35.9	13.6	6.4	15.9
1990	100.0	54.3	45.7	17.0	10.0	18.7
1993	100.0	46.3	53.7	19.9	12.2	21.6

小学毕业生和初中毕业生升学率

Promotion Rate of Primary & Junior Sec. School Graduates

单位:万人
in 10 thousand

年份	小学毕业生升学率 Promotion Rate of Primary School Graduates			初中毕业生升学率 Promotion Rate of Junior Sec. School Graduates		
	小学毕业生数 No.of Primary School Graduates	初级中等学校招生数 No.of Junior Sec.School Entrants	升学率(%) Promotion Rate	初中毕业生数 No.of Junior Sec.School Graduates	高级中等学校招生数 No.of Senior Sec.School Entrants	升学率(%) Promotion Rate
1965	667.6	550.7	82.5	173.8	121.6	70.0
1980	2053.3	1557.6	75.9	964.8	442.8	45.9
1985	1999.9	1367.0	68.4	998.3	416.2	41.7
1990	1863.1	1389.2	74.6	1109.1	450.4	40.6
1993	1841.5	1505.6	81.8	1134.2	500.5	44.1

学龄儿童入学率及小学在校学生巩固率

Net Enrolment Rate of School－age Children & Annual Retention Rate of Enrolment in Primary Schools

单位:万人
in 10 thousand

年份	学龄儿童入学率 Net Enrolment Rate of School－age Children			小学在校学生巩固率 Retention Rate of Enrolment in Primary Schools		
	全国学龄儿童数 Total No.of School－age Children	已入学学龄儿童数 No.of School－age Children Enrolled	入学率(%) Net Enrolment Rate	学年初学生数 Year－begining Enrolment	学年末学生数 Year－end Enrolment	巩固率(%) Annual Retention Rate
1965	11603.2	9829.1	84.7	…	…	…
1980	12219.6	11478.2	93.0	…	…	…
1985	10362.3	9942.8	95.9	13557.1	13103.1	96.7
1990	9740.7	9529.7	97.8	11739.2	11481.5	97.8
1993*	11432.0	11170.9	97.7	12198.1	11964.9	98.1

Note: Net Enrolment Rate of school－age chidren before year 1993 calculated during the age 7～11.
After 1993, the rate varies according to provincial entrant age primary schooling years.

各级普通学校女学生和女教职工数

Number of Female Students, Teachers, Staff & Workers by Level & Type of Regular Schools

单位:万人
in 10 thousand

	女学生 Female Students		女教职工 Female Teachers, Staff & Workers		女专任教师 Female Full-time Teachers	
	人数 Number	占学生总数的比重(%) Percentage	人数 Number	占教职工总数的比重(%) Percentage	人数 Number	占专任教师总数的比重(%) Percentage
普通高等学校 Regular I H E s	85.2	33.6	38.0	37.2	12.0	30.9
中等技术学校 Sec. Technical Schools	92.3	44.0	16.5	40.9	7.5	41.4
中等师范学校 Teacher Training Schools	41.4	57.3	4.1	38.0	2.2	37.9
普通中学 General Sec. Schools	2071.7	43.7	135.7	32.8	107.8	34.0
职业中学 Vocational Schools	169.4	46.7	13.4	33.8	9.0	34.4
工读学校 Correctional Work-study Schools	0.06	11.8	0.09	27.3	0.04	25.0
小学 Primary Schools	5815.9	46.8	267.9	43.1	250.7	45.2
特殊教育学校 Special Education Schools	6.4	38.0	1.9	64.2	1.4	68.6
幼儿园 Kindergartens	1197.6	46.9	105.4	93.6	78.7	94.1

各级普通学校少数民族学生和少数民族教职工数

Number of Minority Students Enrolled, Teachers, Staff & Workers in Regular Schools at Various Levels

单位:万人
in 10 thousand

	少数民族学生 Minority Students		少数民族教职工 Minority Teachers, Staff & Workers		少数民族专任教师 Minority Full-time Teacher	
	人数 Number	占学生总数的比重(%) Percentage	人数 Number	占教职工总数的比重(%) Percentage	人数 Number	占专任教师总数的比重(%) Percentage
普通高等学校 Regular I H E s	16.3	6.4	4.5	4.4	1.9	4.9
中等技术学校 Sec. Technical Schools	14.3	6.8	2.1	5.2	1.0	5.5
中等师范学校 Teacher Training Schools	7.7	10.7	0.9	8.3	0.5	8.6
普通中学 General Sec. Schools	313.7	6.6	26.8	6.5	20.2	6.4
职业中学 Vocational Schools	18.6	5.1	2.0	5.0	1.4	5.3
工读学校 Correctional Work-study Schools	0.02	3.9	0.01	3.0	0.01	6.3
小学 Primary Schools	1140.2	9.2	55.2	8.9	47.7	8.6
特殊教育学校 Special Education Schools	0.28	1.7	0.09	3.0	0.06	2.9
幼儿园 Kindergartens	72.3	2.8	3.6	3.2	2.4	2.9

二、高 等 教 育

Ⅱ、HIGHER EDUCATION

（一）普 通 高 等 学 校

A.REGULAR HIGHER EDUCATIONAL INSTITUTIONS

普通高等学校校数

Number of Regular Higher Educational Institutions

单位: 所

	合 计 Total	大学、专门学院 Universities & Colleges	专科学校 Short-Cycle Colleges	短期职业大学 Short-Cycle Vocational Colleges
总 计 Total	1065	626	356	83
综合大学 Comprehensive University	62	49	13	0
理工院校 Natural Sciences & Technology	292	214	78	0
农业院校 Agriculture	59	46	13	0
林业院校 Forestry	11	11	0	0
医药院校 Medicine & Pharmacy	126	106	20	0
师范院校 Teacher Training	251	78	173	0
语文院校 Language & Literature	15	12	3	0
财经院校 Finance & Economics	82	43	39	0
政法院校 Political Science & Law	27	12	15	0
体育院校 Physical Culture	15	14	1	0
艺术院校 Art	31	30	1	0
其他院校 Others	94	11	0	83

普通高等学校规模

Breakdown of Regular Higher Educational Institutions by Size of Enrolments

单位: 人

	学校数 Institutions	300人及以下 300 and under	301～500人 301 to 500	501～1000人 501 to 1000	1001～1500人 1001 to 1500	1501～2000人 1501 to 2000	2001～3000人 2001 to 3000	3001～4000人 3001 to 4000	4001～5000人 4001 to 5000	5001人及以上 5001 and over
总 计 Total	1065	31	38	167	228	144	196	107	56	98
综合大学 Comprehensive University	62	1	0	3	4	1	10	8	3	32
理工院校 Natural Sciences & Technology	292	5	6	20	48	36	57	47	29	44
农业院校 Agriculture	59	0	3	6	14	6	12	14	4	0
林业院校 Forestry	11	0	0	1	2	4	3	0	1	0
医药院校 Medicine & Pharmacy	126	2	4	15	34	30	30	11	0	0
师范院校 Teacher Training	251	2	1	46	58	45	54	11	12	22
语文院校 Language & Literature	15	1	2	3	4	4	1	0	0	0
财经院校 Finance & Economics	82	0	1	12	27	11	15	9	7	0
政法院校 Political Science & Law	27	2	0	15	5	0	1	4	0	0
体育院校 Physical Culture	15	0	2	6	5	1	1	0	0	0
艺术院校 Art	31	7	9	15	0	0	0	0	0	0
其他院校 Others	94	11	10	25	27	6	12	3	0	0

普通高等学校设置专业数

Number of Specialities and Number of Educational Programmes Estabished by Field of Study in Regular Higher Educational Institutions

	合计 Total	工 科 Engineering	农 科 Agriculture	林 科 Forestry	医 药 Medicine Pharmacy	师 范 Teacher Training	文 科 Humanities	理 科 Natural Sciences	财 经 Finance & Economics	政 法 Political Science & Law	体 育 Physical Culture	艺术 Art
种数 No. of Sp.	862	379	55	17	28	46	72	131	46	12	9	67
点数 No. of Ed. Prog.	16178	5717	765	167	616	3258	1401	1024	2330	255	62	583

普通高等学校工科分大类学生数

Breakdown of Engineering Students by Subfield of Study in Regular Higher Educational Institutions

单位：人

	毕业生数 Graduates	招生数 Entrants	在校学生数 Enrolment
总 计 Total	196216	327028	934039
地 质 Applied Geology	4927	5803	22205
矿 业 Mining	5511	7778	26631
动 力 Power Engineering	8981	12412	39292
冶 金 Metallurgy	4800	6588	22564
机 械 Mechanical Engineering	48453	71772	218156
电机、电器 Electrical Machines & Instruments	6480	10962	29778
无线电技术及电子学 Radio & Electronics	38030	80288	208366
化 工 Chemical Engineering	17130	29044	81406
粮食食品 Grain Processing & Food Industry	5586	7969	22316
轻 工 Light Industry	6374	10029	29434
测绘、水文 Mapping , Surveying & Hydrology	1746	2470	7800
土木建筑 Civil Engineering & Architecture	31436	51304	143306
运 输 Transportation	4863	7817	22788
通 信 Telecommunications	3243	6837	16910
其 他 Others	8656	15955	43087

	学 校 数(所) Institutions		本 专 科 学 生 数 Undergraduate Students						
	计 Total	其中:中央部门所属学校数 of which Inst. under Central Ministries & Agencies	毕业生数 Graduates	招生数 Students Admitted	在校学生数 Enrolment	合计 Total	计 Subtotal	计 Subtotal	教授 Professors
总 计 Total	1065	361	570715	923952	2535517	10213388	33046	387808	24385
其中:女 of which: Female	0	0	192462	311738	852158	3800933	02173	119683	2929
综合大学 Comprehensive Universities	62	13	63453	105814	303945	1265491	01385	47923	4100
理工院校 Natural Sciences & Tech.	292	206	191942	329361	928552	4110643	13653	142331	9349
农业院校 Agriculture	59	14	30030	51320	134802	67185	49913	23355	1501
林业院校 Forestry	11	6	4868	7458	21024	10655	8217	4085	271
医药院校 Medicine & Pharmacy	126	24	47176	64798	224936	109887	94695	42310	4202
师范院校 Teacher Training	251	13	153835	225067	566552	1709581	51585	74965	2784
语文院校 Language & Literature	15	9	4109	6622	17760	11356	10047	4689	262
财经院校 Finance & Economics	82	43	35224	63880	167071	49017	44038	20163	820
政法院校 Political Science & Law	27	12	7268	12655	33341	13964	12798	4900	236
体育院校 Physical Culture	15	6	3441	5401	15572	7435	6984	3332	175
艺术院校 Art	31	11	3251	6062	15271	12085	11246	5535	443
民族院校 Nationalities	11	4	6471	10240	26782	10824	9631	4606	140
短期职业大学 Shore=cycle Vocational Colleges	83	0	19647	35274	79909	20359	18854	9614	102
总计中 Of the total									
国家教委所属院校 Inst. under SEDC	36	36	51218	76610	255699	1438111	01635	47485	5692
中央其他部委所属院校 Inst. under other Central Ministries & Agencies	325	325	173122	310620	853217	3993283	15279	141009	10404
地方所属院校 Inst. under Local Auth.	704	0	346375	536722	1426601	4781994	416132	199314	8289

单位:人

教职工数 Teachers, Staff & Workers									
校本部教职工 Teachers, Staff & Workers in the College or Uni. Proper							科研机构人员 Personnel in Affiliated Research Org.	校办工厂、农场职工 Employees in School-run Factories, Farms	附设机构人员 Personnel in Other Subsidiary Units
专任教师 Full-time Teachers				教辅人员 Supporting Staff	行政人员 Adm. Personnel	工勤人员 Workers			
副教授 Asso. Professors	讲师 Lecturers	助教 Assistants	教员 Instructors						
95360	162543	83801	21719	123009	172406	149823	48511	67658	72123
20921	53145	34667	8021	60140	63348	59002	13083	22998	41839
13575	19581	8505	2162	15503	20455	17504	9312	5882	9970
37815	60696	26431	8040	52014	62669	56639	26759	35789	34863
5954	9542	5158	1200	6432	9761	10365	2468	10960	3844
1120	1647	943	104	1138	1602	1392	337	1097	1004
9209	16859	9863	2177	16674	19078	16633	4104	3622	7466
16771	31484	19451	4475	18785	31771	26064	3360	6818	9195
1170	1999	972	286	1352	2025	1981	201	46	1062
3988	9078	5078	1199	4360	10785	8730	837	1746	2396
948	2092	1295	329	1577	3481	2840	236	362	568
822	1413	873	49	581	1549	1522	74	18	359
1374	2099	1273	346	1188	2541	1982	271	119	449
1012	2077	1048	329	912	2424	1689	376	117	700
1602	3976	2911	1023	2493	4265	2482	176	1082	247
16182	17560	6642	1409	19515	17033	17602	18720	9368	14088
35774	59712	27549	7570	48386	65995	59889	19421	30856	33772
43404	85271	49610	12740	55108	89378	72332	10370	27434	24263

普通高等学校

Number of Undergraduate Students by Type of

	毕业生数 Graduates			招生数 Students Admitted	
	计 Total	本科 Normal Courses	专科 Short-cycle Courses	计 Total	本科 Normal Courses
总计 Total	570715	298959	271756	923952	386458
国家任务 Students Enrolled according to State Plan	494599	281649	212950	561162	330558
委托培养 Students Enrolled by Contract	57353	12319	45034	226231	24933
自费生 Tuition-paying Students	16417	4046	12371	134007	30142
教师本专科 In-service Teacher Training Courses	2346	945	1401	2552	825
总计中 of the Total					
国家教委所属学校 Inst. under SEDC	51218	42451	8767	76610	53759
中央其他部委所属学校 Inst. under Other Central Ministries & Agencies	173122	121358	51764	310620	166646
地方所属学校 Inst. under Local Aut	346375	135150	211225	536722	166053

普通高等学校

Supplementary Data for Special Categories

	第二学士学位 Second Bachelor's Degrees	专业证书班 Classes for certificate-oriented trainees	大学后继续教育 Post-collegiate continuing education
毕业生数 Graduates	1263	12790	14082
招生数 Students Admitted	1820	32539	15633
在校学生数 Enrolment	3546	34866	10245

本专科学生数

Courses in Regular Higher Educational Institutions

单位:人

专 科 Short-cycle Courses	在校学生数 Enrolment 计 Total	本 科 Normal Courses	专 科 Short-cycle Courses	毕业班学生数 Graduates for Next year 计 Total	本 科 Normal Courses	专 科 Short-cycle Courses
537494	2535517	1417357	1118160	643195	312595	330600
230604	1926451	1308256	618195	518125	299049	219076
201298	372032	57733	314299	77710	9306	68404
103865	231668	49268	182400	44881	3145	41736
1727	5366	2100	3266	2479	1095	1384
22851	255699	213265	42434	61802	48081	13721
143974	853217	581455	271762	193733	125665	68068
370669	1426601	622637	803964	387660	138849	248811

学生数补充资料

of Undergraduate Students

单位:人

预科班 Pre-university Courses	进修班 Refresher Courses	短训班 Short-term Courses	外国留学生 Foreign Students	其他 Others
7925	14890	104738	4494	14305
11265	16476	79227	6050	41828
12587	18573	65886	9067	61211

普通高等学校

Number of Students by Field of Study in

	毕业生数 Graduates			招生 Students	
	计 Total	本科 Normal Courses	专科 Short－cycle Courses	计 Total	本科 Normal Courses
总计 Total	570715	298959	271756	923952	386458
工科 Engineering	196216	127422	68794	327028	168312
农科 Agriculture	22236	13379	8857	32834	15835
林科 Forestry	5107	3149	1958	7806	4035
医药 Medicine & Pharmacy	48559	32571	15988	66877	34528
师范 Teacher Training	170738	52065	118673	221160	57938
文科 Humanities	25136	14867	10269	51381	20142
理科 Natural Sciences	18747	15114	3633	32534	20089
财经 Finance & Economics	64342	29282	35060	145074	48612
政法 Political Science & Law	10725	6268	4457	19718	9317
体育 Physical Culture	3571	2408	1163	6437	2942
艺术 Art	5338	2434	2904	13103	4708

分科学生数

Rrgular Higher Educational Institutions

单位:人

数 Admitted	在校学生数 Enrolment			毕业班学生数 Graduates for Next Year		
专科 Short-cycle Courses	计 Total	本科 Normal Courses	专科 Short-cycle Courses	计 Total	本科 Normal Courses	专科 Short-cycle Courses
537494	2535517	1417357	1118160	643195	312595	330600
158716	934039	605015	329024	215784	135050	80734
16999	96196	61601	34595	24407	14134	10273
3771	23289	14922	8367	6266	3410	2856
32349	231375	155143	76232	47255	29452	17803
163222	594053	225842	368211	192008	55884	136124
31239	127149	72797	54352	30889	16111	14778
12445	98964	78637	20327	22110	16669	5441
96462	333240	148049	185191	81176	30203	50973
10401	51831	30969	20862	12631	6769	5862
3495	17073	11308	5765	4635	2699	1936
8395	28308	13074	15234	6034	2214	3820

普通高等学校函授部、

Number of Students Enrolled in Correspondence Divisions、Evening Schools and Short－

	函授部、夜大学 Correspondence Divisions and Evening Schools							
	毕业生数 Graduates			招生数 Students Admitted			在校 Enrolment	
	计 Total	本科 Normal Courses	专科 Short－cycle Courses	计 Total	本科 Normal Courses	专科 Short－cycle Courses	计 Total	本科 Normal Courses
总计 Total	183111	36521	146590	360592	53326	307266	802248	134541
工科 Engineering	42246	8810	33436	78141	9091	69050	190235	33696
农科 Agriculture	4126	406	3720	7570	320	7250	15804	676
林科 Forestry	1288	60	1228	1125	35	1090	3550	366
医药 Medicine & Pharmacy	8065	477	7588	22236	1024	21212	46532	2312
师范 Teacher Training	54459	22229	32230	79801	28386	51415	197507	72421
文科 Humanities	12389	856	11533	21016	1555	19461	50051	3689
理科 Natural Sciences、	4490	406	4084	7865	1085	6780	15706	1689
财经 Finance & Economics	45727	2200	43527	122786	7949	114837	237855	12699
政法 Political Science & Law	6701	940	5761	14224	3744	10480	30106	6500
体育 Physical Culture	1816	124	1692	1635	93	1542	5643	398
艺术 Art	1804	13	1791	4193	44	4149	9259	95

普通高等学校教

Supplementary Data for Teachers，

	教职工总数中 Of the total number of Staff and workers				
	函授部、夜大学教职工 Teachers, Staff & Workers in Correspondence Divisions，& Evening Schools		政治工作人员 Political Workers	兼任教师 Part－time Teachers	编制外招聘教师数 Number of teachers recruited beyond authorized strength or size of Staff
	计 Total	其中：专任教师 of which：Full－time Teachers			
人数 Number	14015	4617	24082	13955	2306

夜大学、干部专修科分科学生数

cycle Courses for Cadres Attached to Regular Institutions of Higher Education

单位: 人

学生数	干部专修科 Short-cycle Courses for Cadres								
	毕业生数 Graduates			招生数 Students Admitted			在校学生数 Enrolment		
专科 Short-cycle Courses	计 Total	本科 Normal Courses	专科 Short-cycle Courses	计 Total	本科 Normal Courses	专科 Short-cycle Courses	计 Total	本科 Normal Courses	专科 Short-cycle Courses
667707	6254	0	6254	16975	204	16771	25142	204	24938
156539	1198	0	1198	3503	142	3361	5045	142	4903
15128	267	0	267	819	0	819	1118	0	1118
3184	47	0	47	0	0	0	0	0	0
44220	580	0	580	3425	62	3363	4697	62	4635
125086	318	0	318	1878	0	1878	2293	0	2293
46362	910	0	910	1767	0	1767	2863	0	2863
14017	122	0	122	256	0	256	516	0	516
225156	1844	0	1844	3779	0	3779	6044	0	6044
23606	560	0	560	742	0	742	1401	0	1401
5245	94	0	94	306	0	306	520	0	520
9164	314	0	314	500	0	500	645	0	645

职工数补充资料

Staff & Workers in Regular HEIs

单位: 人

另有其他人员 Employees not elsewhere clossified					
聘期一年以上的外国专家、教授 Foreign experts with a term of one year and over	附属中学教职工 Staff & Workers in Attached Sec. Schools	附属小学教职工 Staff & Workers in Attached Primary Schools	现有离退休人员 Number of People on Pension	服务公司等集体所有制人员 Employees of Collective owned Units (Labour Service Co., etc.)	停薪留职人员 Personnel with pay temporarily suspended
1787	17907	6753	197373	41881	8038

普通高等学校分科专任教师数

Number of Full－time Teachers by Field of Study in Regular Higher Educational Institutions

单位:人

	合计 Total	教授 Prof.	副教授 Asso.Prof.	讲师 Lecturers	助教 Assistants	教员 Instructors	合计中公共课教师 Faculty Members Teaching Basic Courses
总计 Total	387808	24385	95360	162543	83801	21719	73454
工科 Engineering	107166	7947	29626	45414	17834	6345	3178
农科 Agriculture	15033	1250	4053	6118	2855	757	105
林科 Forestry	2812	220	744	1135	589	124	22
医药 Medicine & Pharmacy	33950	3978	7662	13247	7211	1852	1906
教育 Teacher Training	5821	191	840	2220	2184	386	2654
文科 Humanities	87692	3982	18907	35680	23809	5314	33745
其中: of which							
中国共产党党史 History of the Chinese Communist Party	5344	223	1259	2202	1388	272	3057
哲学 Philosophy	7156	492	1818	2946	1609	291	3623
政治经济学 Political Economy	5670	273	1281	2450	1410	256	2879
国际共产主义运动史 History of Int's Communist Movement	1407	74	265	572	427	69	393
科学社会主义 Scientific Socialism	2447	70	403	1005	853	116	1214
汉语言文学 Chinese Language & Literature	15841	916	4741	6609	2866	709	2644
英语 English	27998	654	4370	11157	9776	2041	13722
理科 Natural Sciences	76827	4486	22391	33366	13366	3218	18577
其中: of which:							
数学 Mathemathics	23499	1162	6949	10631	3978	779	7721
物理 Physics	18744	1036	5951	8087	2892	778	4614
化学 Chemistry	17811	954	5076	7930	3067	784	3891
财经 Finance & Economics	19638	1043	3585	8706	5083	1221	519
政法 Political Science & Law	6162	323	1185	2675	1587	392	607
体育 Physical Culture	20749	395	3977	9631	5748	998	11368
艺术 Art	11958	570	2390	4351	3535	1112	773

专任教师中本学年内不担任教学工作的人数

Number of Full－time Teachers Carrying No Teaching Load

单位:人

	合 计 Total	教 授 Prof.	副教授 Asso. Prof.	讲 师 Lecturers	助 教 Assistants	教 员 Instructors
总 计 Total	34006	1337	4537	15097	11482	1553
脱产进修 On Leave for Upgrading	16682	137	1134	7945	6947	519
科学研究 Scientific Research	6988	946	1992	2641	1120	289
外借人员 Working for other Institutions or Org.	1311	44	234	659	344	30
因病休养 Convalescents	1324	68	322	575	291	68
其 他 Others	7701	142	855	3277	2780	647

非教学人员中有教师职称的人数

Breakdown of Non－Teaching Staff with Academic Ranks

单位:人

	合 计 Total	教 授 Prof.	副教授 Asso. Prof.	讲 师 Lecturers	助 教 Assistants
总 计 **Total**	52109	4511	11705	22905	12988
行政人员中 Adm.Personnel	25779	1413	5045	12069	7252
科研机构人员中 Personnel in Research Org.	17798	2899	5380	6921	2598
教辅人员中 Supporting Staff	4496	83	630	1831	1952
校办厂、场职工中 Employees in School－run Factories & Farms	737	19	120	446	152
附设机构人员中 Personnel in Subsidiary Units	3299	97	530	1638	1034

普通高等学校专

Breakdown of Full－time Teachers by Academic

	合 计 Total	研 究 生 毕 业 Completion of Postgraduate Courses		
		博 士 Doctor's Degrees	硕 士 Master's Degrees	未授博士、硕士学位的 Without advanced higher degrees
总 计 Total	387808	6583	73690	10444
其中:女教师 of which: Female Teachers	119683	567	17127	2445
教授 Prof.	24385	1239	2000	2277
副教授 Asso.Prof.	95360	2587	9509	2568
讲师 Lecturers	162543	2334	44855	3881
助教 Assistants	83801	207	13881	1421
教员 Instructors	21719	216	3445	297

普通高等学校专

Breakdown of Full－time Teachers by Age

	合 计 Total	30岁以下 30 years & under	31～35岁 31～35years
总 计 Total	387808	128237	58167
其中:女教师 of which: Female Teachers	119683	50503	18313
教授 Prof.	24385	47	129
副教授 Asso.Prof.	95360	752	2946
讲师 Lecturers	162543	40824	43164
助教 Assistants	83801	69709	10485
教员 Instructors	21719	16905	1443

普通高等学校学

Changes in

	上学年初报表在校学生数 Total enrolment at beginning of previous academic year	增加学生数 Factors of Increase					
		计 **Total**	招生数 No.of Students Admitted	复学 Students Resuming Studies	其他学校转入 Transfers from Other Inst.	其他 Others	计 **Total**
本专科学生 Undergraduate Students	2173889	952901	923952	4280	1332	23337	591273

任教师学历情况

Qualifications in Regular Higher Educational Institutions

单位:人

高等学校本科毕业 Completion of Normal Undergraduate Courses			高等学校专科毕业及本专科肄业二年以上 Completion of Short-cycle Courses or at least two years of undergraduate courses	高等学校本专科肄业未满两年及以下 Attendance in undergraduate Courses less than 2 years
学士 With Bachelor's Degrees	研究生肄业 Having Some Postgraduate Training	未授学士学位的 Without Bachelor's Degrees		
168624	888	96784	27747	3048
63959	149	26175	8455	806
4867	206	12892	786	118
22525	398	51566	5469	738
67230	224	26817	15687	1515
60588	56	3333	4014	301
13414	4	2176	1791	376

任教师年龄情况

in Regular Higher Educational Institutions

单位:人

36～40岁 36～40 years	41～45岁 41～45 years	46～50岁 46～50 years	51～55岁 51～55 years	56～60岁 56～60 years	61岁以上 61years & over
42347	23380	30087	47274	49209	9107
12900	6697	9222	13093	7964	991
314	326	1080	4605	10573	7311
5629	5340	14561	31316	33169	1647
32831	16556	13653	10536	4905	74
2653	655	168	76	44	11
920	503	625	741	518	64

生数变动情况

Undergraduate Enrolment

单位:人

减少学生数 Factors of Decrease								本学年初报表在校学生数 Total enrolment at beginning of current academic year
毕业生 Graduates	结业生 Completers of Courses without formal awards	休学 Suspended	退学 Quitting	开除 Expelled	死亡 Dead	转到其他学校 Transfers to Other Inst.	其他 Others	
570715	3002	3914	4386	315	416	899	7626	2535517

普 通 高 等 学

Condition of School Buildings in Regular

	合 计 Total	教 学、行 政 用 房 Teaching & Administritive					
		计 Subtotal	教 室 Classroom	实 验 室 Teaching Laboratories	科研用房 Research Facilities	图书馆 Library	体 育 馆 Gymnasium
校舍建筑总面积 Total Floor Space	114456708	43598117	12827630	12223215	2166333	5522400	1124365
其中:外单位长期借用、占用面积 of which: Under long－term lease or occupation by other units	1445696	103518	31273	16768	825	3489	5621
危房面积 Floor space of dilapidated buildings	3987611	1049371	267966	254671	37568	59307	33018
当年新增面积 New floor space added in current year	4125657	1300695	316116	267186	80587	222881	82129
正在施工面积 Floor space under construction	6463062	2571564	769037	440076	285746	514180	90978

普通高等学校专

Changes of Full－time Teachers in Regular

	上学年初报表专任教师数 Total number of full－time teachers at beginning of previous academic year	增 加 专 Factors				
		合 计 Total	当 年 分 配 毕 业 生 New recruits from current year graduates			
			计 Total	其中: 博士、硕士毕业 Of which: completing doc. & mas. deg. prog.	其中: 本科毕业 Of which: completing 1st degree courses	计 Total
专任教师 Full－time Teachers	388310	27465	17580	5704	11320	5884

校校舍情况

Higher Educational Institutions

单位: m^2

工厂 Factories	校系行政用房 Adm. Buildings	生活及福利附属用房 Residential and other auxiliary Buildings: 计 Subtotal	学生宿舍 Students' Dormitories	学生食堂 Students' Dining Halls	教工及家属住宅 Residences for staff & Workers	教工食堂 Dining Halls for Staff & Workers	福利及附属用房 Welfare anxiliary Buildings	其他用房 Others
3163261	6178045	65906484	16701107	3727788	37387140	704620	7176461	4952107
11235	33671	1149861	42000	3612	988506	3849	74185	192317
138496	226696	2691086	473402	127441	1657898	30337	285573	247154
66551	138424	2692455	685540	73469	1722553	19857	172171	132507
75057	143273	3639981	622428	148840	2489663	25734	270091	251517

任教师变动情况

Higher Educational Institutions

单位: 人

任教师数 of Increase			减少专任教师数 Factors of Decrease				本学年初报表专任教师数 Total number of full-time teachers at beginning of current academic year
外单位教师调入 Teachers recruited form other units	校内、外非教师调入 Non-teaching personnel changed into teachers		合计 total	上学年离退休人员 Retired from their posts during previcus academic year	调离教师岗位人员 Transferred from teaching to non-teaching posts	其他 Others	
其中: 普通高校调入 Of which: from reg. HEIs	计 Total	其中: 本校职工转为教师 Of which: with change of status in their own institutions					
3379	4001	2174	27967	9225	9465	9277	387808

空页

（二）研　究　生

B. GRADUATE　EDUCATION

全国研究生

Basic Statistics of Graduate

	合计 Total			攻读博士学位 Candidates for Doctor's	
	毕业生数 Graduates	招生数 Entrants	在学研究生数 Enrolment	毕业生数 Graduates	招生数 Entrants
总　计 Total	28214	42145	106771	2940	6150
其中:女 of which: Female	6951	11493	27531	319	880
委托培养 Students enrolled by contract	505	5478	6827	48	340
哲　学 Philosophy	447	657	1620	43	98
经济学 Economics	1935	3375	7581	128	260
法　学 Law	1214	1823	4543	60	158
教育学 Education	540	751	1879	36	56
其中:体育学 of which: Science of Physical Culture & Sports	87	113	254	4	4
文　学 Literature	1498	2245	5413	55	145
其中:艺术学 of which: Science of Art	91	170	356	8	10
历史学 History	511	739	1878	59	135
理　学 Sciences	5718	7316	19787	840	1551
工　学 Engineering	12607	19458	49515	1214	2727
其中:力学 of which: Mechanics	542	620	1782	94	138
农　学 Agriculture	938	1463	3737	101	263
其中:林学 of which: Forestry	98	138	378	10	15
医　学 Medicine	2806	4318	10818	404	757

单位: 人

研究生 Degrees	攻读硕士学位研究生 Candidates for Master's Degrees			研究生班研究生 Students Enrolled in Postgraduate Courses not Awarding Degrees		
在学研究生数 Enrolment	毕业生数 Graduates	招生数 Entrants	在学研究生数 Enrolment	毕业生数 Graduates	招生数 Entrants	在学研究生数 Enrolment
17570	25167	35739	88835	107	256	366
2179	6594	10555	25265	38	58	87
613	412	5046	6110	45	92	104
238	403	532	1355	1	27	27
718	1772	3115	6863	35	0	0
396	1147	1664	4146	7	1	1
156	503	686	1694	1	9	29
12	83	109	242	0	0	0
393	1388	2053	4915	55	47	105
28	83	160	328	0	0	0
318	452	592	1544	0	12	16
4332	4878	5721	15393	0	44	62
8155	11385	16615	41234	8	116	126
439	448	482	1343	0	0	0
702	837	1200	3035	0	0	0
45	88	123	333	0	0	0
2162	2402	3561	8656	0	0	0

高等学校研究生

Basic Statistics of Graduate Education in

	合计 Total			攻读博士学位 Candidates for Doctor's	
	毕业生数 Graduates	招生数 Entrants	在学研究生数 Enrolment	毕业生数 Graduates	招生数 Entrants
总计 Total	25835	39098	98385	2439	5334
其中:女 of which: Female	6486	10807	25814	272	759
委托培养 Students enrolled by contract	470	5345	6600	28	282
哲学 Philosophy	418	626	1550	35	84
经济学 Economics	1806	3192	7174	96	202
法学 Law	1150	1731	4340	53	134
教育学 Education	535	741	1854	34	50
其中:体育学 of which: Science of Physical Culture & Sports	87	113	254	4	4
文学 Literature	1493	2209	5345	52	138
其中:艺术学 of which: Science of Art	88	164	340	6	10
历史学 History	508	715	1839	58	123
理学 Sciences	4621	5952	15861	502	1067
工学 Engineering	11732	18387	46471	1124	2565
其中:力学 of which: Mechanics	517	593	1700	92	132
农学 Agriculture	890	1377	3505	91	238
其中:林学 of which: Forestry	95	133	368	10	15
医学 Medicine	2682	4168	10446	394	733

基本情况

Regular Higher Educational Institutions

单位: 人

研究生 Degrees	攻读硕士学位研究生 Candidates for Master's Degrees			研究生班研究生 Students Enrolled in Postgraduate Courses not Awarding Degrees		
在学研究生数 Enrolment	毕业生数 Graduates	招生数 Entrants	在学研究生数 Enrolment	毕业生数 Graduates	招生数 Entrants	在学研究生数 Enrolment
15153	23300	33515	82873	96	249	359
1878	6176	9991	23850	38	57	86
488	398	4971	6008	44	92	104
202	383	515	1321	0	27	27
573	1685	2990	6601	25	0	0
340	1090	1596	3999	7	1	1
143	500	682	1682	1	9	29
12	83	109	242	0	0	0
368	1386	2031	4879	55	40	98
26	82	154	314	0	0	0
292	450	580	1531	0	12	16
2870	4119	4841	12929	0	44	62
7633	10600	15706	38712	8	116	126
420	425	461	1280	0	0	0
629	799	1139	2876	0	0	0
45	85	118	323	0	0	0
2103	2288	3435	8343	0	0	0

科研机构研究生

Basic Statistics of Graduate Education

	合计 Total			攻读博士学位 Candidates for Doctor's	
	毕业生数 Graduates	招生数 Entrants	在学研究生数 Enrolment	毕业生数 Graduates	招生数 Entrants
总计 Total	2379	3047	8386	501	816
其中:女 of which: Female	465	686	1717	47	121
委托培养 Students enrolled by contract	35	133	227	20	58
哲学 Philosophy	29	31	70	8	14
经济学 Economics	129	183	407	32	58
法学 Law	64	92	203	7	24
教育学 Education	5	10	25	2	6
其中:体育学 of which: Science of Physical Culture & Sports	0	0	0	0	0
文学 Literature	5	36	68	3	7
其中:艺术学 of which: Science of Art	3	6	16	2	0
历史学 History	3	24	39	1	12
理学 Sciences	1097	1364	3926	338	484
工学 Engineering	875	1071	3044	90	162
其中:力学 of which: Mechanics	25	27	82	2	6
农学 Agriculture	48	86	232	10	25
其中:林学 of which: Forestry	3	5	10	0	0
医学 Medicine	124	150	372	10	24

基本情况

in Research Organizations

单位: 人

研究生 Degrees	攻读硕士学位研究生 Candidates for Master's Degrees			研究生班研究生 Students Enrolled in Postgraduate Courses not Awarding Degrees		
在学研究生数 Enrolment	毕业生数 Graduates	招生数 Entrants	在学研究生数 Enrolment	毕业生数 Graduates	招生数 Entrants	在学研究生数 Enrolment
2417	1867	2224	5962	11	7	7
301	418	564	1415	0	1	1
125	14	75	102	1	0	0
36	20	17	34	1	0	0
145	87	125	262	10	0	0
56	57	68	147	0	0	0
13	3	4	12	0	0	0
0	0	0	0	0	0	0
25	2	22	36	0	7	7
2	1	6	14	0	0	0
26	2	12	13	0	0	0
1462	759	880	2464	0	0	0
522	785	909	2522	0	0	0
19	23	21	63	0	0	0
73	38	61	159	0	0	0
0	3	5	10	0	0	0
59	114	126	313	0	0	0

全国研究生指导教师情况

Basic Data on Supervisors of Postgraduate Programmes in China

单位：人
Unit: person

	合计 Total	30岁及以下 30 years and under	31－35	36－40	41－45	46－50	51－55	56－60	61岁及以上 61 years and over
总　计 Total	53988	262	1118	1692	1747	5619	15187	19327	9036
其中：女 Of which: Female	7416	5	44	134	182	764	2631	2755	901
一、分职称 By academic rank									
教授 Professors	21754	13	93	205	261	917	4147	8676	7442
副教授 Asso. Professors	25788	212	879	1330	1280	3960	8718	8538	871
其他高级职称 with other adv. titles	6446	37	146	157	206	742	2322	2113	723
二、分指导关系 By supervisory function									
博士导师 Supervisors of doctoral programmes	2540	0	1	7	12	28	204	581	1707
硕士导师 Supervisors of master's degree prog.	48619	262	1110	1677	1728	5510	14623	17907	5802
博士、硕士导师 Supervisors of doc. & mas. degree programmes	2829	0	7	8	7	81	360	839	1527

普通高等学校研究生指导教师情况

Basic Data on Supervisors of Postgraduate Programmes in Regular Higher Educational Institutions

单位：人
Unit: person

	合计 Total	30岁及以下 30 years and under	31－35	36－40	41－45	46－50	51－55	56－60	61岁及以上 61 years and over
总 计 Total	47223	236	1030	1588	1582	4921	12592	17191	8083
其中：女 Of which: Female	6683	5	43	125	165	673	2342	2506	824
一、分职称 By academic rank									
教授 Professors	19848	13	90	200	247	806	3585	7951	6956
副教授 Asso. Professors	24597	207	852	1296	1222	3744	8127	8288	861
其他高级职称 with other adv. titles	2778	16	88	92	113	371	880	952	266
二、分指导关系 By supervisory function									
博士导师 Supervisors of doctoral programmes	1881	0	1	7	11	26	146	419	1271
硕士导师 Supervisors of master's degree prog.	42855	236	1022	1573	1565	4833	12177	16042	5407
博士、硕士导师 Supervisors of doc. & mas. degree programmes	2487	0	7	8	6	62	269	730	1405

科研机构研究生指导教师情况

Basic Data on Supervisors of Postgraduate Programmes in Research Organizations

单位：人

Unit: person

	合计 Total	30岁及以下 30 years and under	31－35	36－40	41－45	46－50	51－55	56－60	61岁及以上 61 years and over
总　计 Total	6765	26	88	104	165	698	2595	2136	953
其中：女 Of which: Female	733	0	1	9	17	91	289	249	77
一、分职称 By academic rank									
教授 Professors	1906	0	3	5	14	111	562	725	486
副教授 Asso. Professors	1191	5	27	34	58	216	591	250	10
其他高级职称 with other adv. titles	3668	21	58	65	93	371	1442	1161	457
二、分指导关系 By supervisory function									
博士导师 Supervisors of doctoral programmes	659	0	0	0	1	2	58	162	436
硕士导师 Supervisors of master's degree prog.	5764	26	88	104	163	677	2446	1865	395
博士、硕士导师 Supervisors of doc. & mas. degree programmes	342	0	0	0	1	19	91	109	122

三、中 等 教 育

Ⅲ. SECONDARY EDUCATION

(一)中 等 专 业 学 校

A. SPECIALIZED SECONDARY SCHOOLS

中等专业学校

Basic Statistics of Specialized Secondary

	学校数(所) Schools	毕业生数 Graduates	招生数 Entrants			在校学生数 Enrolment			
			计 Total	招高中毕业生数 Graduates From Senior Sec. School	招初中毕业生数 Graduates From Junior Sec. School		合计 Total	计 Subtotal	计 Subtotal
总计 **Total**	3964	735509	1148923	250092	898831	2820290	511292	469925	239326
中等技术学校 Sec. Technical Schools	3046	507299	865371	215411	649960	2098255	402920	366244	181172
工业学校 Industry	941	191385	332774	75625	257149	849358	164407	144675	69912
农业学校 Agriculture	376	55734	102482	14575	87907	258723	50074	45427	21814
林业学校 Forestry	52	8189	13400	2022	11378	36818	8690	8084	3597
医药学校 Health	556	93813	138168	12600	125568	355410	68190	60719	30975
财经学校 Finance & Economics	568	104697	183499	75521	107978	385718	61460	58851	29280
政法学校 Politics & Law	141	22563	33227	28210	5017	61484	14269	13991	6004
体育学校 Physical Culture	162	10150	15829	252	15577	43707	13067	12502	6688
艺术学校 Art	146	7550	16871	910	15961	45818	14166	13944	8655
其他学校 Others	104	13218	29121	5696	23425	61219	8597	8051	4247
中等师范学校 Teacher Training Schools	918	228210	283552	34681	248871	722035	108372	103681	58154
其中：Of which:									
幼儿师范学校 Pre-primary Teacher Training Schools	67	12670	17323	821	16502	43832	7986	7361	4187

分类别情况

Schools by Field of Study

单位: 人

教职工数 Teachers, Staff & Workers									兼任教师 Part-time Teachers
校本部教职工 Employees in the School Proper							校办厂、场职工 Employees in School-run Factories & Farms	附设机构人员 Employees in Subsidiary Units	
专任教师 Full-time Teachers				教辅人员 Supporting Staff	行政人员 Adm. Personnel	工勤人员 Workers			
高级讲师 Senior Lecturers	讲师 Lecturers	助理讲师 Assistant Lecturers	教员 Instructors						
26495	83079	96019	33733	46115	98811	85673	26275	15092	4687
20367	66004	70585	24216	38233	79021	67818	23077	13599	4515
8769	26946	27239	6958	17087	30445	27231	14678	5054	1194
2515	7054	9003	3242	4887	8947	9779	3715	932	269
453	1220	1578	346	817	1683	1987	491	115	22
3890	11660	11025	4400	7237	11644	10863	1765	5706	1379
2485	10197	12652	3946	4611	14393	10567	1629	980	623
441	1957	2658	948	1207	4571	2209	117	161	105
466	2281	2151	1790	669	2882	2263	58	507	146
935	3321	2438	1961	1055	2482	1752	163	59	318
413	1368	1841	625	663	1974	1167	461	85	459
6128	17075	25434	9517	7882	19790	17855	3198	1493	172
508	1287	1805	587	537	1580	1057	215	410	19

中等专业学校分科学生数

Number of Students by Field of Study in Specialized Secondary Schools

单位: 人

	毕业生数 Graduates	招生数 Entrants			在校学生数 Enrolment	毕业班学生数 Graduates for Next Year
		计 Total	招高中毕业生数 Graduates from Senior Sec. School	招初中毕业生数 Graduates From Junior Sec. School		
总计 Total	735509	1148923	250092	898831	2820290	755707
工科 Industry	168687	287545	61231	226314	758851	177227
农科 Agriculture	40467	63208	9983	53225	178155	44581
林科 Forestry	7644	11826	1528	10298	34358	7726
医药 Health	92699	137186	12279	124907	352301	89560
师范 Teacher Training	232437	289265	35858	253407	736050	227114
财经 Finance & Economics	144685	273175	94585	178590	568421	154963
政法 Politics & Law	21817	31697	27147	4550	59286	24156
体育 Physical Culture	9949	15873	224	15649	43014	11084
艺术 Art	10132	24479	2252	22227	61359	11807
其他 Others	6992	14669	5005	9664	28495	7489

中等专业学校专任教师年龄情况

Breakdown of Full-time Teachers by Age in Specialized Secondary Schools

单位：人

	合 计 Total	30岁以下 30 years and under	31-35	36-40	41-45	46-50	51-55	56-60	61岁以上 61 years and over
总 计 **Total**	239326	105001	34783	26849	17407	18340	22731	13813	402
高级讲师 Senior Lecturers	26495	15	84	345	530	3632	11924	9629	336
讲 师 Lecturers	83079	8999	15969	18231	13470	12990	9686	3696	38
助理讲师 Assistant Lecturers	96019	68842	16195	7022	2576	916	354	109	5
教 员 Instructors	33733	27145	2535	1251	831	802	767	379	23
中等技术学校 Technical Schools	181172	75675	26806	21548	13761	14784	17601	10655	342
高级讲师 Senior Lecturers	20367	13	67	283	416	2921	9024	7361	282
讲 师 Lecturers	66004	7306	12688	14646	10508	10389	7586	2848	33
助理讲师 Assistant Lecturers	70585	49982	11907	5506	2079	732	284	90	5
教 员 Instructors	24216	18374	2144	1113	758	742	707	356	22
中等师范学校 Teacher Training Schools	58154	29326	7977	5301	3646	3556	5130	3158	60
高级讲师 Senior Lecturers	6128	2	17	62	114	711	2900	2268	54
讲 师 Lecturers	17075	1693	3281	3585	2962	2601	2100	848	5
助理讲师 Assistant Lecturers	25434	18860	4288	1516	497	184	70	19	0
教 员 Instructors	9517	8771	391	138	73	60	60	23	1

中等专业学校分课

Number of Full－time Teachers of Specialized

	合计 Total	政治课 Politics	普 General							
			计 Total	语文 Chinese	数学 Math	物理 Physics	化学 Chemistry	生物 Biology	地理 Geography	历史 History
总计 Total	239326	15835	116887	24010	20387	9820	8999	3580	2056	2282
中等技术学校 Sec. Technical Schools	181172	12395	63281	11876	12046	6088	6274	1233	571	547
中等师范学校 Teacher Training Schools	58154	3440	53606	12134	8341	3732	2725	2347	1485	1735

中等专业学校分中央部

Basic Statistics of Specialized

	学校数(所) Schools	毕业生数 Graduates	招生数 Entrants			在校学生数 Enrolment	毕业班学生数 Graduates for Next Year			
			计 Total	招高中毕业生数 Graduates From Senior Sec. School	招初中毕业生数 Graduates From Junior Sec. School			合计 Total	计 Subtotal	计 Subtotal
总计 Total	3964	735509	1148923	250092	898831	2820290	755707	511292	469925	239326
中央部委所属学校 Run by Contral Ministries & Agencies	374	78389	123650	40299	83351	308459	81296	73406	63971	29278
地方所属学校 Run by Local Authorities	3590	657120	1025273	209793	815480	2511831	674411	437886	405954	210048

中等专业学校女学

Number of Female Students, Teachers, Staff &

	女学生数 Female Stud dents								
	毕业生数 Graduates	招生数 Entrants			在校学生数 Enrolmen	毕业班学生数 Graduates for Next Year	合计 Total	计 Subtotal	计 Subtotal
		计 Total	招高中毕业生数 Graduates From Senior Sec. School	招初中毕业生数 Graduates From Junior Sec. School					
总计 Total	331847	547345	87823	459522	1336961	336591	206123	188677	97020
中等技术学校 Sec. Technical Schools	211844	382612	71473	311139	922960	217363	165462	150476	75331
中等师范学校 Teacher Training Schools	120003	164733	16350	148383	414001	119228	40661	38201	21689

程的专任教师数

Secondary Schools by Subject Taught

单位:人

通课 Educational Subjects								专业课 Special Subjects	技术基础课 Basic Technical Subjects
心理学 Psychology	教育学 Pedagogy	音乐 Music	美术 Fine Arts	体育 Physical Culture	英语 English	其他外国语 Other Foreign Languages	其他 Others		
2130	2556	6615	5073	15288	10151	335	3605	78816	27788
448	232	953	835	10433	9103	245	2397	77991	27505
1682	2324	5662	4238	4855	1048	90	1208	825	283

门、地方学校基本情况

Secondary Schools by Control

单位:人

教职工数 Teachers, Staff & Workers								
校本部教职工 Employees in the School Proper							校办厂、场职工 Employees in School-run Factories & Farms	附设机构人员 Employees in Subsidiary Units
专任教师 Full-time Teachers				教辅人员 Supporting Staff	行政人员 Adm. Personnel	工勤人员 Workers		
高级讲师 Senior Lecturers	讲师 Lecturers	助理讲师 Assistant Lecturers	教员 Instructors					
26495	83079	96019	33733	46115	98811	85673	26275	15092
4353	12347	10058	2520	7808	13931	12954	5591	3844
22142	70732	85961	31213	38307	84880	72719	20684	11248

生和女教职工数

Workers in Specialized Secondary Schools

单位:人

女教职工数 Female Teachers, Staff & Workers									兼任教师(不在教工数中) Part-time Teachers
校本部女教职工 Female Employees in the School Proper							校办厂、场职工 Employees in School-run Factories & Farms	附设机构人员 Employees in Subsidiary Units	
专任女教师 Female Full-time Teachers				教辅人员 Supporting Staff	行政人员 Adm. Personnel	工勤人员 Workers			
高级讲师 Senior Lecturers	讲师 Lecturers	助理讲师 Assistant Lecturers	教员 Instructors						
6666	32280	43565	14509	26227	34306	31124	9075	8371	1285
5345	26523	33232	10231	21622	28528	24995	7653	7333	1239
1321	5757	10333	4278	4605	5778	6129	1422	1038	46

中等专业学校专

Changes of Full－time Teachers

	上学年初报表在校学生数 Number of Total full－time teachers at beginning of previous academic year	增加专任教 Factors of						
		合计 Total	当年分配毕业生 New recruits from current year graduates					其他单 Teachers from
			计 total	研究生 Completing postgraduate courses	本科生 Completing 1st degree courses	专科生 Completing short－cycle courses	中专生 Completing SSS courses	计 total
总计 Total	235204	21957	10368	94	7245	2202	827	7600
中等技术学校 Sec. Technical Schools	178108	16560	7321	75	5242	1379	625	5700
中等师范学校 Teacher Training Schools	57096	5397	3047	19	2003	823	202	1900

中等专业学校学

Changes in Enrolment of

	上学年初报表在校学生数 Total enrolment at beginning of previous academic year	增加学生数 Factors of Increase					
		计 Total	本学年初招生数 No.of Students Admitted	复学 Students Resuming Studies	其他学校转入 Transfers from Other Schools	其他 Others	计 Total
总计 Total	2410461	1177607	1148923	1465	3687	23532	767778
中等技术学校 Sec. Technical Schools	1745347	888303	865371	1156	3148	18628	535395
中等师范学校 Teacher Training Schools	665114	289304	283552	309	539	4904	232383

中等专业学

Condition of School Buildings in

	合计 Total				
	计 Total	教学、行政用房 Teaching & Administritive	生活及福利用房 Residential and Welfare	其他用房 Others	计 Total
校舍建筑面积 Floor Space	69530806	27138382	37188914	5203510	55234048
其中：被外单位借占面积 of which: Under long－term lease or occupation by other units	727934	145746	268437	313751	641328
危房面积 Floor space of dilapidated buildings	1714458	430107	1052631	231720	1342032
当年新增面积 New floor space added in current year	2694831	1209174	1359463	126194	2010354
正在施工面积 Floor space under construction	3071299	1458352	1471646	141301	2265272

任教师变动情况

in Specialized Sec. Schools

单位：人

师数 Increase			减少学生数 Factors of Decrease				本学年初报表专任教师数 Total number of full-time teachers at beginning of current academic year
位教师调入 recruited other units	非教师调入 Non-teaching personnel changed into teachers		合计 Total	上学年内离退休教师 Retired from their posts during previous academic year	调离教师岗位人员 Transferred from teaching to non-teaching posts	其他 Others	
其中：中等专业学校调入 Of which: from other SSSs	计 Total	其中：本校职工转为教师 Of which: change of status in their own institutions					
3150	3989	2602	17835	3536	7809	6490	239326
2592	3539	2241	13496	2712	5991	4793	181172
558	450	361	4339	824	1818	1697	58154

生数变动情况

Specialized Sec. Schools

单位：人

减少学生数 Factors of Decrease								本学年初报表在校学生数 Total enrolment at beginning of current academic year
上学年毕业生数 Graduates	上学年结业生数 Completers of Courses without formal award	休学 Suspended	退学 Quitting	开除 Expelled	死亡 Dead	转到其他学校 Transfers to Other Schools	其他 Others	
735509	1830	1407	5760	523	444	3790	18515	2820290
507299	1658	1113	5187	395	308	3228	16207	2098255
228210	172	294	573	128	136	562	2308	722035

校校舍情况

Specialized Secondary Schools

单位：m^2

中等技术学校 Secondary Technical Schools			中等师范学校 Teacher Training Schools			
教学、行政用房 Teaching & Administritive	生活及福利用房 Residential and Welfare	其他用房 Others	计 Total	教学、行政用房 Teaching & Administritive	生活及福利用房 Residential and Welfare	其他用房 Others
21302191	29677830	4254027	14296758	5836191	7511084	949483
135348	200157	305823	86606	10398	68280	7928
349791	821570	170671	372426	80316	231061	61049
883550	1024488	102316	684477	325624	334975	23878
1006851	1135775	122646	806027	451501	335871	18655

中等专业学校专任教师学历情况

Breakdown of Full-time Teachers by Educational Attainment in Specialized Sec.Schools

单位:人

	合计 Total	高等学校本科毕业及以上 Completion of Normal Courses in IHEs	高等学校专科毕业及本专科肄业两年以上 Completion of Short-cycle Courses or at least 2 years of Undergraduate Courses	高等学校本专科肄业未满两年 Less than 2 years attendance at IHEs	中专、高中毕业及以下 Completion of Specialized or General Sec.Ed. & Lower
总 计 Total	239326	146238	68938	1676	22474
中等技术学校 Sec.Technical Schools	181172	109485	51411	1431	18845
中等师范学校 Teacher Training Schools	58154	36753	17527	245	3629

中等专业学校学生数补充资料

Supplementary Data for Total Enrolment of Specialized Secondary Schools

单位:人

	学生总数中 Of total enrolment			函授 Correspondence	另有其他学生数 Additional categories of students		
	干部中专班 SSS Classes for Cadres	职工中专班 SSS Classes for Workers	农村中专班 SSS Classes for Peasants		进修班 Refresher Courses	培训班 Training Courses	其他 Others
毕业生数 Graduates	4794	31760	8976	47547	8107	87123	15102
招生数 Entrants	8632	56547	14747	70580	11474	46751	37852
在校生数 Enrolment	17099	118738	32750	171678	17824	37975	63048

中等专业学校其他情况

Supplementary Data on Specialized Secondary Schools

	学校占地面积(亩) Area of school site (mu) (1mu = $\frac{1}{15}$ hectare)	学校藏书(万册) Library collections (in 10000 volumes)	固定资产总额(万元) Fixed assets (in 10000 yuan)	应开实验(小时) Total number of hours of laboratory work as scheduled the teaching plans	已开实验(小时) Total number of hours of laboratory work actually provided
总 计 Total	255019336	16512.12	2236329.80	21457096	2203493
中等技术学校 Sec.Technical Schools	200588147	12773.97	1838674.36	21177297	1972472
中等师范学校 Teacher Training Schools	54431189	3738.15	397655.44	279799	231021

(二) 普 通 中 学

B. GENERAL SECONDARY SCHOOLS

空页

普通中学校数、班数

Number of General Secondary Schools and Classes

	学校数（所）Schools				班数（个）Classes	
	计 Total	初级中学 Junior Sec. Schools	高级中学 Senior Sec. Schools	完全中学 Complete Sec. Schools	初中 Junior Sec. Schools	高中 Senior Sec. Schools
总计 Total	82795	68415	3171	11209	826332	138278
教育部门和集体办 Run by Ed. Dept. & Communities	74769	63140	2885	8744	764403	123161
其他部门办 Run by Non-ed. Dept.	8026	5275	286	2465	61929	15117
城市 Urban	12177	7384	764	4029	143922	46194
教育部门和集体办 Run by Ed. Dept. & Communities	7904	4618	582	2704	107553	37080
其他部门办 Run by Non-ed. Dept.	4273	2766	182	1325	36369	9114
县镇 County Seats & Towns	17706	11723	1371	4612	190446	65617
教育部门和集体办 Run by Ed. Dept. & Communities	16004	10665	1304	4035	178355	62378
其他部门办 Run by Non-ed. Dept.	1702	1058	67	577	12091	3239
农村 Rural	52912	49308	1036	2568	491964	26467
教育部门和集体办 Run by Ed. Dept. & Communities	50861	47857	999	2005	478495	23703
其他部门办 Run by Non-ed. Dept.	2051	1451	37	563	13469	2764
总计中 Of the total						
四年制初中 4-year junior sec. Schools	1947	1891	0	56	21440	0
小学附设初中班 Junior Sec. Classes attached to primary schools	0	0	0	0	38600	0

Number of Students in

	毕业生数 Graduates		招生数 Students Admitted		初 Junior	
	初中 Junior Sec. Schools	高中 Senior Sec. Schools	初中 Junior Sec. Schools	高中 Senior Sec. Schools	计 Total	一年级 Grade 1
总计 Total	11341743	2317127	14789434	2283351	40822065	15029778
教育部门和集体办 Run by Ed. Dept. & Communities	10560423	2097485	14001446	2084448	38375714	14226306
其他部门办 Run by Non-ed. Dept.	781320	219642	787988	198903	2446351	803472
城市 Urban	1996274	741856	2320498	745049	6894842	2349752
教育部门和集体办 Run by Ed. Dept. & Communities	1536880	616926	1850964	621577	5428825	1873539
其他部门办 Run by Non-ed. Dept.	459394	124930	469534	123472	1466017	476213
县镇 County Seats & Towns	2762794	1124610	3362140	1116551	9557004	3409440
教育部门和集体办 Run by Ed. Dept. & Communities	2603778	1077090	3216353	1075769	9097896	3260476
其他部门办 Run by Non-ed. Dept.	159016	47520	145787	40782	459108	148964
农村 Rural	6582675	450661	9106796	421751	24370219	9270586
教育部门和集体办 Run by Ed. Dept. & Communities	6419765	403469	8934129	387102	23848993	9092291
其他部门办 Run by Non-ed. Dept.	162910	47192	172667	34649	521226	178295
总计中 Of the total						
四年制初中 4-year junior sec. schools	67598	0	456878	0	1063644	508320
小学附设初中班 Junior Sec. Classes attached to primary schools	434535	0	585349	0	1573795	612267
女学生 Female Students	4981834	897096	6546525	897859	18142021	6680893

学 生 数

General Secondary Schools

单位:人

在校学生数 Enrolment						
中 Sec.Schools			高中 Senior Sec. Schools			
二年级 Grade 2	三年级 Grade 3	四年级 Grade 4	计 Total	一年级 Grade 1	二年级 Grade 2	三年级 Grade 3
13713756	11983545	94986	6569068	2296371	2123069	2149628
12887622	11177739	84047	6006666	2096486	1946067	1964113
826134	805806	10939	562402	199885	177002	185515
2336455	2184189	24446	2133061	749055	695974	688032
1840769	1699494	15023	1786773	624891	584850	577032
495686	484695	9423	346288	124164	111124	111000
3228088	2907812	11664	3223090	1123886	1043948	1055256
3072733	2753688	10999	3108810	1083011	1008454	1017345
155355	154124	665	114280	40875	35494	37911
8149213	6891544	58876	1212917	423430	383147	406340
7974120	6724557	58025	1111083	388584	352763	369736
175093	166987	851	101834	34846	30384	36604
288180	172158	94986	0	0	0	0
532032	428229	1267	0	0	0	0
6093645	5325041	42442	2574815	901744	831262	841809

教职
Teachers,

	合计 Total	专任教师 Full-time Teachers		
		计 Total	初中 Junior Sec. Schools	高中 Senior Sec. Schools
总计 Total	4133174	3166831	2607855	558976
教育部门办 Run by Ed. Dept.	3396647	2635139	2145598	489541
其他部门办 Run by Non-ed. Dept.	428042	305779	237605	68174
集体办 Run by Communities	308485	225913	224652	1261
城市 Urban	1027720	719875	528811	191064
教育部门办 Run by Ed. Dept.	743907	526560	377452	149108
其他部门办 Run by Non-ed. Dept.	258395	187790	145940	41850
集体办 Run by Communities	25418	5525	5419	106
县镇 County Seats & Towns	1161760	866767	607334	259433
教育部门办 Run by Ed. Dept.	1036033	780886	536775	244111
其他部门办 Run by Non-ed. Dept.	84684	60490	45637	14853
集体办 Run by Communities	41043	25391	24922	469
农村 Rural	1943694	1580189	1471710	108479
教育部门办 Run by Ed. Dept.	1616707	1327693	1231371	96322
其他部门办 Run by Non-ed. Dept.	84963	57499	46028	11471
集体办 Run by Communities	242024	194997	194311	686
总计中 Of the total				
女教职工 Female Teachers, Staff & Workers	1357349	1078065	922569	155496

教 职 工 数

in General Secondary Schools

单位:人

工数 Staff & Workers				代课教师 Substitute Teachers	临时工 Temporary Workers	兼任教师 Part-time Teachers
行政人员 Adm. Personnel	工勤人员 Workers	校办工厂、农场职工 Employees in School-run Factories & Farms				
		计 Total	其中:由厂、场收入支付工资的职工 Employees maintained by income of school-run businesses			
505524	376576	84243	43578	138170	109521	7387
437130	274761	49617	16208	87230	80442	5329
60353	54537	7373	3083	4253	2822	1493
8041	47278	27253	24287	46687	26257	565
174402	84563	48880	30530	8260	19151	3705
134542	56957	25848	11093	5426	16019	2627
39467	26161	4977	1693	1642	1778	990
393	1445	18055	17744	1192	1354	88
146093	126388	22512	8468	31071	35463	1649
133546	105066	16535	3856	22301	27630	1193
11060	12255	879	383	917	373	332
1487	9067	5098	4229	7853	7460	124
185029	165625	12851	4580	98839	54907	2033
169042	112738	7234	1259	59503	36793	1509
9826	16121	1517	1007	1694	671	171
6161	36766	4100	2314	37642	17443	353
118252	127251	33781	21381	53450	38080	1548

普通中学分课程专

Number of Full－time General Secondary School Teachers

	合计 Total	初中 Junior Sec. Schools				
		计 Total	大学本科毕业及以上 Completion of Normal Courses in IHEs	大学专科毕业 Completion of Short－cycle Courses in IHEs	中专毕业 Complete Specialized Sec. Education	高中毕业 Complete General Sec. Education
总计 **Total**	3166831	2607855	218635	1334194	758356	255844
政治 Politics	238355	195220	17879	103811	52228	17280
语文 Language & Literature	646575	556831	46264	297486	164912	40946
数学 Math	615504	524901	42870	268057	166088	44881
物理 Physics	267049	204722	20207	117172	49906	16405
化学 Chemistry	187128	129561	13228	76045	29413	10281
生物 Biology	126789	102356	13562	47701	28140	10932
地理 Geography	125832	101398	9965	44571	31417	12713
历史 History	134894	101668	11279	48209	28212	11401
英语 English	409447	337906	15307	195188	77783	45869
俄语 Russian	3910	2808	327	1397	464	528
日语 Japanese	1604	1093	220	553	173	130
体育 Physical Culture	149056	117711	10487	46175	40867	15983
生理卫生 Physiology & Hygiene	29187	28650	1786	10911	10646	4292
音乐 Music	46073	44810	1663	15710	20839	4996
美术 Fine Arts	40695	39590	1526	16338	15737	4544
计算机课 Computer literacy	3663	1382	465	691	158	48
职业劳动 Vocational practice	27615	24240	1465	7640	8846	4524
其他课 Others	113455	93008	10135	36539	32527	10091

任教师学历情况

by Subject Taught & Educational Attainment

单位：人

高中毕业以下的 Complete Sec. Education & Lower	高中 Senior Sec. Schools 计 Total	大学本科毕业及以上 Completion of Normal Courses in IHEs	大学专科毕业 Completion of Short-cycle Courses in IHEs	中专毕业 Complete Specialized Sec. Education	高中毕业 Complete General Sec. Education	高中毕业以下的 Complete Sec. Education & Lower
40826	558976	285592	242442	22556	7565	821
4022	43135	22793	17952	1767	556	67
7223	89744	49838	36183	2740	903	80
3005	90603	55605	32760	1468	742	28
1032	62327	36025	24344	1257	679	22
594	57567	31681	23926	1314	627	19
2021	24433	13073	10326	788	232	14
2732	24434	11495	11445	1122	329	43
2567	33226	17801	14111	973	290	51
3759	71541	24591	43164	2807	933	46
92	1102	634	398	41	27	2
17	511	235	206	51	17	2
4199	31345	10320	15100	4708	1036	181
1015	537	131	265	112	25	4
1602	1263	212	659	326	53	13
1445	1105	174	675	207	44	5
20	2281	1300	869	75	34	3
1765	3375	1028	1508	548	238	53
3716	20447	8656	8551	2252	800	188

普通中学专任教师专业

Full－Time Teachers in General Secondary

	合　计 Total	25岁及以下 25 years and under	26－30	31－35
合　计 Total	3166831	732390	775245	409637
初中：小计 Junior Sec. Schools Subtotal	2607855	639648	618498	337974
其中：女 Of which: Female	922569	266183	234997	113515
高　级 Senior	29422	11	14	78
一　级 1st grade	458425	735	9139	26003
二　级 2nd grade	1074265	76843	303628	215260
三　级 3rd grade	561422	210678	216340	76867
未评级 Rank undecided	484321	351381	89377	19766
高中：小计 Senior Sec. Schools Subtotal	558976	92742	156747	71663
其中：女 Of which: Female	155496	33521	46777	19448
高　级 Senior	69800	3	48	183
一　级 1st grade	165988	393	10772	22836
二　级 2nd grade	219981	27060	117208	43099
三　级 3rd grade	45421	19276	19857	4483
未评级 Rank undecided	57786	46010	8862	1062

技术职务、年龄结构情况

Schools Broken Down by Rank and Age

单位：人

Unit: person

36－40	41－45	46－50	51－55	56－60	61岁及以上 61 years and over	总计中：女 Of the total female
359455	283113	272476	237973	94853	1689	1078065
309921	240747	215416	179174	65463	1014	922569
103640	82878	73309	44210	3802	35	0
289	806	4523	15014	8533	154	11427
55514	83226	119908	118895	44540	465	165409
209175	138469	81076	39498	10114	202	364499
35242	12602	6093	2809	749	42	195434
9701	5644	3816	2958	1527	151	185800
49534	42366	57060	58799	29390	675	155496
13444	11020	16483	13155	1623	25	0
606	1992	13047	33336	20138	447	15307
28480	31362	39624	23747	8627	147	44112
18815	8262	3841	1325	359	12	63292
1141	377	164	73	43	7	13545
492	373	384	318	223	62	19240

普通中学校舍情况

Condition of School Buildings in General Secondary Schools

	总计 Total	城市 Urban	县镇 County Seats & Towns	农村 Rural
学校数(所) Number of Schools	82795	12177	17706	52912
教学行政用房 (m^2) Teaching & Administritive	140719000	38672950	38532248	63513802
生活福利用房 (m^2) Residential and Welfare	106395237	18979299	34110382	53305556
校舍建筑面积(m^2) Floor Space	296648414	72928488	86668915	137051011
其中: Of which:				
当年新增面积 (m^2) New floor space added in current year	11129323	2490736	3440937	5197650
危险房屋面积(m^2) Floor space of dilapidated buildings	6029650	1019135	1574902	3435613

普通初中班额情况

Size of Junior Secondary Classes

	班数(个) No. of Classes	班额(班) Size of Classes					
		25人及以下 25 and under	26-35	36-45	46-55	56-65	66人及以上 66 and over
总计 Total	826332	22362	70955	197917	303242	170510	61346
城市 Urban	143922	4009	14085	38527	51048	26033	10220
县镇 County Seats & Towns	190446	4465	13155	42573	71869	41376	17008
农村 Rural	491964	13888	43715	116817	180325	103101	34118

(三) 职 业 中 学

C. VOCATIONAL SCHOOLS

职业中学校数、

Number of Schools, Classes, Graduates

	学校数(所) Schools			
	计 Total	初中 Junior Sec. Schools	高中 Senior Sec. Schools	初、高中合设 Junior & Senior Sec. Schools
总计 Total	9985	1582	7827	576
教育部门和集体办 Run by Ed. Dept. & Communities	7994	1564	5891	539
其他部门办 Run by Non-ed. Dept.	1991	18	1936	37
城市 Urban	3040	37	2886	117
教育部门和集体办 Run by Ed. Dept. & Communities	1794	34	1665	95
其他部门办 Run by Non-ed. Dept.	1246	3	1221	22
县镇 County Seats & Towns	2992	131	2697	164
教育部门和集体办 Run by Ed. Dept. & Communities	2457	121	2176	160
其他部门办 Run by Non-ed. Dept.	535	10	521	4
农村 Rural	3953	1414	2244	295
教育部门和集体办 Run by Ed. Dept. & Communities	3743	1409	2050	284
其他部门办 Run by Non-ed. Dept.	210	5	194	11
总计中 Of the total				
教育部门其他部门联办 Run by Ed. Dept. & Non-ed. Dept.	280	2	265	13
其他学校附设 Attached to other schools				
女学生 Female Students				

班数、毕业生数和招生数

& Students Admitted in Vocational Schools

班数(个) Classes		毕业生数(人) Graduates		招生数(人) Students Admitted	
初中 Junior	高中 Senior	初中 Junior	高中 Senior	初中 Junior	高中 Senior
12316	73674	145232	879888	266453	1348801
12176	59828	144120	728496	264513	1089597
140	13846	1112	151392	1940	259204
401	32533	4896	348276	6037	568027
322	23227	4464	252612	5329	400277
79	9306	432	95664	708	167750
1878	24242	27386	293482	43378	470086
1860	21130	27001	257494	43075	400239
18	3112	385	35988	303	69847
10037	16899	112950	238130	217038	310688
9994	15471	112655	218390	216109	289081
43	1428	295	19740	929	21607
37	3609	894	33802	1073	59457
1582	7141	9808	76585	48582	142091
		57948	392522	104142	622611

职业中学在校学

Enrolment of Vocational

	在校学生数 Enrolment					
		初中 Junior				
	合计 Total	计 Total	一年级 Grade 1	二年级 Grade 2	三年级 Grade 3	计 Total
总计 Total	3625907	562380	268352	156843	137185	3063527
教育部门和集体办 Run by Ed. Dept. & Communities	3035748	558628	266408	155836	136384	2477120
其他部门办 Run by Non-ed. Dept.	590159	3752	1944	1007	801	586407
城市 Urban	1338530	14133	6088	4221	3824	1324397
教育部门和集体办 Run by Ed. Dept. & Communities	957209	12429	5380	3687	3362	944780
其他部门办 Run by Non-ed. Dept.	381321	1704	708	534	462	379617
县镇 County Seats & Towns	1120897	86894	43609	21731	21554	1034003
教育部门和集体办 Run by Ed. Dept. & Communities	971225	86256	43306	21498	21452	884969
其他部门办 Run by Non-ed. Dept.	149672	638	303	233	102	149034
农村 Rural	1166480	461353	218655	130891	111807	705127
教育部门和集体办 Run by Ed. Dept. & Communities	1107314	459943	217722	130651	111570	647371
其他部门办 Run by Non-ed. Dept.	59166	1410	933	240	237	57756
总计中 Of the total						
教育部门其他部门联办 Run by Ed. & Non-ed. Dept.	143692	2553	1229	189	1135	141139
其他学校附设 Attached to other schools	350481	62115	49402	8950	3763	288366
女学生 Female Students	1694454	232244	111177	64742	56325	1462210

生数和毕业班学生数

Schools and Graduates for Next Year

单位人

高中 Senior						毕业班学生数 Graduates for Next Year	
二年制 2-year		三年制 3-year			四年制 4-year	初中 Junior	高中 Senior
一年级 Grade 1	二年级 Grade 2	一年级 Grade 1	二年级 Grade 2	三年级 Grade 3			
344040	225429	988770	797912	661536	45840	137516	896378
293336	193999	784243	638898	530476	36168	136563	732412
50704	31430	204527	159014	131060	9672	953	163966
91983	60382	462412	370559	301310	37751	3724	369739
64873	41571	324192	266150	216614	31380	3288	265247
27110	18811	138220	104409	84696	6371	436	104492
154378	96123	313491	255413	209371	5227	25082	306291
135617	86463	263948	216984	179641	2316	24933	266533
18761	9660	49543	38429	29730	2911	149	39758
97679	68924	212867	171940	150855	2862	108710	220348
92846	65965	196103	155764	134221	2472	108342	200632
4833	2959	16764	16176	16634	390	368	19716
11246	7410	44094	38007	31265	9117	1082	39388
42489	26817	96732	68886	51981	1461	9549	77972
149578	100700	474960	390003	323145	23824	55640	426839

职业中学高中

Number of Senior Level Students in

	合计 Total	工科 Industry	农科 Agriculture	林科 Forestry	医药 Health
毕业生数 Graduates	879888	245971	163508	30661	49152
招生数 Students Admitted	1348801	368612	134464	29891	89230
在校学生数 Enrolment	3063527	869122	374713	78602	204278
毕业班学生数 Graduates for Next Year	896378	258726	141132	28842	52698

职业中学

Number of Teachers, Staff

	教职 Teachers, Staff					
	合计 Total	专任教师 Full-time Teachers			行政人员 Adm. Personnel	工勤人员 Workers
		计 Total	初中 Junior	高中 Senior		
总计 Total	396626	261771	33135	228636	66997	48229
教育部门办 Run by Ed. Dept.	320360	218221	28484	189737	55486	35628
其他部门办 Run by Non-ed. Dept.	60282	36867	406	36461	10875	9094
集体办 Run by Communities	15984	6683	4245	2438	636	3507
城市 Urban	155374	97677	1323	96354	32414	15023
教育部门办 Run by Ed. Dept.	113904	73131	1008	72123	24823	10573
其他部门办 Run by Non-ed. Dept.	37147	24250	274	23976	7357	4213
集体办 Run by Communities	4323	296	41	255	234	237
县镇 County Seats & Towns	123897	81392	4924	76468	19615	18004
教育部门办 Run by Ed. Dept.	106140	71889	4491	67398	17097	14034
其他部门办 Run by Non-ed. Dept.	14883	8473	42	8431	2384	2983
集体办 Run by Communities	2874	1030	391	639	134	987
农村 Rural	117355	82702	26888	55814	14968	15202
教育部门办 Run by Ed. Dept.	100316	73201	22985	50216	13566	11021
其他部门办 Run by Non-ed. Dept.	8252	4144	90	4054	1134	1898
集体办 Run by Communities	8787	5357	3813	1544	268	2283
总计中 Of the total						
女教职工 Female Teachers, Staff & Workers	134107	90842	8148	82694	18978	16470

阶段分科学生数

Vocational Schools by Field of Study

单位: 人

师范 Teacher Training	文科 Humanities	财经 Finance & Economics	政法 Politics & Law	体育 Physical Culture	艺术 Arts	修理服务 Maintenance & Repair	其他 Others
32808	37526	125920	2400	3638	29211	104512	54581
47378	70686	265100	10959	6351	42729	179927	103474
116915	149283	559489	17235	12859	98258	376093	206680
35441	38880	143423	3967	3741	28568	104773	56187

教 职 工 数

& Workers in Vocational Schools

单位: 人

工数 & Workers 校办工厂、农场职工 Employees in School-run Factories & Farms 计 Total	其中: 由厂、场收入支付工资的职工 Employees maintained by income of school-run businesses	代课教师 Substitute Teachers	临时工 Temporary Workers	兼任教师 Part-time Teachers
19629	11076	12916	16916	21731
11025	4444	8969	13324	9911
3446	1801	2536	1841	10338
5158	4831	1411	1751	1482
10260	6192	3874	4727	11998
5377	2262	1890	3509	3871
1327	425	1821	1043	7436
3556	3505	163	175	691
4886	2134	4339	6559	6827
3120	1055	3510	5338	4088
1043	437	497	613	2366
723	642	332	608	373
4483	2750	4703	5630	2906
2528	1127	3569	4477	1952
1076	939	218	185	536
879	684	916	968	418
7817	5228	3548	4880	4404

	合计 Total	初中 Junior Sec. Schools				
		计 Total	大学本科毕业及以上 Completion of Normal Courses in IHEs	大学专科毕业 Completion of Short-cycle Courses in IHEs	中专毕业 Complete Specialized Sec. Education	高中毕业 Complete General Sec. Education
总计 Total	261771	33135	1221	13142	13455	4420
文化课 Cultural Subjects	146908	27605	1036	11237	11071	3604
专业课 Special Subjects						
工科 Industry	28783	395	24	206	140	19
农科 Agriculture	17009	2090	56	736	894	334
林科 Forestry	3668	460	3	157	207	75
医药 Health	5371	82	5	25	42	9
师范 Teacher Training	5475	243	8	103	120	10
文科 Humanities	6735	429	22	198	144	54
财经 Finance & Economics	11441	48	0	12	22	13
政法 Politics & Law	865	70	0	26	36	5
体育 Physical Culture	4369	482	29	126	215	84
艺术 Arts	6246	166	10	49	59	33
修理服务 Maintenance & Repair	10107	252	5	47	107	57
其他 Other	14794	813	23	220	398	123

任教师学历情况

School Teachers by Educational Attainment

单位:人

高中毕业以下的 Complete General Sec. Education & Lower	高中 Senior Sec. Schools 计 Total	大学本科毕业及以上 Completion of Normal Courses in IHEs	大学专科毕业 Completion of Short-cycle Courses in IHEs	中专毕业 Complete Specialized Sec. Education	高中毕业及以下 Complete General Sec. Education & Lower
897	228636	59430	128508	29918	10780
657	119303	35015	68602	11459	4227
6	28388	7925	15927	3147	1389
70	14919	3015	8754	2566	584
18	3208	742	1720	607	139
1	5289	1317	2305	1465	202
2	5232	971	2474	1641	146
11	6306	1790	3580	710	226
1	11393	2328	6988	1661	416
3	795	191	485	92	27
28	3887	805	1978	838	266
15	6080	783	3420	1437	440
36	9855	1469	5404	1735	1247
49	13981	3079	6871	2560	1471

职业中学专任教师专业

Full-Time Teachers in Vocational

	合 计 Total	25岁及以下 25 years and under	26-30	31-35
合 计 Total	261771	62421	68362	31710
初中：小计 Junior Sec. Schools Subtotal	33135	9079	8389	4729
其中：女 Of which: Female	8148	3108	2389	1038
高 级 Senior	99	0	4	0
一 级 1st grade	3476	19	78	164
二 级 2nd grade	11569	572	2526	2583
三 级 3rd grade	9057	2768	3553	1489
未评级 Rank undecided	8934	5720	2228	493
高中：小计 Senior Sec. Schools Subtotal	228636	53342	59973	26981
其中：女 Of which: Female	82694	22780	22318	9398
高 级 Senior	9948	7	9	39
一 级 1st grade	56483	136	1873	4786
二 级 2nd grade	89805	9902	38311	17592
三 级 3rd grade	32733	14299	13362	3151
未评级 Rank undecided	39667	28998	6418	1413

技术职务、年龄结构情况

Schools Broken Down by Rank and Age

单位：人
Unit: person

36－40	41－45	46－50	51－55	56－60	61岁及以上 61 years and over	总计中：女 Of the total female
24933	20979	21938	21209	9576	643	90842
3776	2571	2021	1843	676	51	8148
757	380	275	172	16	13	0
3	3	7	40	36	6	18
274	560	802	1137	427	15	486
2598	1588	1005	525	153	19	2496
712	299	136	75	24	1	2363
189	121	71	66	36	10	2785
21157	18408	19917	19366	8900	592	82694
7714	6855	7574	5451	557	47	0
92	251	1295	4764	3236	255	2641
7743	10235	14154	12416	4947	193	19339
11369	6820	3696	1639	453	23	32796
1055	463	240	127	35	1	12312
898	639	532	420	229	120	15606

职业中学校舍情况

Condition of School Buildings in Vocational Schools

	总计 Total	城市 Urban	县镇 County Seats & Towns	农村 Rural
学校数（所） Number of Schools	9985	3040	2992	3953
教学行政用房（m²） Teaching & Administritive	14871578	5852471	4683110	4335997
生活福利用房（m²） Residential and Welfare	12107605	3012041	4674204	4421360
校舍建筑面积(m²) Floor Space	33942370	11496277	11553358	10892735
其中: Of which:				
当年新面积（m²） New floor space added in current year	606278	115532	176446	314300
危险房屋面积（m²） Floor space of dilapidated buildings	1691504	545214	632931	513359

四、初等教育(小学)

Ⅳ. PRIMARY EDUCATION (PRIMARY SCHOOLS)

小学校数、班

Number of Schools, Classes &

	学校数(所) Schools	教学点数(个) External teaching sites	班 数(个) Classes	毕业生数(人) Graduates	招生数(人) Students Admitted
总计 Total	696681	191510	3976406	18415116	23534825
教育部门和集体办 Run by Ed. Dept. & Communities	680964	187164	3820813	17593714	22569699
其他部门办 Run by Non-ed. Dept.	15717	4346	155593	821402	965126
城市 Urban	29203	3542	350192	2256510	2755088
教育部门和集体办 Run by Ed. Dept. & Communities	23211	2764	272089	1777770	2189299
其他部门办 Run by Non-ed. Dept.	5992	778	78103	478740	565789
县镇 County Seats & Towns	82998	9638	522228	3030175	3736580
教育部门和集体办 Run by Ed. Dept. & Communities	80026	9161	494320	2882625	3576399
其他部门办 Run by Non-ed. Dept.	2972	477	27908	147550	160181
农村 Rural	584480	178330	3103986	13128431	17043157
教育部门和集体办 Run by Ed. Dept. & Communities	577727	175239	3054404	12933319	16804001
其他部门办 Run by Non-ed. Dept.	6753	3091	49582	195112	239156
总计中 Of the total					
六年制 6-year Schools	416792	113927	2545147	10838637	14401560
女学生 Female Students				8248360	11010483

数和学生数

Students in Primary Schools

在校学生数（人） Enrolment						
合计 Total	一年级 Grade 1	二年级 Grade 2	三年级 Grade 3	四年级 Grade 4	五年级 Grade 5	六年级 Grade 6
124212382	26241948	23149239	21571838	21058112	20561618	11629627
119078557	25248438	22298447	20772049	20218339	19648487	10892797
5133825	993510	850792	799789	839773	913131	736830
15192525	2808998	2490121	2402667	2594186	2779087	2117466
12161281	2234222	2000130	1939634	2092124	2224428	1670743
3031244	574776	489991	463033	502062	554659	446723
19324640	3946838	3456837	3208402	3238127	3382999	2091437
18456817	3783338	3313953	3076176	3098217	3226311	1958822
867823	163500	142884	132226	139910	156688	132615
89695217	19486112	17202281	15960769	15225799	14399532	7420724
88460459	19230878	16984364	15756239	15027998	14197748	7263232
1234758	255234	217917	204530	197801	201784	157492
80474140	16098882	14149507	12997728	12738286	12860110	11629627
58158966	12405761	10900019	10108811	9796299	9524365	5423711

小 学 教

Number of Teachers, Staff &

	教职 Teachers, Staff			
	合计 Total	专任教师 Full-time Teachers	行政人员 adm. Personnel	工勤人员 Workers
总计 Total	6218361	5551597	478104	157964
教育部门办 Run by Ed. Dept.	3795505	3280939	404398	93219
其他部门办 Run by Non-ed. Dept.	408929	340918	36109	29505
集体办 Run by Communities	2013927	1929740	37597	35240
城市 Urban	909291	765985	94290	35137
教育部门办 Run by Ed. Dept.	631356	534002	71782	19205
其他部门办 Run by Non-ed. Dept.	228608	191454	21085	14456
集体办 Run by Communities	49327	40529	1423	1476
县镇 County Seats & Towns	1035765	909285	82371	36582
教育部门办 Run by Ed. Dept.	781405	677359	72357	26339
其他部门办 Run by Non-ed. Dept.	74701	61124	6722	6408
集体办 Run by Communities	179659	170802	3292	3835
农村 Rural	4273305	3876327	301443	86245
教育部门办 Run by Ed. Dept.	2382744	2069578	260259	47675
其他部门办 Run by Non-ed. Dept.	105620	88340	8302	8641
集体办 Run by Communities	1784941	1718409	32882	29929
总计中 Of the total				
女教职工 Female Teachers, Staff & Workers	2679147	2506898	97779	63526

职 工 数

Workers in Primary Schools

单位: 人

工数 & Workers		代课教师 Subtitute Teachers	临时工 Temporary Workers
校办工厂、农场职工 Employees in School－run Factories & Farms			
计 Total	其中:由厂、场收入支付工资的职工 Of which: Employees maintained by income of school－run businesses		
30696	11081	628508	86775
16949	2649	330723	47945
2397	844	10714	2487
11350	7588	287071	36343
13879	7584	24516	14024
6367	1465	14160	11316
1613	433	2954	1456
5899	5686	7402	1252
7527	1884	60518	11358
5350	720	28912	6635
447	226	2026	263
1730	938	29580	4460
9290	1613	543474	61393
5232	464	287651	29994
337	185	5734	768
3721	964	250089	30631
10944	5631	316903	39901

	合　计 Total	25岁及以下 25 years and under	26－30	31－35	36－40
合　计 Total	5551597	985061	846380	829022	931670
中教高级 Senior secondary	2274	5	21	25	109
小教高级 Senior primary	657472	383	2807	14223	49172
小教一级 1st grade primary	2311510	60251	245681	412230	577335
小教二级 2nd grade primary	1354816	357193	319323	247138	201118
小教三级 3rd grade primary	296714	59726	88545	60882	43441
未评级 Rank undecided	928811	507503	190003	94524	60495

技术职务、年龄结构情况

Broken Down by Rank and Age

单位：人
Unit: person

41－45	46－50	51－55	56－60	61岁及以上 61 years and over	总计中：女 Of the total female
752300	610426	474154	119275	3309	2506898
250	607	867	370	20	1212
102898	195980	228191	62670	1148	327232
465419	312717	192862	43988	1027	1022701
123758	67196	32490	6312	288	602548
24279	12663	5855	1221	102	119626
35696	21263	13889	4714	724	433579

学龄儿童入学率

Net Enrolment Rate of School－age Children

单位：人

	学龄儿童入学率 Net Enrolment Rate of School－age Children			在校学生巩固率 Annual Retention Rate		
	7至11周岁学龄儿童总数 Total No. of 7－11 School-age Children	已入学的7至11周岁学龄儿童数 No. of 7－11 School-age Children Enrolled	学龄儿童入学率 Net Enrolment Rate (%)	学年初学生数 Year-beginning Enrolment	学年末学生数 Year-end Enrolment	巩固率 Annual Retention Rate (%)
总计 Total	102436201	100707628	98.31	121981214	119648781	98.09
城市 Urban	12468352	12414708	99.57			
县镇 County Seats & Towns	15836044	15689108	99.07			
农村 Rural	74131805	72603812	97.94			
总计中 Of the total						
女儿童 Girls	48897095	47645165	97.44			

小学专任教师学历情况

Breakdown of Full－time Primary School Teachers by Educational Attainment

单位：人

	计 Total	大学本科毕业及以上 Completion of Normal Courses in IHEs	大学专科毕业 Completion of Short－cycle Courses in IHEs	中专毕业 Complete Specialized Sec. Education in IHEs	高中毕业 Complete General Sec. Education	高中毕业以下的 Complete Sec. Education & Lower
人数 Number	5551597	10162	198201	3370683	1124566	847985
%	100.00	0.18	3.57	60.72	20.26	15.27

小学校舍情况

Condition of School Buildings in Primary Schools

	总计 Total	城市 Urban	县镇 County Seats & Towns	农村 Rural
学校数(所) Number of Schools	696681	29203	82998	584480
教学行政用房 Teaching & Administritive	313549167	38079228	46317937	229152002
生活福利用房 Residential and Welfare	87900020	7439890	13912968	66547162
校舍建筑面积(m^2) Floor Space	455021268	55276866	69141390	330603012
其中：Of which:				
当年新增面积 (m^2) New floor space added in current year	11671826	1826056	2324519	7521251
危险房屋面积(m^2) Floor space of dilapidated buildings	8661835	536838	989049	7135948

小学班额情况

Size of Primary Classes

	班数(个) No. of Classes	班额(班) Size of Classes					
		10人及以下 10 and under	11－20	21－30	31－40	41－50	50人及以上 50 and over
总计 **Total**	3976406	182236	692059	1049337	995581	645218	411975
城市 Urban	350192	3522	15482	36641	76687	109361	108499
县镇 County Seats & Towns	522228	12552	59736	108402	124513	108527	108498
农村 Rural	3103986	166162	616841	904294	794381	427330	194978

空页

五、特 殊 教 育

Ⅴ. SPECIAL EDUCATION

	学校数(所) Schools	班数(个) Classes		毕业生数 Graduates		
		小 学 Primary Sch.	初 中 Junior Sec. Sch.	计 Total	小 学 Primary Sch.	初 中 Junior Sec. Sch.
总 计 Total	1123	8760	392	11721	10510	1211
盲聋哑学校合计 Total Number of Schools for the Blind & the Deaf－mute	824	5070	366	5816	4874	942
盲聋哑学校 Schools for the Blind & the Deaf－mute	84	707	60	1111	917	194
盲生部 Blind		112	27	136	76	60
聋哑生部 Deaf－mute		595	33	975	841	134
聋哑学校 Schools for the Deaf－mute	714	3990	233	4162	3577	585
盲 校 Schools for the Blind	26	134	71	315	171	144
普通学校附设 Attached to Regular Schools		239	2	228	209	19
合计中:女生、女教职工数 Of the Total: Female Students, Teachers, Staff & Workers				2149	1718	368
弱智儿童辅读学校(班)合计 Total No. of Schools for Retarded Children	299	3690	26	5905	5636	269
弱智儿童辅读学校(班) Schools for Reguarded Children	299	1422	16	1086	1028	58
普通学校附设 Attached to Regular Schools		2268	10	4819	4608	211
合计中:女生、女教职工数 Of the Total: Female Strdents Teachers, Staff & Workers				2176	2076	100

校基本情况

Special Education Schools

单位:人

招生数 Students Admitted			在校学生数 Enrolment			教职工数 Teachers, Staff & Workers	
计 Total	小学 Primary Sch.	初中 Junior Sec. Sch.	计 Total	小学 Primary Sch.	初中 Junior Sec. Sch.	计 Total	其中:专任教师 Of which: Full-time Teachers
33533	31976	1557	168585	163110	5475	29555	20350
13231	11954	1277	69770	65740	4030	22900	14828
1984	1704	280	9759	9094	665	3295	2135
300	182	118	1270	1010	260	655	447
1684	1522	162	8489	8084	405	2640	1688
9461	8659	802	51971	49406	2565	18164	11740
468	298	170	1944	1254	690	1135	686
1318	1293	25	6096	5986	110	306	267
4811	4320	491	25816	24242	1574	13642	10156
20302	20022	280	98815	97370	1445	6655	5522
2768	2768	0	16640	16398	242	4211	3329
17534	17254	280	82175	80972	1203	2444	2193
7990	7886	104	37932	37383	549	4883	4192

空页

六、幼儿教育

Ⅵ. PRE－PRIMARY EDUCATION

幼儿教育基本情况

Basic Statistics of Pre-primary Education

	园 数(所) Kindergartens	班 数(个) Classes	在园幼儿数(人) Children Enrolled	教职工数(人) Teachers, Staff & Workers 计 Total	其中: Of which: 园长 Kindergarten Heads	教师 Teachers	保健员 Health Nurses
总计 Total	165197	765423	25525380	1126333	61683	835976	50877
按办别分: By Category of Maintenance:							
教育部门办 Run by Ed.Dept.	17861	205784	7578697	240913	12728	191560	9898
其他部门办 Run by Non-ed.Dept.	27899	116475	3706987	400000	28899	206982	33705
集体办 Run by Communities	119437	443164	14239696	485420	20056	437434	7274
按城乡分: By Location							
城市 Urban	31882	149768	5275124	462707	33054	247308	31574
县镇 County Seats & Towns	28414	132838	4900733	229028	13716	182003	14162
农村 Rural	104901	482817	15349523	434598	14913	406665	5141
总计中: 女幼儿、女教职工 Of the Total: Girls & Female Teachers' Staff & Workers			11975853	1054451	57377	786838	46571

园长、专任教师学历情况

Breakdown of Kindergarten Heads and Teachers by Educational Attainment

单位:人

	合计 Total	高师毕业以上 A	中师毕业 B	职业高中幼教专业毕业 C	非师范专业毕业 D: 高中毕业及以上 E	非师范专业毕业 D: 初中毕业及以下 F	合计中: 取得"专业合格证书"的 G
总计 Total	897659	25111	259478	100944	259811	252315	100028
园长 Kindergarten Heads	61683	5397	27054	4585	14730	9917	4378
教师 Teachers	835976	19714	232424	96359	245081	242398	95650

A. Graduates of teachers colleges and those with higher qualifications.

B. Graduates of teachers training schools.

C. Graduates of pre-school education programmes in vocational schools.

D. Graduates from non-teacher training institutions.

E. Graduates of senior secondary schools and those with higher qualifications.

F. Graduates of junior secondary schools and those with lower qualifications.

G. Of the total: Those awarded " teaching certificates ".

七、成人教育

Ⅶ. ADULT EDUCATION

成 人 高 等 学
Basic Statistics for Adult Higher

	学校数(所) Institutions	毕业生数 Graduates			招生数 Entrants		
		计 Total	本科 Normal Courses	专科 Short-cycle Courses	计 Total	本科 Normal Courses	专科 Short-cycle Courses
总 计 Total	1183	441206	48109	393097	862631	76008	786623
其中:全脱产 Of which: Full-time	0	105292	4075	101217	192244	5587	186657
普通专科班(A)	0	23714	835	22879	79163	1230	77933
广播电视大学 Radio/TV Universities	45	101615	0	101615	213331	0	213331
其中:全脱产 Of which: Full-time	0	21488	0	21488	32998	0	32998
普通专科班 (A) Regular Short-cycle Courses	0	16208	0	16208	62632	0	62632
职工高等学校 Workers' Colleges	714	59186	456	58730	112474	802	111672
其中:全脱产 Of which: Full-time	0	31943	45	31898	54319	205	54114
农民高等学校 Peasants' Colleges	5	109	0	109	178	0	178
其中:全脱产 Of which: Full-time	0	109	0	109	165	0	165
管理干部学院 Institutes for Administration	166	22739	225	22514	59586	1062	58524
其中:全脱产 Of which: Full-time	0	20478	132	20346	47496	428	47068
教育学院 Educational Colleges	249	64624	10706	53918	95477	20532	74945
其中:全脱产 Of which: Full-time	0	25020	3898	21122	40227	4757	35470
独立函授学院 Independent Correspondence Colleges	4	3568	201	3367	4018	82	3936
普通高等学校举办 Run by Regular IHEs		136645	31201	105444	252983	46412	206571
函授部 Divisions of Correspondence		5271	500	4771	9515	1039	8476
其中:普通专科班(A)		46466	5320	41146	107609	6914	100695
夜大学 Evening Schools		2150	335	1815	5553	191	5362
其中:普通专科班(A)		6254		6254	16975	204	16771
干部专修班 Short-cycle Courses for Cadres							

(A) Of which Regalar Short-cycle Courses.

校基本情况
Educational Institutions

单位:人

在校学生数 Enrolment 计 Total	本科 Normal Courses	专科 Short-cycle Courses	教职工数 Teachers, Staff & Workers 计 Total	其中:专任教师 Of which: Full-time Teachers	兼任教师数 Part-time Teachers
1862927	181235	1681692	204707	89468	24090
354234	11344	342980	0	0	0
130982	3812	127170	0	0	0
437895	0	437895	41090	17149	12763
66774	0	66774	0	0	0
104656	0	104656	0	0	0
275246	2490	272756	79694	35815	8922
116716	355	116361	0	0	0
299	0	299	260	127	0
243	0	243	0	0	0
93093	1574	91519	37028	13601	1041
73796	778	73018	0	0	0
216865	42001	174864	45945	22363	1042
71535	10007	61528	0	0	0
12139	425	11714	690	413	322
581329	113900	467429	0	0	0
15273	2796	12477			
220919	20641	200278			
9515	1016	8499			
25142	204	24938	0		

Number of Students by Field of Study in

	毕业生数 Graduates		
	计 Total	本科 Normal Courses	专科 Short－cycle Courses
总计 **Total**	251841	11588	240253
工科 Engineering	46228	668	45560
农科 Agriculture	2058	0	2058
林科 Forestry	322	0	322
医药 Medicine & Pharmacy	6540	0	6540
师范 Teacher Training	68210	10709	57501
文科 Humanities	26880	37	26843
理科 Natural Sciences	416	0	416
财经 Finance & Economics	85257	174	85083
政法 Political Science & Law	11998	0	11998
体育 Physical Culture	590	0	590
艺术 Art	3342	0	3342

注:本表不包括普通高等学校举办的函授部、夜大学的学生数。

Note: Numbers of Students in Evening Schools & Correspondenes Divisions run by Regular Institutions of Education are not included .

分科学生数

Adult Higher Educational Institutions

单位:人

招生数 Students Admitted			在校学生数 Enrolment		
计 Total	本科 Normal Courses	专科 Short-cycle Courses	计 Total	本科 Normal Courses	专科 Short-cycle Courses
485064	22478	462586	1035537	46490	989047
81040	481	80559	194964	2449	192515
1319	0	1319	4301	0	4301
889	0	889	1321	0	1321
11511	118	11393	27093	151	26942
100501	20482	80019	231750	41903	189847
42845	172	42673	97508	315	97193
1740	0	1740	2681	0	2681
209656	887	208769	392176	1235	390941
27413	338	27075	66465	437	66028
681	0	681	2098	0	2098
7469	0	7469	15180	0	15180

成人高等学校

Number of Other Students in Adult

	合计 Total	证书教育 Certificate-oriented education	
		单科班 Single Subject Courses	专业证书班 Classes for certificate-oriented trainees
结业生数 Graduates	1619168	99797	51985
招生数 Entrants	1283626	125669	100830
在校生数 Enrolment	869806	130535	126497

成人高等学

Number of Teachers, Staff & Workers in

	教职工 Teachers, Staff &					
	合计 Total	专任教师 Full-time Teachers				
		计 Total	教授 Professors	副教授 Asso. Prof.	讲师 Lecturers	助教 Assistants
总计 Total	204707	89468	733	15204	37707	25240
广播电视大学 Radio/TV Universities	41090	17149	40	2190	6906	5844
职工高等学校 Workers' Colleges	79694	35815	210	5225	15044	9781
农民高等学校 Peasants' Colleges	260	127	0	11	50	35
管理干部学院 Institutes for Administration	37028	13601	280	2659	6241	3511
教育学院 Educational Colleges	45945	22363	196	5029	9264	5993
独立函授学院 Independent Correspondence Colleges	690	413	7	90	202	76

其他学生数

Higher Educational Institutions

单位:人

岗位培训 Job-specific training		大学后继续教育 Post-collegiate continuing education	其他 Others
资格培训 Qualifications-oriented training	适应培训 Adaptation training		
434027	680100	88497	264762
326966	470925	70745	188491
159700	223767	50099	179208

校教职工数

Adult Higher Educational Institutions

单位:人

数 Workers							兼任教师 Part-time Teachers
教员 Instructors	教辅人员 Supporting Staff	行政人员 Adm. Personnel	工勤人员 Workers	科研机构人员 Personnel in Affiliated Research Org.	校办工厂、农场人员 Personnel in School-run Factories, Farms	附设机构人员 Personnel in Other Subsidiary Units	
10584	22527	50529	31214	1478	6038	3453	24090
2169	5360	12261	4740	88	753	739	12763
5555	8565	17926	12752	538	2509	1589	8922
31	9	76	43		5		0
910	3762	10218	7053	283	1708	403	1041
1881	4716	9924	6588	569	1063	722	1042
38	115	124	38				322

成人高等学校专

Breakdown of Full-time Teachers by Academic Qualifications

	合计 Total	研究生毕业 Completion of Postgraduate Courses			
		计 Total	博士 Doctor's Degrees	硕士 Master's Degrees	未授博士、硕士学位的 Without advanced degrees
总计 Total	89468	4259	89	3291	879
其中：女 Of which Female	32280	1108	16	882	210
教授 Professors	733	111	11	39	61
副教授 Asso. Professors	15204	521	29	346	146
讲师 Lecturers	37707	2574	30	2091	453
助教 Assistants	25240	708	15	536	157
教员 Instructors	10584	345	4	279	62

成人高等学校在校学生、教

Supplementary Information on Students and Staff

	在校学生总数中 Of Total Enrolment					教职工总 Of Teachers, Staff	
	共产党员 Member of C.P.C.	共青团员 Member of C.Y.L.	民主党派 Member of Dem. Parties	华侨 Overseas Chinese	少数民族 Minorities	共产党员 Member of C.P.C.	共青团员 Member of C.Y.L.
总计 Total	59876	490292	858	439	41842	80295	24716
广播电视大学 Radio/TV Universities	19523	236303	334	293	18003	14830	5627
职工高等学校 Workers' Colleges	20416	141140	481	100	7445	29314	9503
农民高等学校 Peasants' Colleges	11	109	0	0	45	94	31
管理干部学院 Institutes for Administration	10637	39006	40	43	4192	17172	4123
教育学院 Educational Colleges	7552	66368	3	3	11778	18525	5330
独立函授学院 Independent Correspondence Colleges	1737	7366	0	0	379	360	102

任教师学历情况

in Adult Higher Educational Institutions

单位:人

高等学校本科毕业 Completion of Normal Undergraduate Courses				高等学校专科毕业及本专科肄业二年以上 Completion of Shore-cycle Courses or at least two years of undergraduate ed.	高等学校本专科肄业未满两年及以下 Attendance in undergraduate Courses less than 2 years	合计中:女 Of the total: Female
计 Total	学士 With Bachelor's Degrees	研究生肄业 Having Some Postgraduate Training	未获学士学位的 Without Bachelor's Degrees			
68755	42359	215	26181	14544	1910	32280
25418	17681	52	7685	5280	474	0
567	170	3	394	45	10	81
13239	3864	70	9305	1250	194	3164
28278	17265	95	10918	6122	733	13633
19822	16853	36	2933	4328	382	11613
6849	4207	11	2631	2799	591	3789

职工的政治及其他情况

& Workers of Adult Higher Educational Institutions

单位:人

数中 & Workers			专任教师中 Of Full-time Teachers				
民主党派 Member of Dem. Parties	华侨 Overseas Chinese	少数民族 Minorities	共产党员 Member of C.P.C.	共青团员 Member of C.Y.L.	民主党派 Member of Dem. Parties	华侨 Overseas Chinese	少数民族 Minorities
5249	634	8175	31556	12981	3882	358	3886
702	67	1560	5182	3013	456	41	661
1667	243	2044	11672	5025	1273	151	957
0	0	72	44	28	0	0	36
528	52	1309	5804	1840	335	27	504
2347	272	3176	8605	3028	1813	139	1717
5	0	14	249	47	5	0	11

成人高等学校

Breakdown of Full－time Teachers by

	合　计 Total	30岁及以下 30 years and under	31－35	36－40
总　计 Total	89468	28170	14112	10160
其中：女 Of which: female	32280	13053	5927	3953
教　授 Professors	733	0	0	0
副教授 Asso. Professors	15204	21	68	225
讲　师 Lecturers	37707	5114	8008	7382
助　教 Assistants	25240	17716	4878	1642
教　员 Instructors	10584	5319	1158	911

成人高等学校学

Changes in Enrolment of

	上学年初报表在校学生数 Total enrolment at beginning of previous academic year	增　加　学　生　数 Factors of Increase					
		计 Total	本学年初招生数 No.of Students Admitted	复　学 Students Resuming Studies	其他学校转入 Transfers from Other Inst.	其他 Others	计 Total
总　计 Total	814372	524373	485516	2396	3750	32711	303208
广播电视大学 Radio/TV Universities	335531	229284	213331	1129	1940	12884	126920
职工高等学校 Workers' Colleges	230115	117567	112474	775	824	3494	72436
农民高等学校 Peasants' Colleges	263	217	178	0	0	39	181
管理干部学院 Institutes for Administration	56768	61084	59586	91	302	1105	24759
教育学院 Educational Colleges	179190	112183	95929	384	684	15186	74508
独立函授学院 Independent Correspondence	12505	4038	4018	17	0	3	4404

专任教师年龄情况

Age in Adult Higher Educational Institutions

单位：人

Unit: person

41－45	46－50	51－55	56－60	61岁及以上 61 years and over
7119	9207	12121	7785	794
2423	3027	2966	869	62
0	21	131	340	241
335	2331	6638	5164	422
5452	5816	4226	1654	55
642	231	95	35	1
690	808	1031	592	75

生数变动情况

Adult Higher Educational Institutions

单位：人

减少学生数 Factors of Decrease								本学年初报表在校学生数 Total enrolment at beginning of current academic year
上学年毕业生数 Graduates	上学年结业生数 Completers of Courses without formal award	休学 Suspended	退学 Quitting	开除 Expelled	死亡 Dead	转到其他学校 Transfers to Other Inst.	其他 Others	
251839	10649	3492	13883	216	88	2187	20854	1035537
101615	8493	986	5156	26	17	816	9811	437895
59184	1111	1704	5985	117	40	1024	3271	275246
109	0	0	69	3	0	0	0	299
22739	267	226	350	18	11	175	973	93093
64624	576	516	1922	52	18	159	6641	216865
3568	202	60	401	0	2	13	158	12139

成人高等学校固定

Condition of Fixed Assets and

	固定资产值（万元） Fixed Assets (in 10000 yuan)			
	合计 Total	校舍资产值 School buildings	教学仪器设备 Teaching Equipment &	
			计 Total	其 Of 电教设备 Audio－visual media
总计 Total	1003516.18	687341.32	185228.31	79345.02
广播电视大学 Radio/TV Universities	209924.75	145345.31	45850.96	31155.07
职工高等学校 Workers' Colleges	390237.13	260703.84	79507.63	24311.45
农民高等学校 Peasants' Colleges	736.30	633.60	45.70	4.70
管理干部学院 Institutes for Administration	231898.88	171210.95	23478.68	10701.40
教育学院 Educational Colleges	167632.64	107129.22	35935.34	12845.20
独立函授学院 Independent Correspondence Colleges	3086.48	2318.40	410.00	327.20

成人高等学校

Condition of School Buildings in Adult

	自有校 Buildings owned by the adult higher	
	校舍建筑总面积 Floor Space	其 of 危房面积 Dilapidated Buildings
总计 Total	22943342	283394
一、教学、行政用房 A. Teaching & Administritive	10244302	79873
其中：教室 Of which: classroom	3787379	33669
电教室 Equipped with audio－visuel media	532615	560
实验室 Laboratories	1355833	3640
图书馆 Libraries	983564	6115
办公室 Administritive	2004752	21634
二、生活及福利用房 B. Residential and Welfare	10162669	153950
其中：教职工宿舍 Of which: Residences for Staff & Workers	5325392	104825
学生宿舍 Students' Dormitories	3389908	26847
食堂 Dining Halls	1073096	8340
三、其他用房 C. Others	2536371	49571

资产情况及其他

Teaching Resources in Adult Higher Educational Institutions

资产值 Instruments	其他 Others	图书、音像资料情况 Library and audio-visual ed. resources			学校占地面积（亩） Area of School sites (mu) (1mu = $\frac{1}{15}$ hectare)
中 which 实验设备 Laboratory equipment		图书资料（册） Collection of books	录音带（盒） Recording cassettes	录像带（盘） Video tape cassettes	
90577.65	130946.55	76943844	2964143	2155347	100541721
13704.16	18728.48	12034498	1880673	1410231	9555724
48495.96	50025.66	27815167	595336	338086	71086199
41.00	57.00	100000	200	0	158746
7722.37	37209.25	14735371	198728	47730	11785045
20531.36	24568.08	22043593	284766	349704	7906612
82.80	358.08	215215	4440	9596	49395

校舍情况

Higher Educational Institutions

单位：平方米 Unit: m^2

舍 educational institutions 中: which: 当年新增面积 Newly added in current year	正在施工面积 Under Construction	租借用外单位面积 Buildings rent or leased
738386	969715	333493
299945	452619	208903
116175	225708	149697
14998	18523	6173
49395	50839	7775
48069	61142	6054
61595	45991	29625
369620	430202	100095
219321	277237	29623
119632	99917	54514
26551	42686	12297
68821	86894	24495

成人中等专业学校

Bsaisc Statistics of Adult Specialized

	学校数(所) Schools	分校(所) Branches	工作站(个) Working Stations	毕业生数 Graduates	招生数 Entrants		
					计 Total	招高中毕业生起点 Graduates From Senior Sec. School	招初中毕业生起点 Graduates From Junior Sec. School
合计 Total	4783	1097	1793	540306	856764	247978	608786
其中：女 Of which: Female			1	229324	399616	111708	287908
一、按部门分 By Control							
中央部门学校 Run by Central Ministries & Agencies	220	51	143	18409	31946	6343	25603
地方学校 Run by Local Authorities	4563	1046	1650	521897	824818	241635	583183
二、按类别分 By Field of Study							
广播电视中专 Radio/TV Specialized Sec. Schools	124	780	763	104233	215016	34096	180920
职工中专 Specialized Sec. Schools for Staff & Workers	1880	77	185	130796	253313	44966	208347
干部中专 Specialized Sec. Schools for Cadres	243	46	20	18537	46225	15352	30873
农民中专 Specialized Sec. Schools for peasants	369	64	6	40595	66992	7880	59112
函授中专 Correspondence Specialized Sec. Schools	67	127	674	60222	76106	30267	45839
教师进修学校 In-service Teacher Training Schools	2100	3	145	185923	199112	115417	83695

分类别情况

Secondary Schools by Field of Study

单位:人

在校学生数 Enralment	毕业班学生数 Graduates for Next Year	教职工数 Teachers, Staff & Workers 合计 Total	专任教师 Full-time Teachers	教辅人员 Supporting Staff	行政人员 Adm. Personnel	工勤人员 Workers	兼任教师数 Part-time Teachers
2067594	613710	202947	103856	21565	44493	33033	41873
905158	272203	71297	35744	9147	13938	12468	10627
75600	20668	11212	4947	1187	2712	2366	1851
1991994	593042	191735	98609	20378	41781	30667	40022
562302	154557	16149	7414	3102	4132	1501	14998
560076	158335	74128	36642	6355	17306	13825	14397
88508	25977	11079	4943	928	3208	2000	1467
144126	41269	14314	8230	1162	2227	2695	2005
217984	69798	10479	3603	2954	3154	768	6631
494598	163900	76798	43024	7064	14466	12244	2375

成人中、小

Basic Statistics of Adult Primary

	学校数(所) Schools	教学班(点)(个) External Teaching Sites (Classes)	毕业生数 Graduates 计 Total	毕业生数 其中：女生 Of which Female	招 计 Total
一、成人中学 General Sec. Schools for Adults	5879	11771	527862	206444	603027
1. 职工中学 General Sec. Schools for Staff & Workers	2371	5697	311969	121863	310680
高中 Senior	2036	4858	264402	102868	255669
初中 Junior	335	839	47567	18995	55011
2. 农民中学 General Sec. Schools for Peasants	3508	6074	215893	84581	292347
高中 Senior	656	1198	66658	22201	64922
初中 Junior	2852	4876	149235	62380	227425
二、成人初等学校 Adult Primary Schools	159435	385711	7739994	4519651	7371140
1. 职工初等学校 Worker Primary Schools	1959	4679	137215	67532	150369
2. 农民初等学校 Peasant Primary Schools	157476	381032	7602779	4452119	7220771
小学班 Primary Classes	51037	91409	2121087	1100041	2591600
扫盲班 Literacy Classes	106439	289623	5481692	3352078	4629171

成人中等专业

Condition of Schools Building in Adult

	自有 Buildings owned by					
	校舍建筑面积 Floor Space	教学用房 Building for Inst. Purposes 计 Total	教室 Classrooms 计 Total	教室 Classrooms 其中:电化教室 Of which: equipped with audio－visual media	实验室 Laboratories	图书馆 Libraries
总计 Total	20284525	5703059	4306498	425804	817495	579066
广播电视中等专业学校 Radio/TV Specialized Sec. Schools	1307187	483279	394508	54166	50208	38563
职工中等专业学校 Specialized Sec. Schools for Staff & Workers	8509434	2465104	1773787	128682	438152	253165
干部中等专业学校 Specialized Sec. Schools for Cadres	1545320	342811	274447	16146	25253	43111
农民中等专业学校 Specialized Sec. Schools for Peasants	1684374	444321	319520	28497	83920	40881
函授中等专业学校 Correspondence Specialized Sec. Schools	795192	318466	277843	65915	18351	22272
教师进修学校 In－service Teacher Training Schools	6443018	1649078	1266393	129908	201611	181074

学基本情况

and Secondary Schools

单位: 人

生 数 Entrants		在校学生数 Enrolment		教职工数 Teachers, Staff & Workers		兼任教师数 Part-time Teachers
其中: 女生 Of which: Female	计 Total	其中: 女生 Of which: Female	计 Total	其中专任教师 Of which: Full-time Teachers		
250976	686394	278126	37235	20400	38577
145964	347072	152114	24827	13360	20722
123775	311943	137681	22215	11912	18312
22189	35129	14433	2612	1448	2410
105012	339322	126012	12408	7040	17855
30834	77856	35909	3835	2374	4925
74178	261466	90103	8573	4666	12930
4306141	7876951	4551203	128447	40541	461251
76938	158825	84008	2601	1322	9349
4226203	7718126	4467195	125846	39219	451902
1446308	2643946	1437564	33978	13182	102300
2782895	5074180	3029631	91868	26037	349602

学校校舍情况

Adult Specialized Secondary Schools

单位: 平方米 Unit: m^2

校 舍 the adult SSSs						租用校舍 Buildings rent or leased	兼用校舍 Buildings for multiple purposes
办公用房 Administritive	生活及福利用房 Residential and Welfare			其他用房 Others	其中: 新增校舍 Of which New floor space added		
	计 Total	其中 Of which					
		教职工宿舍 Residences for Staff & Workers	学生宿舍 Students' Dormitories				
2382904	8045099	4251644	3629963	4115411	745083	409071	1060995
189721	486965	269970	213228	147182	58518	113039	202024
886829	3283746	1594792	1645527	1846338	325565	130507	549402
147249	755501	337189	401889	299759	51963	55412	99520
142447	622861	306605	304043	474745	79649	36370	29872
142215	232971	120787	112084	101420	49810	30062	129226
874443	2663055	1622301	953192	1245967	179542	43681	50951

成人技术培训学

Basic Statistics of Adult

	学校数（所）Schools	教学班（点）（个）External Teaching Sites (Classes)	毕业生数 Graduates 计 Total	其中：Of which: 长班 A	短班 B	计 Total
成人技术培训学校 Technical Training Schools for Adults	298295	651029	57067996	7167621	49900375	50061419
其中：教育部门办 Of which: Run by Ed. Dept.	244263	509450	44344915	4328507	40016408	37783626
其他部门办 Run by Non－ed. Dept.	54032	141579	12723081	2839114	9883967	12277793
一、职工技术培训学校 Technical Training Schools for Staff & Workers	9774	55700	4253421	1871998	2381423	4925315
其中：教育部门办 Of which: Run by Ed. Dept.	2560	11985	735354	160401	574953	885286
其他部门办 Run by Non－ed. Dept.	7214	43715	3518272	1711802	1806470	4040029
二、农民技术培训学校 Technical Training Schools for Peasants	288521	595329	52814575	5295623	47518952	45136104
其中：教育部门办 Of which: Run by Ed. Dept.	241703	497465	43609561	4168106	39441455	36898340
其他部门办 Run by Non－ed. Dept.	46818	97864	9205014	1127517	8077497	8237764
其中：1. 县办农技 Of which: County－run Agro－technical Schools	2125	9024	833511	196842	636669	933689
2. 乡办农技 Township－run Agro－technical Schools	39112	192128	23399225	3188675	20210550	19320954
3. 村办农技 Village－run Agro－technical Schools	247284	394177	28581839	1910106	26671733	24881461

A. Lengthy courses (total teaching time no less than 150 h.)

B. Short courses (total teaching time less than 150 h.)

校基本情况

Technical Training Schools

单位：人

招生数 Entrants 其中：Of which: 长班 A	短班 B	在校学生数 Enrolment 计 Total	其中：Of which 长班 A	短班 B	教职工数 Teachers, Staff & Workers 计 Total	其中专任教师 Of which: Full－time Teachers	兼任教师数 Part－time Teachers
6837485	43223934	41725124	4577445	37147679	320470	110660	728130
3567638	34215988	32605986	3067867	29538119	206305	75855	552326
3269847	9007946	9119138	1509578	7609560	114165	34805	176074
2235136	2690179	3039763	1061599	1978164	59328	26127	87912
218096	667190	567336	131803	435533	8261	4396	21436
2017040	2022989	2472427	929796	1542631	51067	21731	66476
4602349	40533755	38685361	3515846	35169515	261142	84533	640218
3349542	33548798	32038650	2936064	29102586	198044	71459	530890
1252807	6984957	6646711	579782	6066929	63098	13074	109328
241185	692504	666178	183245	482933	8304	5415	10711
2706783	16614171	15754326	1921430	13832896	103327	34840	197370
1654381	23227080	22264857	1411171	20853686	149511	44278	432137

成人中等专业学校教职工数

Number of Teachers, Staff & Workers in Adult Specialized Secondary Schools

单位：人
Unit: person

	校本部教职工数 Employees in the School Proper					兼任教师数 Part-time Teachers
	合计 Total	专任教师 Full-time Teachers	教辅人员 Supporting Staff	行政人员 Adm. Personnel	工勤人员 Workers	
总计 Total	202947	103856	21565	44493	33033	41873
其中：女教职工 Of which: Female	71297	35744	9147	13938	12468	10627
一、有教师职称 Those with teaching rank						
计 Total	99078	78124	6260	13904	790	20815
高级讲师 Senior Lecturers	13219	9491	502	3188	38	3993
讲师 Lecturers	44560	34620	2730	7001	209	11834
助理讲师 Assistant Lecturers	41299	34013	3028	3715	543	4988
二、有其他技术职称 Those with other professional ranks						
计 Total	44271	16918	8331	16167	2855	17453
副高级职称 Senior-level ones	3336	1434	619	1241	42	3209
中级职称 Middle-level ones	15888	6431	2671	6303	483	10216
初级职称 Junior-level ones	25047	9053	5041	8623	2330	4028
三、无职称人数 Without professional titles	59598	8814	6974	14422	29388	3605

八、各级各类学校分布情况

Ⅷ. GEOGRAPHICAL DISTRIBUTION OF SCHOOLS BY TYPE AND LEVEL

地区 Region		学校数(所) Institutions	本专科学生数 Undergraduate Students			教职 Teachers, Staff			
			毕业生数 Graduates	招生数 Students Admitted	在校学生数 Enrolment	合计 Total	校本部 Teachers, Staff & Workers		
							计 Subtotal	专任 Full-time	
								计 Subtotal	教授 Professors
总计	**Total**	1065	570715	923952	2535517	1021338	833046	387808	24385
北京	Beijing	68	32888	52205	158906	96666	77880	34063	4037
天津	Tianjin	22	13494	21678	60247	27678	21907	10160	820
河北	Hebei	51	22130	41789	104287	38876	31929	14250	689
山西	Shanxi	26	14463	20563	62156	21849	19164	8839	405
内蒙古	Inner Mongolia	19	8578	13807	37290	14502	12786	6324	257
辽宁	Liaoning	61	33615	55071	155554	59138	49744	23575	1566
吉林	Jilin	42	19959	30637	86261	38701	31322	14864	990
黑龙江	Heilongjiang	42	21490	33044	96343	42280	33442	15604	1011
上海	Shanghai	50	31584	43643	131034	68304	51145	22841	1769
江苏	Jiangsu	67	40174	68502	180173	71014	57039	26957	1723
浙江	Zhejiang	36	15971	27716	73586	27898	23185	11148	660
安徽	Anhui	35	17963	32307	80951	27264	23266	11395	535
福建	Fujian	33	16504	23885	64065	20010	16961	8551	367
江西	Jiangxi	30	15443	26301	70537	25408	18688	8980	305
山东	Shandong	51	33935	57918	151758	48156	39664	18405	871
河南	Henan	48	26568	40492	104367	38241	31627	14674	510
湖北	Hubei	57	35041	54469	156023	66108	52241	24583	1797
湖南	Hunan	45	24597	40115	111036	38377	31493	14541	704
广东	Guangdong	43	27670	47360	116757	40169	33294	15734	1082
广西	Guangxi	24	10554	19514	50951	16989	14356	7180	330
海南	Hainan	5	1742	3413	10232	3197	2708	1201	61
四川	Sichuan	61	40503	66091	177888	67182	55143	24930	1533
贵州	Guizhou	23	7412	10113	29305	12736	11590	5550	94
云南	Yunnan	26	12149	16389	49559	17063	15164	7215	312
西藏	Tibet	4	564	1193	2813	1744	1624	761	8
陕西	Shaanxi	45	24873	41556	117307	51084	41676	19373	1280
甘肃	Gansu	17	9395	15391	40514	15759	12854	5882	265
青海	Qinghai	7	1540	2180	6906	2998	2809	1468	69
宁夏	Ningxia	6	2212	3378	9604	3624	3203	1602	85
新疆	Xinjiang	21	7704	13232	39107	18323	15142	7158	250

基本情况(总计)

Educational Institutions (Regional Aggregates)

单位:人

工　　数
& Workers

教职工 in College or Uni.Proper							科研机构人员 Personnel in Affiliated Research Org.	校办工厂、农场职工 Employees in School-run Factories, Farms	附设机构人员 Personnel in Other Subsidiary Units
教师 Teachers				教辅人员 Supporting Staff	行政人员 Adm. Personnel	工勤人员 Workers			
副教授 Asso. Professors	讲师 Lecturers	助教 Assistants	教员 Instructors						
95360	162543	83801	21719	123009	172406	149823	48511	67658	72123
10300	13027	4775	1924	13124	15619	15074	7121	5292	6373
2824	4685	1579	252	3308	4542	3897	1770	2470	1531
3117	5789	3563	1092	4062	7113	6504	726	2544	3677
1777	3819	2413	425	2186	3965	4174	507	1100	1078
1365	2767	1554	381	2042	2308	2112	346	854	516
6116	9483	5419	991	7255	11235	7679	2076	3216	4102
3761	5547	3831	735	4523	6371	5564	1828	2829	2722
3734	7110	3117	632	4810	6785	6243	2020	3787	3031
5776	9694	4492	1110	8541	10069	9694	5664	4833	6662
6389	11873	5464	1508	8792	11518	9772	4159	5093	4723
2471	4873	2300	844	3486	4518	4033	1155	1753	1805
3034	4878	1771	1177	3100	4689	4082	1273	1171	1554
1940	3435	2281	528	2434	3617	2359	869	1112	1068
2144	3755	2189	587	2300	3691	3717	266	4790	1664
4134	7973	4566	861	5906	8901	6452	1808	2881	3803
3257	6770	3592	545	4475	6898	5580	651	3970	1993
6433	9578	5199	1576	8204	10841	8613	3790	4559	5518
3457	6131	2984	1265	4617	6173	6162	1405	2651	2828
4074	6552	3459	567	5471	7119	4970	2021	1396	3458
1805	2943	1598	504	1919	2953	2304	334	1258	1041
294	527	298	21	276	874	357	59	221	209
6591	10820	4950	1036	8478	11187	10548	4117	2784	5138
975	2072	1959	450	1350	2687	2003	244	423	479
1807	3255	1540	301	2164	3267	2518	572	260	1067
67	346	211	129	157	385	321	27	55	38
4543	8174	4465	911	5742	8110	8451	2627	2930	3851
1261	2386	1499	471	1772	2642	2558	799	1225	881
210	649	284	256	294	610	437	35	27	127
290	705	350	172	394	595	612	72	186	163
1414	2927	2099	468	1827	3124	3033	170	1988	1023

短期职业大

Basic Statistics of Short–

地区 Region	学校数(所) Institutions	本专科学生数 Undergraduate Students 毕业生数 Graduates	招生数 Students Admitted	在校学生数 Enrolment	教职 Teachers, Staff 合计 Total	校本部 Teachers, Staff & Workers 计 Subtotal	专任 Full-time 计 Subtotal	教授 Professors
总 计 Total	83	19647	35274	79909	20359	18854	9614	102
北 京 Beijing	2	416	429	1073	81	65	27	0
天 津 Tianjin	1	364	630	1226	340	324	127	0
河 北 Hebei	4	284	1547	2498	727	707	341	2
山 西 Shanxi	1	235	400	1040	201	186	108	3
内蒙古 Inner Mongolia	3	165	250	395	223	215	134	5
辽 宁 Liaoning	4	823	1652	4271	1009	989	502	2
吉 林 Jilin	2	54	725	997	334	333	158	1
黑龙江 Heilongjiang	4	772	961	2480	1020	910	488	3
上 海 Shanghai	0	0	0	0	0	0	0	0
江 苏 Jiangsu	12	3749	7131	16712	4006	3650	1800	13
浙 江 Zhejiang	5	1208	2114	4987	1423	1292	583	2
安 徽 Anhui	4	1095	2150	4649	667	662	409	3
福 建 Fujian	8	1424	2684	6148	1103	1054	654	6
江 西 Jiangxi	1	0	0	0	58	53	35	0
山 东 Shandong	1	1056	1517	3080	664	664	326	10
河 南 Henan	6	1782	2915	6367	2026	1750	924	10
湖 北 Hubei	9	1992	3368	8132	2608	2477	1274	4
湖 南 Hunan	3	599	809	2259	532	526	249	2
广 东 Guangdong	1	779	1242	2893	509	488	232	7
广 西 Guangxi	2	133	647	997	478	198	134	5
海 南 Hainan	0	0	0	0	0	0	0	0
四 川 Sichuan	3	1090	1876	4288	916	904	434	10
贵 州 Guizhou	2	123	0	61	214	214	108	0
云 南 Yunnan	1	284	289	883	258	255	131	1
西 藏 Tibet	0	0	0	0	0	0	0	0
陕 西 Shaanxi	2	677	618	1752	482	475	229	3
甘 肃 Gansu	1	264	370	705	111	111	50	0
青 海 Qinghai	0	0	0	0	0	0	0	0
宁 夏 Ningxia	0	0	0	0	0	0	0	0
新 疆 Xinjiang	1	279	950	2016	369	352	157	10

学基本情况

cycle Vocational Colleges

单位：人

工数 & Workers									
教职工 in College or Uni. Proper							科研机构人员 Personnel in Affiliated Research Org.	校办工厂、农场职工 Employees in School－run Factories, Farms	附设机构人员 Personnel in Other Subsidiary Units
教师 Teachers				教辅人员 Supporting Staff	行政人员 Adm. Personnel	工勤人员 Workers			
副教授 Asso. Professors	讲师 Lecturers	助教 Assistants	教员 Instructors						
1602	3976	2911	1023	2493	4265	2482	176	1082	247
2	12	6	7	6	26	6	0	0	16
23	68	31	5	69	74	54	0	10	6
48	124	120	47	67	196	103	14	4	2
17	42	42	4	22	31	25	0	15	0
32	47	32	18	30	36	15	0	8	0
86	222	139	53	144	240	103	5	9	6
23	62	41	31	37	99	39	1	0	0
75	271	111	28	112	195	115	2	50	58
0	0	0	0	0	0	0	0	0	0
261	812	544	170	507	785	558	26	308	22
66	239	203	73	203	265	241	39	46	46
60	167	119	60	75	117	61	0	2	3
84	209	274	81	88	209	103	18	23	8
3	14	11	7	3	9	6	0	5	0
86	126	71	33	110	150	78	0	0	0
142	408	303	61	241	359	226	10	251	15
241	478	367	184	337	561	305	18	66	47
42	94	59	52	61	145	71	0	4	2
53	86	40	46	69	147	40	21	0	0
39	52	37	1	12	28	24	0	280	0
0	0	0	0	0	0	0	0	0	0
105	194	74	51	114	230	126	6	0	6
17	48	40	3	31	63	12	0	0	0
22	64	43	1	32	67	25	0	0	3
0	0	0	0	0	0	0	0	0	0
21	82	123	0	45	112	89	0	0	7
11	16	16	7	11	38	12	0	0	0
0	0	0	0	0	0	0	0	0	0
0	0	0	0	0	0	0	0	0	0
43	39	65	0	67	83	45	16	1	0

地 区 Region	学校数(所) Institutions	本专科学生数 Undergraduate Students 毕业生数 Graduates	招生数 Students Admitted	在校学生数 Enrolment	教职 Teachers, Staff 合计 Total	校本部 Teachers, Staff & Workers 计 Subtotal	专任 Full-time 计 Subtotal	教授 Professors
总 计 Total	62	63453	105814	303945	126549	101385	47923	4100
北 京 Beijing	3	3537	5496	22020	14306	11307	4798	817
天 津 Tianjin	1	1319	2370	7588	4518	3289	1554	225
河 北 Hebei	1	1204	2046	5850	2048	1786	784	67
山 西 Shanxi	2	1807	2337	8424	2969	2652	1156	65
内蒙古 Inner Mongolia	1	751	1643	3906	1454	1272	577	51
辽 宁 Liaoning	3	4528	6763	18723	5391	5076	2495	165
吉 林 Jilin	3	2607	3947	11662	5927	4782	2309	277
黑龙江 Heilongjiang	1	1033	1761	4823	1806	1563	744	40
上 海 Shanghai	2	3085	3329	12213	7535	5473	2455	176
江 苏 Jiangsu	4	6931	11250	30019	11646	9307	4361	316
浙 江 Zhejiang	2	2036	3439	8882	3271	2816	1419	126
安 徽 Anhui	1	1143	2177	5714	1879	1663	872	48
福 建 Fujian	1	1484	2749	8007	3064	2242	1241	111
江 西 Jiangxi	5	2841	4994	13638	5632	3729	2046	75
山 东 Shandong	3	3178	6029	16953	6038	4830	2348	147
河 南 Henan	1	1466	2206	7051	2785	2446	1245	94
湖 北 Hubei	2	2669	4755	13754	7026	5010	2437	295
湖 南 Hunan	2	1389	3036	8639	3124	2643	1259	83
广 东 Guangdong	10	9038	15815	37929	13876	10933	4878	385
广 西 Guangxi	1	1402	2686	7876	2597	2122	1045	61
海 南 Hainan	2	598	880	3281	863	709	336	17
四 川 Sichuan	2	2128	4045	11550	4461	3451	1787	132
贵 州 Guizhou	1	713	969	2956	1234	1118	486	8
云 南 Yunnan	1	1458	2032	6496	2071	1794	811	80
西 藏 Tibet	1	256	412	1257	575	548	305	5
陕 西 Shaanxi	2	1768	3082	8196	3008	2762	1272	74
甘 肃 Gansu	1	1086	2203	6687	3062	2274	1052	96
青 海 Qinghai	1	248	390	1236	501	446	222	8
宁 夏 Ningxia	1	670	912	3055	1153	996	445	20
新 疆 Xinjiang	1	1080	2061	5560	2729	2346	1184	36

Comprehensive Universities

单位: 人

工数 & Workers									
教职工 in College or Uni. Proper							科研机构人员 Personnel in Affiliated Research Org.	校办工厂、农场职工 Employees in School-run Factories, Farms	附设机构人员 Personnel in Other Subsidiary Units
教师 Teachers				教辅人员 Supporting Staff	行政人员 Adm. Personnel	工勤人员 Workers			
副教授 Asso. Professors	讲师 Lecturers	助教 Assistants	教员 Instructors						
13575	19581	8505	2162	15503	20455	17504	9312	5882	9970
1570	1663	546	202	2422	1996	2091	1307	526	1166
557	594	115	63	405	665	665	533	311	385
226	292	105	94	316	325	361	124	63	75
264	487	263	77	151	785	560	120	37	160
171	253	54	48	293	245	157	99	39	44
733	812	725	60	623	1351	607	131	24	160
722	770	400	140	587	1051	835	457	159	529
206	356	135	7	229	337	253	92	0	151
507	1243	475	54	1037	899	1082	1009	300	753
1147	1810	882	206	1352	1881	1713	914	720	705
367	690	159	77	389	634	374	122	215	118
295	369	56	104	171	337	283	119	56	41
437	534	152	7	318	397	286	411	93	318
592	792	396	191	396	571	716	25	1540	338
543	1168	434	56	816	991	675	403	170	635
366	540	165	80	383	443	375	0	120	219
797	763	582	0	842	724	1007	833	391	792
336	452	209	179	427	507	450	83	139	259
1245	2060	1114	74	1777	2553	1725	845	465	1633
336	445	192	11	266	442	369	84	193	198
99	165	51	4	79	188	106	25	36	93
628	788	201	38	432	646	586	693	76	241
114	158	176	30	132	287	213	48	28	40
282	356	61	32	338	395	250	152	32	93
29	147	78	46	56	98	89	6	1	20
358	579	222	39	335	567	588	83	2	161
264	410	217	65	473	314	435	496	78	214
32	107	27	48	48	108	68	0	2	53
100	213	55	57	123	258	170	24	66	67
252	565	258	73	287	460	415	74	0	309

地 区 Region	学校数(所) Institutions	本专科学生数 Undergraduate Students 毕业生数 Graduates	招生数 Students Admitted	在校学生数 Enrolment	教职 Teachers, Staff 合计 Total	校本部 Teachers, Staff & Workers 计 Subtotal	专任 Full-time 计 Subtotal	教授 Professors
总 计 Total	292	191942	329361	928552	411064	313653	142331	9349
北 京 Beijing	22	14858	25487	73081	40900	31154	13399	1421
天 津 Tianjin	6	5545	9288	26771	12483	9323	4314	282
河 北 Hebei	17	7061	13969	39090	16049	13162	5726	244
山 西 Shanxi	5	4025	6646	19803	8101	6559	3101	161
内蒙古 Inner Mongolia	2	1329	2544	6899	2897	2055	1122	37
辽 宁 Liaoning	21	14190	24583	69594	29782	22961	10467	721
吉 林 Jilin	14	7363	11697	34251	14561	11163	5143	262
黑龙江 Heilongjiang	14	8717	14809	43276	20299	15319	7045	578
上 海 Shanghai	23	17296	25033	73557	37608	26911	12203	850
江 苏 Jiangsu	24	16179	27770	76828	34052	25701	12354	870
浙 江 Zhejiang	6	4188	7583	22070	9420	7053	3303	246
安 徽 Anhui	8	6064	10559	27910	11429	8720	4099	257
福 建 Fujian	5	3060	4908	15630	5335	4215	2157	94
江 西 Jiangxi	6	2878	5595	13532	5749	4130	1770	55
山 东 Shandong	14	9705	19237	52183	17823	13507	6033	265
河 南 Henan	13	5956	10882	29299	12417	8676	3806	65
湖 北 Hubei	18	14888	23492	69809	32167	24540	11372	831
湖 南 Hunan	16	8757	15192	40117	15989	12400	5572	274
广 东 Guangdong	8	4410	9035	23191	8454	6729	3353	218
广 西 Guangxi	3	1413	3447	8530	2587	2156	1036	29
海 南 Hainan	0	0	0	0	0	0	0	0
四 川 Sichuan	19	14586	25424	69842	31629	24756	10191	679
贵 州 Guizhou	1	1012	1599	4081	1815	1357	699	18
云 南 Yunnan	3	2914	3691	11957	4108	3474	1715	71
西 藏 Tibet	0	0	0	0	0	0	0	0
陕 西 Shaanxi	17	12703	22054	63792	29398	22651	10119	763
甘 肃 Gansu	3	1611	2901	7605	3196	2554	1071	32
青 海 Qinghai	0	0	0	0	0	0	0	0
宁 夏 Ningxia	1	213	321	846	327	315	194	2
新 疆 Xinjiang	3	1021	1615	5008	2489	2112	967	24

校基本情况

of Science & Technology

单位：人

教职工数 & Workers									
教职工 in College or Uni. Proper							科研机构人员 Personnel in Affiliated Research Org.	校办工厂、农场职工 Employees in School－run Factories, Farms	附设机构人员 Personnel in Other Subsidiary Units
教师 Teachers				教辅人员 Supporting Staff	行政人员 Adm. Personnel	工勤人员 Workers			
副教授 Asso. Professors	讲师 Lecturers	助教 Assistants	教员 Instructors						
37815	60696	26431	8040	52014	62669	56639	26759	35789	34863
4372	4888	1851	867	5407	6454	5894	4274	2851	2621
1285	2046	598	103	1714	1641	1654	965	1332	863
1212	2484	1390	396	1824	3074	2538	263	1325	1299
673	1302	835	130	1040	1050	1368	299	744	499
166	530	220	169	315	334	284	98	580	164
3010	4354	1918	464	3939	4948	3607	1357	2568	2896
1210	2117	1234	320	1834	2239	1947	893	1183	1322
1752	3208	1224	283	2416	3129	2729	1245	1950	1785
3278	5223	2221	631	4727	4772	5209	3641	3506	3550
3118	5510	2224	632	3940	5192	4215	2591	2887	2873
974	1337	434	312	1243	1256	1251	674	843	850
1104	1740	510	488	1324	1796	1501	1008	848	853
527	984	435	117	656	819	583	200	600	320
425	815	363	112	699	853	808	105	904	610
1520	2445	1511	292	2249	2876	2349	781	1813	1722
803	1753	1047	138	1322	1940	1608	435	2393	913
3154	4714	1841	832	4155	5074	3939	2022	2637	2968
1366	2519	1046	367	2119	2219	2490	809	1362	1418
984	1424	605	122	1265	1323	788	466	434	825
224	449	201	133	343	464	313	67	165	199
0	0	0	0	0	0	0	0	0	0
2954	4499	1675	384	4655	4688	5222	2151	1662	3060
168	281	218	14	173	228	257	41	159	258
553	770	302	19	540	658	561	186	157	291
0	0	0	0	0	0	0	0	0	0
2554	4383	1860	559	3532	4511	4489	2084	2227	2436
233	464	262	80	347	570	566	74	332	236
0	0	0	0	0	0	0	0	0	0
19	74	50	49	13	56	52	12	0	0
177	383	356	27	223	505	417	18	327	32

高等农业院

Basic Statistics of

地区 Region	学校数(所) Institutions	本专科学生数 Undergraduate Students: 毕业生数 Graduates	本专科学生数 Undergraduate Students: 招生数 Students Admitted	本专科学生数 Undergraduate Students: 在校学生数 Enrolment	教职 Teachers, Staff: 合计 Total	校本部 Teachers, Staff & Workers: 计 Subtotal	校本部 Teachers, Staff & Workers: 专任 Full-time: 计 Subtotal	校本部 Teachers, Staff & Workers: 专任 Full-time: 教授 Professors
总计 Total	59	30030	51320	134802	67185	49913	23355	1501
北京 Beijing	2	716	1363	4261	2689	2282	1184	145
天津 Tianjin	1	188	390	1001	379	350	179	8
河北 Hebei	3	1556	2833	6859	3001	2175	1092	99
山西 Shanxi	1	808	953	3229	1558	1336	565	47
内蒙古 Inner Mongolia	2	1085	1495	4481	2047	1743	883	39
辽宁 Liaoning	3	1183	2232	6195	2691	2350	1081	81
吉林 Jilin	3	1013	1368	4009	3023	2132	1005	40
黑龙江 Heilongjiang	2	1435	2412	6221	3588	2496	1042	89
上海 Shanghai	2	682	1113	2895	1578	1200	545	26
江苏 Jiangsu	2	911	2027	4780	3008	2423	1108	84
浙江 Zhejiang	2	894	1545	4121	2049	1631	900	75
安徽 Anhui	1	775	1344	3667	1359	1232	595	37
福建 Fujian	2	1039	1604	4253	2001	1648	727	31
江西 Jiangxi	2	1022	1756	4558	3551	1299	543	15
山东 Shandong	2	1657	2526	6452	2759	2095	970	54
河南 Henan	4	1698	2749	7339	2852	2274	1080	46
湖北 Hubei	2	1345	2223	5910	3009	2214	1035	82
湖南 Hunan	1	1028	1883	5272	2521	1386	671	47
广东 Guangdong	5	2137	4718	10639	3726	2991	1405	54
广西 Guangxi	1	1028	1793	4234	1707	1308	646	40
海南 Hainan	1	416	943	2180	1040	773	288	14
四川 Sichuan	5	2482	4666	11038	4422	3230	1603	102
贵州 Guizhou	1	562	637	2281	1192	1000	443	10
云南 Yunnan	1	746	1079	3212	1090	994	431	21
西藏 Tibet	1	108	210	430	475	407	167	1
陕西 Shaanxi	1	754	1515	3776	2171	1614	737	70
甘肃 Gansu	1	632	862	2355	1485	1126	496	29
青海 Qinghai	1	99	140	436	292	287	143	7
宁夏 Ningxia	1	377	527	1540	789	594	357	29
新疆 Xinjiang	3	1654	2414	7178	5133	3323	1434	79

校基本情况

Institutions of Agriculture

单位：人

工数 & Workers / 教职工 in College or Uni. Proper / 教师 Teachers / 副教授 Asso. Professors	讲师 Lecturers	助教 Assistants	教员 Instructors	教辅人员 Supporting Staff	行政人员 Adm. Personnel	工勤人员 Workers	科研机构人员 Personnel in Affiliated Research Org.	校办工厂、农场职工 Employees in School-run Factories, Farms	附设机构人员 Personnel in Other Subsidiary Units
5954	9542	5158	1200	6432	9761	10365	2468	10960	3844
353	432	177	77	378	316	404	175	75	157
41	99	31	0	26	67	78	0	22	7
300	451	134	108	174	454	455	86	542	198
147	260	100	11	56	260	455	0	106	116
227	384	196	37	161	284	415	75	142	87
283	410	263	44	338	426	505	68	62	211
246	367	332	20	289	332	506	81	653	157
240	411	253	49	271	507	676	132	808	152
146	213	153	7	189	257	209	48	190	140
241	468	215	100	313	485	517	69	469	47
207	391	207	20	195	294	242	78	106	234
210	245	67	36	165	254	218	0	65	62
168	358	161	9	259	392	270	113	154	86
166	216	98	48	125	344	287	32	2099	121
176	434	268	38	373	405	347	84	279	301
290	493	216	35	299	506	389	55	373	150
252	412	206	83	325	401	453	231	426	138
175	288	121	40	204	299	212	118	852	165
366	576	283	126	485	598	503	151	346	238
209	269	123	5	219	267	176	75	220	104
60	81	133	0	51	428	6	13	185	69
450	607	374	70	438	513	676	462	365	365
103	167	152	11	93	217	247	29	76	87
105	207	68	30	193	149	221	67	29	0
6	48	73	39	48	112	80	18	32	18
182	255	202	28	124	170	583	93	346	118
144	210	98	15	102	215	313	42	268	49
29	69	29	9	30	65	49	0	3	2
79	154	69	26	55	65	117	33	119	43
353	567	356	79	454	679	756	40	1548	222

高等林业院

Basic Statistics of

地区 Region	学校数(所) Institutions	本专科学生数 Undergraduate Students			教职 Teachers, Staff			
		毕业生数 Graduates	招生数 Students Admitted	在校学生数 Enrolment	合计 Total	校本部 Teachers, Staff & Workers		
						计 Subtotal	专任 Full-time	
							计 Subtotal	教授 Professors
总计 Total	11	4868	7458	21024	10655	8217	4085	271
北京 Beijing	1	483	716	2088	1405	995	485	67
天津 Tianjin	0	0	0	0	0	0	0	0
河北 Hebei	1	340	564	1132	490	417	168	11
山西 Shanxi	0	0	0	0	0	0	0	0
内蒙古 Inner Mongolia	1	445	516	1813	721	651	332	11
辽宁 Liaoning	0	0	0	0	0	0	0	0
吉林 Jilin	1	426	580	1620	821	525	250	3
黑龙江 Heilongjiang	1	1038	1393	4013	2236	1558	786	86
上海 Shanghai	0	0	0	0	0	0	0	0
江苏 Jiangsu	1	625	713	2327	1580	1139	598	39
浙江 Zhejiang	1	214	332	954	455	398	196	3
安徽 Anhui	0	0	0	0	0	0	0	0
福建 Fujian	1	370	705	1888	643	528	253	9
江西 Jiangxi	0	0	0	0	0	0	0	0
山东 Shandong	0	0	0	0	0	0	0	0
河南 Henan	0	0	0	0	0	0	0	0
湖北 Hubei	0	0	0	0	0	0	0	0
湖南 Hunan	1	536	870	2474	1117	972	486	25
广东 Guangdong	0	0	0	0	0	0	0	0
广西 Guangxi	0	0	0	0	0	0	0	0
海南 Hainan	0	0	0	0	0	0	0	0
四川 Sichuan	0	0	0	0	0	0	0	0
贵州 Guizhou	0	0	0	0	0	0	0	0
云南 Yunnan	1	96	489	1148	578	502	248	10
西藏 Tibet	0	0	0	0	0	0	0	0
陕西 Shaanxi	1	295	580	1567	609	532	283	7
甘肃 Gansu	0	0	0	0	0	0	0	0
青海 Qinghai	0	0	0	0	0	0	0	0
宁夏 Ningxia	0	0	0	0	0	0	0	0
新疆 Xinjiang	0	0	0	0	0	0	0	0

校基本情况

Institutions of Forestry

单位：人

工　数 & Workers									
教　职　工 in College or Uni. Proper							科研机构人员 Personnel in Affiliated Research Org.	校办工厂、农场职工 Employees in School-run Factories, Farms	附设机构人员 Personnel in Other Subsidiary Units
教　师 Teachers				教辅人员 Supporting Staff	行政人员 Adm. Personnel	工勤人员 Workers			
副教授 Asso. Professors	讲　师 Lecturers	助　教 Assistants	教　员 Instructors						
1120	1647	943	104	1138	1602	1392	337	1097	1004
144	172	92	10	137	224	149	115	74	221
0	0	0	0	0	0	0	0	0	0
49	81	22	5	57	115	77	0	46	27
0	0	0	0	0	0	0	0	0	0
92	144	81	4	106	115	98	12	29	29
0	0	0	0	0	0	0	0	0	0
71	96	80	0	73	94	108	4	271	21
260	282	140	18	275	230	267	40	384	254
0	0	0	0	0	0	0	0	0	0
175	219	151	14	176	227	138	134	138	169
30	102	44	17	33	93	76	0	39	18
0	0	0	0	0	0	0	0	0	0
54	102	74	14	56	116	103	12	34	69
0	0	0	0	0	0	0	0	0	0
0	0	0	0	0	0	0	0	0	0
0	0	0	0	0	0	0	0	0	0
0	0	0	0	0	0	0	0	0	0
126	190	127	18	95	168	223	20	34	91
0	0	0	0	0	0	0	0	0	0
0	0	0	0	0	0	0	0	0	0
0	0	0	0	0	0	0	0	0	0
0	0	0	0	0	0	0	0	0	0
0	0	0	0	0	0	0	0	0	0
67	137	30	4	69	122	63	0	0	76
0	0	0	0	0	0	0	0	0	0
52	122	102	0	61	98	90	0	48	29
0	0	0	0	0	0	0	0	0	0
0	0	0	0	0	0	0	0	0	0
0	0	0	0	0	0	0	0	0	0
0	0	0	0	0	0	0	0	0	0

高等医药院

Basic Statistics of

地区 Region	学校数(所) Institutions	本专科学生数 Undergraduate Students: 毕业生数 Graduates	本专科学生数 Undergraduate Students: 招生数 Students Admitted	本专科学生数 Undergraduate Students: 在校学生数 Enrolment	教职 Teachers, Staff: 合计 Total	校本部 Teachers, Staff & Workers: 计 Subtotal	校本部 专任 Full-time: 计 Subtotal	校本部 专任 Full-time: 教授 Professors
总计 Total	126	47176	64798	224936	109887	94695	42310	4202
北京 Beijing	6	2160	2177	8076	7346	7031	2969	650
天津 Tianjin	3	1015	1200	4441	2610	2196	970	135
河北 Hebei	7	2075	4431	12724	5685	4169	1797	87
山西 Shanxi	4	1193	1854	6532	2770	2563	1222	78
内蒙古 Inner Mongolia	3	1017	1633	5209	2056	2032	897	67
辽宁 Liaoning	6	2843	3674	13808	6211	5279	2260	253
吉林 Jilin	4	1825	2312	8029	4402	3661	1857	225
黑龙江 Heilongjiang	5	1883	2378	8848	4324	3416	1423	116
上海 Shanghai	5	2807	2185	8829	6980	5343	2167	293
江苏 Jiangsu	8	3021	4405	15391	7873	6771	2835	249
浙江 Zhejiang	4	1479	2152	7375	3129	2632	1177	114
安徽 Anhui	4	1377	2316	7310	3024	2738	1260	109
福建 Fujian	2	961	982	4168	1584	1411	620	35
江西 Jiangxi	6	2167	2788	9177	3269	2981	1399	88
山东 Shandong	9	2792	4667	16573	6582	5673	2764	234
河南 Henan	5	2056	2751	9821	4251	3842	1621	87
湖北 Hubei	7	2898	4157	13319	6917	5798	2593	322
湖南 Hunan	4	1885	2533	8672	4093	3554	1472	109
广东 Guangdong	5	2298	2803	9637	4777	4050	1846	200
广西 Guangxi	4	1247	1815	6161	2418	2124	1020	75
海南 Hainan	1	238	293	1047	387	370	149	13
四川 Sichuan	5	3062	4074	13733	6863	5854	2753	291
贵州 Guizhou	4	849	1449	5045	2418	2259	1010	40
云南 Yunnan	3	957	1241	4832	2257	2006	906	50
西藏 Tibet	1	28	41	175	119	119	51	2
陕西 Shaanxi	3	863	1367	5043	3121	2712	1512	126
甘肃 Gansu	2	765	1006	3609	1287	1196	482	30
青海 Qinghai	1	187	207	909	383	383	201	18
宁夏 Ningxia	1	276	364	1272	517	517	211	32
新疆 Xinjiang	4	952	1543	5171	2234	2015	866	74

校基本情况

Institutions of Medicine & Pharmacy

单位: 人

工数 & Workers 教职工 in College or Uni. Proper 教师 Teachers 副教授 Asso. Professors	讲师 Lecturers	助教 Assistants	教员 Instructors	教辅人员 Supporting Staff	行政人员 Adm. Personnel	工勤人员 Workers	科研机构人员 Personnel in Affiliated Research Org.	校办工厂、农场职工 Employees in School-run Factories, Farms	附设机构人员 Personnel in Other Subsidiary Units
9209	16859	9863	2177	16674	19078	16633	4104	3622	7466
626	906	568	219	1255	1485	1322	94	182	39
209	398	192	36	398	558	270	204	91	119
318	687	600	105	610	840	922	89	57	1370
230	612	286	16	356	481	504	34	107	66
210	412	182	26	515	248	372	0	0	24
424	961	524	98	890	1210	919	349	406	177
548	482	528	74	513	612	679	240	176	325
317	623	356	11	647	677	669	473	296	139
456	617	627	174	1035	1320	821	213	304	1120
657	1190	578	161	1569	1200	1167	364	326	412
186	490	272	115	446	501	508	205	117	175
393	517	190	51	475	486	517	68	48	170
128	248	200	9	267	307	217	45	54	74
313	571	360	67	385	607	590	0	0	288
546	1304	637	43	955	1272	682	91	215	603
372	751	373	38	691	821	709	20	115	274
556	986	599	130	1094	1190	921	322	248	549
309	534	285	235	602	733	747	273	36	230
414	693	431	108	852	734	618	306	93	328
279	404	214	48	361	444	299	67	114	113
34	85	17	0	60	89	72	4	0	13
550	1178	588	146	934	1129	1038	288	356	365
168	423	259	120	355	541	353	76	83	0
248	442	154	12	262	446	392	43	0	208
3	20	17	9	8	30	30	0	0	0
365	611	373	37	453	336	411	181	128	100
93	192	135	32	202	274	238	55	15	21
29	107	30	17	41	69	72	0	0	0
36	88	54	1	104	80	122	0	0	0
192	327	234	39	339	358	452	0	55	164

地　区 Region	学校数(所) Institutions	本专科学生数 Undergraduate Students: 毕业生数 Graduates	本专科学生数 Undergraduate Students: 招生数 Students Admitted	本专科学生数 Undergraduate Students: 在校学生数 Enrolment	教职 Teachers, Staff: 合计 Total	校本部 Teachers, Staff & Workers: 计 Subtotal	校本部 专任 Full-time: 计 Subtotal	校本部 专任 Full-time: 教授 Professors
总　计 Total	251	153835	225067	566552	170958	151585	74965	2784
北　京 Beijing	3	3162	4186	12622	7776	5593	2621	289
天　津 Tianjin	3	2508	3119	7521	3185	2524	1303	62
河　北 Hebei	13	8155	13639	29493	7974	7027	3398	166
山　西 Shanxi	9	4918	5733	15801	4554	4243	1832	28
内蒙古 Inner Mongolia	6	3211	4521	11565	4036	3783	1893	42
辽　宁 Liaoning	14	6317	9950	26364	7658	7126	4012	143
吉　林 Jilin	8	5159	7012	18645	6907	6068	2919	150
黑龙江 Heilongjiang	10	4783	6465	19133	6577	5891	2883	77
上　海 Shanghai	5	4024	6249	16460	7219	5497	2664	252
江　苏 Jiangsu	9	6924	12217	26642	6337	5783	2857	114
浙　江 Zhejiang	10	4292	7114	16631	5190	4844	2454	53
安　徽 Anhui	13	6391	11159	25051	6952	6409	3346	77
福　建 Fujian	9	7126	8476	19680	5229	4847	2417	80
江　西 Jiangxi	8	5432	8721	23635	5669	5171	2601	42
山　东 Shandong	15	13491	19239	44002	10872	9675	4522	116
河　南 Henan	14	11553	15539	35145	10770	10140	4856	182
湖　北 Hubei	9	6574	9281	25412	7289	5811	2930	128
湖　南 Hunan	13	8172	12216	34329	8768	7931	3886	147
广　东 Guangdong	6	6170	8792	20119	4769	4340	2268	133
广　西 Guangxi	8	3881	6231	16238	5083	4489	2323	83
海　南 Hainan	1	490	1297	3724	907	856	428	17
四　川 Sichuan	17	12347	17476	45879	11663	10621	5136	141
贵　州 Guizhou	10	3051	3688	10425	3894	3730	1841	12
云　南 Yunnan	11	3667	4954	13325	4099	3759	1899	47
西　藏 Tibet								
陕　西 Shaanxi	10	4897	6921	19422	7206	6227	2999	103
甘　肃 Gansu	6	3863	5523	13611	4599	3756	1871	54
青　海 Qinghai	3	756	1063	3077	1206	1184	676	24
宁　夏 Ningxia	2	427	679	1696	514	491	226	1
新　疆 Xinjiang	6	2094	3607	10905	4056	3769	1904	21

校基本情况

Teachers Colleges

单位：人

工数 & Workers									
教职工 in College or Uni. Proper							科研机构人员 Personnel in Affiliated Research Org.	校办工厂、农场职工 Employees in School-run Factories, Farms	附设机构人员 Personnel in Other Subsidiary Units
教师 Teachers				教辅人员 Supporting Staff	行政人员 Adm. Personnel	工勤人员 Workers			
副教授 Asso. Professors	讲师 Lecturers	助教 Assistants	教员 Instructors						
16771	31484	19451	4475	18785	31771	26064	3360	6818	9195
965	1113	230	24	918	947	1107	544	1117	522
322	615	298	6	306	449	466	23	575	63
780	1275	915	262	861	1570	1198	115	224	608
302	779	566	157	473	978	960	28	76	207
396	818	596	41	506	816	568	51	56	146
942	1558	1183	186	787	1513	814	79	127	326
718	1154	818	79	844	1280	1025	124	383	332
676	1474	564	92	623	1180	1205	21	251	414
774	1138	446	54	761	1100	972	546	419	757
591	1389	606	157	728	1142	1056	33	125	396
421	1104	721	155	645	964	781	17	163	166
832	1512	629	296	697	1221	1145	69	150	324
492	833	806	206	704	1076	650	70	136	176
510	1100	815	134	598	980	992	54	186	258
989	1907	1242	268	1219	2287	1647	395	358	444
1066	2313	1131	164	1236	2197	1851	93	334	203
756	1052	791	203	767	1335	779	246	695	537
930	1646	850	313	900	1719	1426	102	196	539
605	987	497	46	593	828	651	169	49	211
489	892	595	264	535	870	761	34	260	300
101	196	97	17	86	169	173	17	0	34
1139	2195	1375	286	1265	2399	1821	253	130	659
286	645	703	195	431	858	600	20	54	90
351	752	617	132	558	739	563	42	42	256
553	1157	973	213	713	1321	1194	135	136	708
367	728	555	167	487	726	672	72	497	274
74	265	151	162	99	232	177	0	22	0
35	112	71	7	71	105	89	0	0	23
309	775	610	189	374	770	721	8	57	222

高等语文院

Basic Statistics of

地区 Region	学校数(所) Institutions	本专科学生数 Undergraduate Students			教职 Teachers, Staff			
		毕业生数 Graduates	招生数 Students Admitted	在校学生数 Enrolment	合计 Total	校本部 Teachers, Staff & Workers		
						计 Subtotal	专任 Full-time	
							计 Subtotal	教授 Professors
总计 **Total**	15	4109	6622	17760	11356	10047	4689	262
北京 Beijing	7	1583	2366	6669	5702	4873	2339	148
天津 Tianjin	1	298	479	1184	514	514	212	11
河北 Hebei	0	0	0	0	0	0	0	0
山西 Shanxi	0	0	0	0	0	0	0	0
内蒙古 Inner Mongolia	0	63	61	188	205	205	88	1
辽宁 Liaoning	1	308	586	1479	583	539	260	7
吉林 Jilin	0	0	0	0	0	0	0	0
黑龙江 Heilongjiang	0	0	0	0	0	0	0	0
上海 Shanghai	1	446	679	2089	1400	1348	580	48
江苏 Jiangsu	0	0	0	0	0	0	0	0
浙江 Zhejiang	1	30	248	478	141	138	63	1
安徽 Anhui	0	0	0	0	0	0	0	0
福建 Fujian	1	227	430	839	214	211	108	0
江西 Jiangxi	0	0	0	0	0	0	0	0
山东 Shandong	0	0	0	0	0	0	0	0
河南 Henan	0	0	0	0	0	0	0	0
湖北 Hubei	0	0	0	0	0	0	0	0
湖南 Hunan	0	0	0	0	0	0	0	0
广东 Guangdong	1	334	541	1546	933	799	356	12
广西 Guangxi	0	0	0	0	0	0	0	0
海南 Hainan	0	0	0	0	0	0	0	0
四川 Sichuan	1	562	774	1989	795	689	284	9
贵州 Guizhou	0	0	0	0	0	0	0	0
云南 Yunnan	0	0	0	0	0	0	0	0
西藏 Tibet	0	0	0	0	0	0	0	0
陕西 Shaanxi	1	258	458	1299	869	731	399	25
甘肃 Gansu	0	0	0	0	0	0	0	0
青海 Qinghai	0	0	0	0	0	0	0	0
宁夏 Ningxia	0	0	0	0	0	0	0	0
新疆 Xinjiang	0	0	0	0	0	0	0	0

校基本情况

Institutions of Languages & Literatures

单位: 人

工数 & Workers									
教职工 in College or Uni. Proper							科研机构人员 Personnel in Affiliated Research Org.	校办工厂、农场职工 Employees in School-run Factories, Farms	附设机构人员 Personnel in Other Subsidiary Units
教师 Teachers				教辅人员 Supporting Staff	行政人员 Adm. Personnel	工勤人员 Workers			
副教授 Asso. Professors	讲师 Lecturers	助教 Assistants	教员 Instructors						
1170	1999	972	286	1352	2025	1981	201	46	1062
719	1052	292	128	501	974	1059	109	43	677
43	107	43	8	72	141	89	0	0	0
0	0	0	0	0	0	0	0	0	0
0	0	0	0	0	0	0	0	0	0
5	24	54	4	21	56	40	0	0	0
60	113	65	15	47	129	103	19	0	25
0	0	0	0	0	0	0	0	0	0
0	0	0	0	0	0	0	0	0	0
129	263	75	65	365	165	238	34	0	18
0	0	0	0	0	0	0	0	0	0
6	9	14	33	21	27	27	0	3	0
0	0	0	0	0	0	0	0	0	0
7	20	49	32	28	53	22	0	0	3
0	0	0	0	0	0	0	0	0	0
0	0	0	0	0	0	0	0	0	0
0	0	0	0	0	0	0	0	0	0
0	0	0	0	0	0	0	0	0	0
0	0	0	0	0	0	0	0	0	0
74	136	134	0	117	188	138	19	0	115
0	0	0	0	0	0	0	0	0	0
0	0	0	0	0	0	0	0	0	0
56	103	115	1	92	202	111	20	0	86
0	0	0	0	0	0	0	0	0	0
0	0	0	0	0	0	0	0	0	0
0	0	0	0	0	0	0	0	0	0
71	172	131	0	88	90	154	0	0	138
0	0	0	0	0	0	0	0	0	0
0	0	0	0	0	0	0	0	0	0
0	0	0	0	0	0	0	0	0	0
0	0	0	0	0	0	0	0	0	0

高等财经院

Basic Statistics of

地区 Region	学校数(所) Institutions	本专科学生数 Undergraduate Students 毕业生数 Graduates	招生数 Students Admitted	在校学生数 Enrolment	教职 Teachers, Staff 合计 Total	校本部 Teachers, Staff & Workers 计 Subtotal	专任 Full-time 计 Subtotal	教授 Professors
总　计　Total	82	35224	63880	167071	49017	44038	20163	820
北　京　Beijing	7	2973	4954	14503	6250	5288	2460	176
天　津　Tianjin	3	1899	3468	8803	2498	2303	978	49
河　北　Hebei	3	1157	2325	5232	1157	1099	537	11
山　西　Shanxi	3	1477	2640	7327	1696	1625	855	23
内蒙古　Inner Mongolia	1	447	1025	2585	644	611	278	3
辽　宁　Liaoning	4	2448	3972	10390	3242	2984	1322	100
吉　林　Jilin	4	1091	2208	5246	1665	1621	694	13
黑龙江　Heilongjiang	4	1588	2545	6621	2069	1928	1028	21
上　海　Shanghai	6	2139	3174	9342	3210	2995	1156	63
江　苏　Jiangsu	4	1208	2128	5188	1530	1312	545	13
浙　江　Zhejiang	3	1447	2712	7054	2155	1768	791	16
安　徽　Anhui	4	1118	2602	6650	1954	1842	814	4
福　建　Fujian	2	517	796	2050	403	382	164	1
江　西　Jiangxi	1	918	2206	5344	1276	1121	500	30
山　东　Shandong	3	1435	3362	9463	1953	1823	844	20
河　南　Henan	4	1897	3210	8710	2914	2273	1022	24
湖　北　Hubei	3	1877	2873	7941	2710	2373	1075	68
湖　南　Hunan	4	1941	3176	8221	2004	1857	839	17
广　东　Guangdong	3	1465	2408	6300	1288	1237	583	16
广　西　Guangxi	2	530	1176	2704	534	512	269	5
海　南　Hainan	0	0	0	0	0	0	0	0
四　川　Sichuan	4	1983	4269	9994	2631	2230	1119	76
贵　州　Guizhou	2	568	891	2334	955	904	437	3
云　南　Yunnan	1	543	873	2549	657	574	281	10
西　藏　Tibet	0	0	0	0	0	0	0	0
陕　西　Shaanxi	4	1543	2926	7167	1902	1818	827	43
甘　肃　Gansu	1	427	1050	2435	717	643	286	12
青　海　Qinghai	0	0	0	0	0	0	0	0
宁　夏　Ningxia	0	0	0	0	0	0	0	0
新　疆　Xinjiang	2	588	911	2918	1003	915	459	3

校基本情况

Institutions of Finance & Economics

单位:人

工数 & Workers 教职工 in College or Uni. Proper 教师 Teachers 副教授 Asso. Professors	讲师 Lecturers	助教 Assistants	教员 Instructors	教辅人员 Supporting Staff	行政人员 Adm. Personnel	工勤人员 Workers	科研机构人员 Personnel in Affiliated Research Org.	校办工厂、农场职工 Employees in School-run Factories, Farms	附设机构人员 Personnel in Other Subsidiary Units
3988	9078	5078	1199	4360	10785	8730	837	1746	2396
575	1184	326	199	517	1235	1076	153	404	405
229	524	164	12	260	635	430	23	117	55
113	260	117	36	86	260	216	19	14	25
144	337	321	30	88	380	302	26	15	30
47	113	95	20	66	125	142	11	0	22
301	569	317	35	278	763	621	65	12	181
132	290	243	16	231	406	290	11	1	32
174	431	258	144	214	431	255	15	48	78
223	564	236	70	258	853	728	80	35	100
100	232	173	27	125	349	293	23	120	75
138	410	196	31	243	304	430	20	208	159
140	328	200	142	193	478	357	9	2	101
14	62	67	20	26	112	80	0	18	3
129	211	112	18	81	255	285	50	56	49
143	352	233	96	123	517	339	25	20	85
206	475	288	29	282	577	392	38	384	219
237	477	243	50	269	627	402	30	61	246
161	369	253	39	193	328	497	0	28	119
112	232	192	31	131	291	232	3	0	48
36	114	86	28	45	99	99	2	9	11
0	0	0	0	0	0	0	0	0	0
269	516	239	19	200	603	308	145	125	131
57	174	188	15	123	193	151	24	23	4
42	147	63	19	40	131	122	14	0	69
0	0	0	0	0	0	0	0	0	0
161	386	219	18	167	432	392	25	18	41
44	136	79	15	56	185	116	12	28	34
0	0	0	0	0	0	0	0	0	0
0	0	0	0	0	0	0	0	0	0
61	185	170	40	65	216	175	14	0	74

高等政法院

Basic Statistics of

地区 Region	学校数(所) Institutions	本专科学生数 Undergraduate Students: 毕业生数 Graduates	招生数 Students Admitted	在校学生数 Enrolment	教职 Teachers, Staff: 合计 Total	校本部 Teachers, Staff & Workers: 计 Subtotal	专任 Full-time: 计 Subtotal	教授 Professors
总计 Total	27	7268	12655	33341	13964	12798	4900	236
北京 Beijing	5	1387	2481	7320	3993	3662	1333	113
天津 Tianjin	0	0	0	0	0	0	0	0
河北 Hebei	1	199	199	732	1539	1184	307	2
山西 Shanxi	1	0	0	0	0	0	0	0
内蒙古 Inner Mongolia	0	0	0	0	0	0	0	0
辽宁 Liaoning	2	466	648	1905	980	961	407	17
吉林 Jilin	1	148	300	598	249	244	99	0
黑龙江 Heilongjiang	0	0	0	0	0	0	0	0
上海 Shanghai	3	756	1195	3429	1158	1045	399	13
江苏 Jiangsu	1	343	508	1275	340	331	154	3
浙江 Zhejiang	1	131	350	709	236	236	93	0
安徽 Anhui	0	0	0	0	0	0	0	0
福建 Fujian	1	148	298	678	170	170	80	0
江西 Jiangxi	1	185	241	653	204	204	86	0
山东 Shandong	1	239	355	917	358	344	120	2
河南 Henan	1	160	240	635	226	226	120	2
湖北 Hubei	2	770	1528	3844	1076	1010	414	17
湖南 Hunan	1	290	400	1053	229	224	107	0
广东 Guangdong	0	0	200	200	275	264	91	2
广西 Guangxi	0	0	0	0	0	0	0	0
海南 Hainan	0	0	0	0	0	0	0	0
四川 Sichuan	1	787	1377	3794	1181	1037	400	34
贵州 Guizhou	0	0	0	0	0	0	0	0
云南 Yunnan	2	508	630	1729	563	538	216	1
西藏 Tibet	0	0	0	0	0	0	0	0
陕西 Shaanxi	1	607	1265	3094	881	832	343	27
甘肃 Gansu	1	144	440	776	306	286	131	3
青海 Qinghai	0	0	0	0	0	0	0	0
宁夏 Ningxia	0	0	0	0	0	0	0	0
新疆 Xinjiang	0	0	0	0	0	0	0	0

校基本情况

Institutions of Political Science & Law

单位:人

工数 & Workers — 教职工 in College or Uni. Proper — 教师 Teachers — 副教授 Asso. Professors	讲师 Lecturers	助教 Assistants	教员 Instructors	教辅人员 Supporting Staff	行政人员 Adm. Personnel	工勤人员 Workers	科研机构人员 Personnel in Affiliated Research Org.	校办工厂、农场职工 Employees in School-run Factories, Farms	附设机构人员 Personnel in Other Subsidiary Units
948	2092	1295	329	1577	3481	2840	236	362	568
343	600	225	52	670	823	836	91	20	220
0	0	0	0	0	0	0	0	0	0
55	97	117	36	55	223	599	16	269	70
0	0	0	0	0	0	0	0	0	0
0	0	0	0	0	0	0	0	0	0
75	186	106	23	93	321	140	0	0	19
11	42	36	10	35	89	21	5	0	0
0	0	0	0	0	0	0	0	0	0
67	163	121	35	85	366	195	34	46	33
18	67	50	16	36	102	39	0	0	9
12	40	30	11	21	81	41	0	0	0
0	0	0	0	0	0	0	0	0	0
7	23	28	22	19	64	7	0	0	0
6	36	34	10	13	72	33	0	0	0
20	54	27	17	25	114	85	1	13	0
12	37	69	0	21	55	30	0	0	0
66	181	136	14	111	314	171	9	0	57
12	39	34	22	16	55	46	0	0	5
20	39	20	10	49	71	53	6	5	0
0	0	0	0	0	0	0	0	0	0
0	0	0	0	0	0	0	0	0	0
107	204	52	3	126	287	224	28	0	116
0	0	0	0	0	0	0	0	0	0
21	85	92	17	43	193	86	10	0	15
0	0	0	0	0	0	0	0	0	0
83	149	84	0	125	177	187	26	2	21
13	50	34	31	34	74	47	10	7	3
0	0	0	0	0	0	0	0	0	0
0	0	0	0	0	0	0	0	0	0
0	0	0	0	0	0	0	0	0	0

地　区 Region	学校数(所) Institutions	本专科学生数 Undergraduate Students			教职 Teachers, Staff			
					合计 Total	校本部 Teachers, Staff & Workers		
						计 Subtotal	专任 Full-time	
		毕业生数 Graduates	招生数 Students Admitted	在校学生数 Enrolment			计 Subtotal	教授 Professors
总　计 Total	15	3441	5401	15572	7435	6984	3332	175
北　京 Beijing	1	368	600	2101	1161	1036	472	30
天　津 Tianjin	1	155	405	770	479	479	211	13
河　北 Hebei	1	99	236	677	206	203	100	0
山　西 Shanxi	0	0	0	0	0	0	0	0
内蒙古 Inner Mongolia	0	0	0	0	0	0	0	0
辽　宁 Liaoning	1	282	525	1416	663	596	305	26
吉　林 Jilin	1	176	176	480	187	187	72	5
黑龙江 Heilongjiang	1	241	320	928	361	361	165	1
上　海 Shanghai	1	285	470	1586	780	637	380	27
江　苏 Jiangsu	1	123	135	430	191	191	93	3
浙　江 Zhejiang	0	0	0	0	0	0	0	0
安　徽 Anhui	0	0	0	0	0	0	0	0
福　建 Fujian	1	148	253	724	264	253	130	0
江　西 Jiangxi	0	0	0	0	0	0	0	0
山　东 Shandong	1	167	300	699	382	382	144	7
河　南 Henan	0	0	0	0	0	0	0	0
湖　北 Hubei	1	368	392	1189	824	824	377	11
湖　南 Hunan	0	0	0	0	0	0	0	0
广　东 Guangdong	1	316	502	1391	472	426	210	22
广　西 Guangxi	1	152	283	523	120	120	60	2
海　南 Hainan	0	0	0	0	0	0	0	0
四　川 Sichuan	1	265	379	1361	670	670	337	15
贵　州 Guizhou	0	0	0	0	0	0	0	0
云　南 Yunnan	0	0	0	0	0	0	0	0
西　藏 Tibet	0	0	0	0	0	0	0	0
陕　西 Shaanxi	1	296	425	1297	675	619	276	13
甘　肃 Gansu	0	0	0	0	0	0	0	0
青　海 Qinghai	0	0	0	0	0	0	0	0
宁　夏 Ningxia	0	0	0	0	0	0	0	0
新　疆 Xinjiang	0	0	0	0	0	0	0	0

校基本情况

Institutions of Physical Culture

单位:人

工　数 & Workers

教职工 in College or Uni. Proper：教师 Teachers：副教授 Asso. Professors	教职工 in College or Uni. Proper：教师 Teachers：讲　师 Lecturers	教职工 in College or Uni. Proper：教师 Teachers：助　教 Assistants	教职工 in College or Uni. Proper：教师 Teachers：教　员 Instrructors	教职工 in College or Uni. Proper：教辅人员 Supporting Staff	教职工 in College or Uni. Proper：行政人员 Adm. Personnel	教职工 in College or Uni. Proper：工勤人员 Workers	科研机构人　员 Personnel in Affiliated Research Org.	校办工厂、农场职工 Employees in School－run Factories, Farms	附设机构人　员 Personnel in Other Subsidiary Units
822	1413	873	49	581	1549	1522	74	18	359
149	189	92	12	203	85	276	43	0	82
43	119	27	9	10	158	100	0	0	0
16	38	43	3	12	56	35	0	0	3
0	0	0	0	0	0	0	0	0	0
0	0	0	0	0	0	0	0	0	0
70	153	56	0	49	122	120	0	0	67
23	23	21	0	11	74	30	0	0	0
34	54	76	0	23	99	74	0	0	0
84	158	111	0	33	118	106	23	14	106
22	41	18	9	7	60	31	0	0	0
0	0	0	0	0	0	0	0	0	0
0	0	0	0	0	0	0	0	0	0
22	62	35	11	13	72	38	0	0	11
0	0	0	0	0	0	0	0	0	0
39	58	36	4	18	127	93	0	0	0
0	0	0	0	0	0	0	0	0	0
105	135	126	0	47	127	273	0	0	0
0	0	0	0	0	0	0	0	0	0
62	88	37	1	47	111	58	8	4	34
14	34	10	0	2	36	22	0	0	0
0	0	0	0	0	0	0	0	0	0
74	135	113	0	48	165	120	0	0	0
0	0	0	0	0	0	0	0	0	0
0	0	0	0	0	0	0	0	0	0
0	0	0	0	0	0	0	0	0	0
65	126	72	0	58	139	146	0	0	56
0	0	0	0	0	0	0	0	0	0
0	0	0	0	0	0	0	0	0	0
0	0	0	0	0	0	0	0	0	0
0	0	0	0	0	0	0	0	0	0

高等艺术院

Basic Statistics of

地区 Region	学校数(所) Institutions	本专科学生数 Undergraduate Students: 毕业生数 Graduates	本专科学生数 Undergraduate Students: 招生数 Students Admitted	本专科学生数 Undergraduate Students: 在校学生数 Enrolment	教职 Teachers, Staff: 合计 Total	校本部 Teachers, Staff & Workers: 计 Subtotal	专任 Full-time: 计 Subtotal	专任 Full-time: 教授 Professors
总 计 Total	31	3251	6062	15271	12085	11246	5535	443
北 京 Beijing	8	607	935	2366	3220	3011	1298	147
天 津 Tianjin	2	203	329	942	672	605	312	35
河 北 Hebei	0	0	0	0	0	0	0	0
山 西 Shanxi	0	0	0	0	0	0	0	0
内蒙古 Inner Mongolia	0	65	119	249	219	219	120	1
辽 宁 Liaoning	2	227	486	1409	928	883	464	51
吉 林 Jilin	1	47	237	580	385	379	218	14
黑龙江 Heilongjiang	0	0	0	0	0	0	0	0
上 海 Shanghai	2	64	216	634	836	696	292	21
江 苏 Jiangsu	1	160	218	581	451	431	252	19
浙 江 Zhejiang	1	52	127	325	429	377	169	24
安 徽 Anhui	0	0	0	0	0	0	0	0
福 建 Fujian	0	0	0	0	0	0	0	0
江 西 Jiangxi	0	0	0	0	0	0	0	0
山 东 Shandong	2	215	686	1436	725	671	334	16
河 南 Henan	0	0	0	0	0	0	0	0
湖 北 Hubei	2	278	420	1038	688	657	321	17
湖 南 Hunan	0	0	0	0	0	0	0	0
广 东 Guangdong	2	348	538	1318	671	645	320	25
广 西 Guangxi	1	88	311	746	416	392	194	9
海 南 Hainan	0	0	0	0	0	0	0	0
四 川 Sichuan	2	321	524	1223	787	701	368	29
贵 州 Guizhou	1	110	180	396	132	132	108	0
云 南 Yunnan	1	218	260	775	454	434	201	6
西 藏 Tibet	0	0	0	0	0	0	0	0
陕 西 Shaanxi	2	212	345	902	762	703	377	26
甘 肃 Gansu	0	0	0	0	0	0	0	0
青 海 Qinghai	0	0	0	0	0	0	0	0
宁 夏 Ningxia	0	0	0	0	0	0	0	0
新 疆 Xinjiang	1	36	131	351	310	310	187	3

校 基 本 情 况

Institutions of Art

单位: 人

工　　数
& Workers

教职工 in College or Uni. Proper: 教师 Teachers: 副教授 Asso. Professors	讲师 Lecturers	助教 Assistants	教员 Instructors	教辅人员 Supporting Staff	行政人员 Adm. Personnel	工勤人员 Workers	科研机构人员 Personnel in Affiliated Research Org.	校办工厂、农场职工 Employees in School－run Factories, Farms	附设机构人员 Personnel in Other Subsidiary Units
1374	2099	1273	346	1188	2541	1982	271	119	449
326	443	258	124	536	629	548	124	0	85
72	115	80	10	48	154	91	22	12	33
0	0	0	0	0	0	0	0	0	0
0	0	0	0	0	0	0	0	0	0
19	42	44	14	29	49	21	0	0	0
132	145	123	13	67	212	140	3	8	34
38	85	57	24	44	60	57	2	0	4
0	0	0	0	0	0	0	0	0	0
112	112	27	20	51	219	134	36	19	85
59	135	23	16	39	95	45	5	0	15
64	61	20	0	47	99	62	0	13	39
0	0	0	0	0	0	0	0	0	0
0	0	0	0	0	0	0	0	0	0
0	0	0	0	0	0	0	0	0	0
72	125	107	14	18	162	157	28	13	13
0	0	0	0	0	0	0	0	0	0
89	111	92	12	66	160	110	5	9	17
0	0	0	0	0	0	0	0	0	0
84	143	65	3	49	187	89	17	0	9
54	84	37	10	54	81	63	5	4	15
0	0	0	0	0	0	0	0	0	0
107	134	90	8	44	125	164	18	18	50
11	27	36	34	2	11	11	0	0	0
30	99	60	6	35	88	110	6	0	14
0	0	0	0	0	0	0	0	0	0
78	152	104	17	41	157	128	0	23	36
0	0	0	0	0	0	0	0	0	0
0	0	0	0	0	0	0	0	0	0
0	0	0	0	0	0	0	0	0	0
27	86	50	21	18	53	52	0	0	0

高 等 民 族 院

Basic Statistics of

地 区 Region	学校数(所) Institutions	本专科学生数 Undergraduate Students 毕业生数 Graduates	 招生数 Students Admitted	 在校学生数 Enrolment	教职 Teachers, Staff 合计 Total	校本部 Teachers, Staff & Workers 计 Subtotal	专任 Full-time 计 Subtotal	 教授 Professors
总 计 Total	11	6471	10240	26782	10824	9631	4606	140
北 京 Beijing	1	638	1015	2726	1837	1583	678	34
天 津 Tianjin	0	0	0	0	0	0	0	0
河 北 Hebei	0	0	0	0	0	0	0	0
山 西 Shanxi	0	0	0	0	0	0	0	0
内蒙古 Inner Mongolia	0	0	0	0	0	0	0	0
辽 宁 Liaoning	0	0	0	0	0	0	0	0
吉 林 Jilin	0	50	75	144	240	227	140	0
黑龙江 Heilongjiang	0	0	0	0	0	0	0	0
上 海 Shanghai	0	0	0	0	0	0	0	0
江 苏 Jiangsu	0	0	0	0	0	0	0	0
浙 江 Zhejiang	0	0	0	0	0	0	0	0
安 徽 Anhui	0	0	0	0	0	0	0	0
福 建 Fujian	0	0	0	0	0	0	0	0
江 西 Jiangxi	0	0	0	0	0	0	0	0
山 东 Shandong	0	0	0	0	0	0	0	0
河 南 Henan	0	0	0	0	0	0	0	0
湖 北 Hubei	2	1382	1980	5675	1794	1527	755	22
湖 南 Hunan	0	0	0	0	0	0	0	0
广 东 Guangdong	1	375	766	1594	419	392	192	8
广 西 Guangxi	1	680	1125	2942	1049	935	453	21
海 南 Hainan	0	0	0	0	0	0	0	0
四 川 Sichuan	1	890	1207	3197	1164	1000	518	15
贵 州 Guizhou	1	424	700	1726	882	876	418	3
云 南 Yunnan	1	758	851	2653	928	834	376	15
西 藏 Tibet	1	172	530	951	575	550	238	0
陕 西 Shaanxi	0	0	0	0	0	0	0	0
甘 肃 Gansu	1	603	1036	2731	996	908	443	9
青 海 Qinghai	1	250	380	1248	616	509	226	12
宁 夏 Ningxia	0	249	575	1195	324	290	169	1
新 疆 Xinjiang	0	0	0	0	0	0	0	0

校 基 本 情 况

Institutions of Nationalities

单位: 人

工　　数
& Workers

教职工 in College or Uni. Proper							科研机构人员 Personnel in Affiliated Research Org.	校办工厂、农场职工 Employees in School-run Factories, Farms	附设机构人员 Personnel in Other Subsidiary Units
教师 Teachers				教辅人员 Supporting Staff	行政人员 Adm. Personnel	工勤人员 Workers			
副教授 Asso. Professors	讲师 Lecturers	助教 Assistants	教员 Instructors						
1012	2077	1048	329	912	2424	1689	376	117	700
156	373	112	3	174	425	306	92	0	162
0	0	0	0	0	0	0	0	0	0
0	0	0	0	0	0	0	0	0	0
0	0	0	0	0	0	0	0	0	0
0	0	0	0	0	0	0	0	0	0
0	0	0	0	0	0	0	0	0	0
19	59	41	21	25	35	27	10	3	0
0	0	0	0	0	0	0	0	0	0
0	0	0	0	0	0	0	0	0	0
0	0	0	0	0	0	0	0	0	0
0	0	0	0	0	0	0	0	0	0
0	0	0	0	0	0	0	0	0	0
0	0	0	0	0	0	0	0	0	0
0	0	0	0	0	0	0	0	0	0
0	0	0	0	0	0	0	0	0	0
0	0	0	0	0	0	0	0	0	0
180	269	216	68	191	328	253	74	26	167
0	0	0	0	0	0	0	0	0	0
55	88	41	0	37	88	75	10	0	17
125	200	103	4	82	222	178	0	13	101
0	0	0	0	0	0	0	0	0	0
152	267	54	30	130	200	152	53	52	59
51	149	187	28	10	289	159	6	0	0
86	196	50	29	54	279	125	52	0	42
29	131	43	35	45	145	122	3	22	0
0	0	0	0	0	0	0	0	0	0
92	180	103	59	60	246	159	38	0	50
46	101	47	20	76	136	71	35	0	72
21	64	51	32	28	31	62	3	1	30
0	0	0	0	0	0	0	0	0	0

普通高等学校女学

Number of Female Students, Teachers, Staff &

地区 Region	本专科学生数 Undergraduate Students			教职 Teachers, Staff			
				合计 Total	校本部 Teachers, Staff & Workers		
					计 Subtotal	专任 Full-time	
	毕业生数 Graduates	招生数 Students Admitted	在校学生数 Enrolment			计 Subtotal	教授 Professors
总计 Total	192462	311738	852158	380093	302173	119683	2929
北京 Beijing	12608	18016	57521	40672	33336	13065	702
天津 Tianjin	5713	8948	24128	10673	8401	3477	108
河北 Hebei	9858	19044	45895	14819	11423	4908	87
山西 Shanxi	5842	8811	25559	8585	7449	3137	41
内蒙古 Inner Mongolia	3720	6649	17173	5384	4698	2103	30
辽宁 Liaoning	12721	20432	59517	22705	19007	8235	153
吉林 Jilin	7406	11332	32662	14426	11366	5051	89
黑龙江 Heilongjiang	7967	12259	35008	15339	12000	5033	70
上海 Shanghai	12034	15990	47568	26087	19288	6788	227
江苏 Jiangsu	11767	20874	53848	23939	18907	7117	142
浙江 Zhejiang	5440	10621	26074	9827	7975	2954	53
安徽 Anhui	4323	7534	19321	8386	6847	2685	45
福建 Fujian	4921	6886	18358	6793	5639	2368	31
江西 Jiangxi	3881	6673	17988	8910	6173	2365	18
山东 Shandong	11109	19832	51190	16720	13225	5458	132
河南 Henan	8501	13475	34596	13201	10597	4328	48
湖北 Hubei	9401	14977	42056	25299	18914	6677	184
湖南 Hunan	5991	11149	30846	14302	11180	3887	73
广东 Guangdong	9095	14327	35295	16005	12664	4759	135
广西 Guangxi	3443	6208	16459	6620	5396	2097	23
海南 Hainan	515	1135	3346	1252	1045	340	8
四川 Sichuan	12896	20025	54260	24434	19491	7600	227
贵州 Guizhou	2888	3555	10197	5270	4753	1892	14
云南 Yunnan	4443	6011	18273	6793	5877	2507	40
西藏 Tibet	263	448	1325	596	558	225	0
陕西 Shaanxi	7953	12872	35607	17812	13747	5388	165
甘肃 Gansu	2680	4630	12992	5525	4316	1707	27
青海 Qinghai	647	974	2896	1085	983	467	14
宁夏 Ningxia	968	1474	4253	1434	1228	549	21
新疆 Xinjiang	3468	6577	17947	7200	5690	2516	22

生和女教职工数

Workers in Regular Higher Educational Institutions

单位:人

工 数 & Workers									
教 职 工 in College or Uni. Proper							科研机构人员 Personnel in Affiliated Research Org.	校办工厂、农场职工 Employees in School-run Factories, Farms	附设机构人员 Personnel in Other Subsidiary Units
教 师 Teachers				教辅人员 Supporting Staff	行政人员 Adm. Personnel	工勤人员 Workers			
副教授 Asso. Professors	讲 师 Lecturers	助 教 Assistants	教 员 Instructors						
20921	53145	34667	8021	60140	63348	59002	13083	22998	41839
3373	5766	2376	848	6810	7346	6115	2108	1511	3717
634	1802	809	124	1584	1754	1586	519	877	876
695	2068	1606	452	2138	2193	2184	232	952	2212
374	1342	1199	181	1125	1370	1817	152	339	645
328	960	659	126	1011	791	793	94	276	316
1229	3586	2780	487	3772	4436	2564	522	914	2262
746	2201	1710	305	2102	2335	1878	535	969	1556
745	2652	1356	210	2294	2533	2140	530	1255	1554
1297	2976	1902	386	3606	4283	4611	1651	1837	3311
1374	3225	1914	462	4242	3857	3691	855	1716	2461
423	1311	846	321	1611	1511	1899	247	573	1032
548	1269	516	307	1492	1402	1268	291	317	931
227	959	983	168	1123	1180	968	192	287	675
375	952	823	197	1117	1095	1596	63	1612	1062
956	2300	1713	357	2921	2544	2302	470	940	2085
592	2055	1444	189	2264	2184	1821	110	1251	1243
1397	2740	1762	594	4218	4181	3838	1136	1803	3446
621	1730	1064	399	2382	2136	2775	401	1001	1720
843	2225	1344	212	2794	2646	2465	554	461	2326
330	978	615	151	1054	1147	1098	100	424	700
54	167	105	6	147	363	195	11	78	118
1545	3373	2068	387	3755	4433	3703	1106	910	2927
199	661	807	211	781	1221	859	67	158	292
486	1196	659	126	1009	1258	1103	174	96	646
9	104	66	46	89	129	115	6	10	22
883	2252	1815	273	2480	2613	3266	661	1057	2347
247	739	525	169	854	823	932	222	477	510
36	220	122	75	161	189	166	9	12	81
60	243	155	70	213	226	240	20	93	93
295	1093	924	182	991	1169	1014	45	792	673

中等专业学

Basic Statistics of

地　区 Region	学校数(所) Schools	毕业生数 Graduates	招生数 Entrants 计 Total	招高中毕业生数 Graduates From Senior Sec. School	招初中毕业生数 Graduates From Junior Sec. School	在校学生数 Enrolment	合计 Total 计 Subtotal	
总　计 Total	3964	735509	1148923	250092	898831	2820290	511292	469925
北　京 Beijing	118	15852	21265	3720	17545	61773	14945	13668
天　津 Tianjin	71	11618	17860	2913	14947	45183	10470	9313
河　北 Hebei	220	35564	60578	17128	43450	143756	25178	23712
山　西 Shanxi	125	27520	34720	8450	26270	96565	17681	16785
内蒙古 Inner Mongolia	101	16148	20139	4955	15184	55905	15552	14582
辽　宁 Liaoning	166	30449	44226	8973	35253	124707	25492	23482
吉　林 Jilin	119	22707	34300	9107	25193	86001	17621	15735
黑龙江 Heilongjiang	110	22160	34367	7602	26765	82110	18008	16105
上　海 Shanghai	101	17314	30722	7091	23631	75801	15022	13713
江　苏 Jiangsu	207	41770	84150	9768	74382	191780	25328	23022
浙　江 Zhejiang	144	22807	35940	11521	24419	84833	15518	14166
安　徽 Anhui	143	26124	44627	7936	36691	100175	15851	14500
福　建 Fujian	107	18907	28537	4714	23823	74715	11966	11314
江　西 Jiangxi	101	21984	32832	10698	22134	77403	13849	12289
山　东 Shandong	241	51360	77875	14233	63642	185062	34354	31864
河　南 Henan	178	51611	66536	16033	50503	163939	26861	24803
湖　北 Hubei	234	49473	87438	12440	74998	204051	30172	27242
湖　南 Hunan	140	32651	54752	9575	45177	128908	21822	19479
广　东 Guangdong	227	40962	64795	14081	50714	154454	21342	20317
广　西 Guangxi	122	22364	38875	9105	29770	91611	16144	14274
海　南 Hainan	28	4179	6780	1968	4812	14806	2532	2474
四　川 Sichuan	291	51013	86620	18571	68049	205595	37671	34027
贵　州 Guizhou	112	17927	24435	5431	19004	63540	11883	11310
云　南 Yunnan	142	23123	30400	5066	25334	84655	14793	14415
西　藏 Tibet	16	1079	1305	55	1250	4954	1348	1276
陕　西 Shaanxi	112	18470	28617	7874	20743	75647	17815	15411
甘　肃 Gansu	115	16269	20067	7024	13043	55156	12747	12013
青　海 Qinghai	34	3414	4347	1362	2985	11422	2941	2907
宁　夏 Ningxia	26	3930	5246	1668	3578	12469	3071	2886
新　疆 Xinjiang	113	16760	26572	11030	15542	63314	13315	12841

校基本情况

Specialized Secondary Schools

单位:人

教职工数 Teachers, Staff & Workers										兼任教师数(不在教工数中) Part-time Teachers
校本部教职工 Employees in the School Proper								校办厂、场职工 Employees in School-run Factories & Farms	附设机构人员 Employees in Subsidiary Units	
专任教师 Full-time Teachers					教辅人员 Supporting Staff	行政人员 Adm. Personnel	工勤人员 Workers			
计 Subtotal	高级讲师 Senior Lecturers	讲师 Lecturers	助理讲师 Assistant Lecturers	教员 Instructors						
239326	26495	83079	96019	33733	46115	98811	85673	26275	15092	4687
6315	960	2483	2073	799	1478	3154	2721	844	433	315
4536	516	1682	1952	386	921	2138	1718	938	219	59
12437	1106	3900	5681	1750	2259	4714	4302	985	481	336
8700	818	2782	3815	1285	1411	3641	3033	555	341	40
7296	721	2586	3020	969	1659	3095	2532	591	379	38
12003	1503	4231	4760	1509	2360	4998	4121	1113	897	161
8047	969	2991	3048	1039	1415	3521	2752	1441	445	67
7346	1061	3378	2223	684	1694	3430	3635	999	904	104
6410	835	3078	2004	493	1668	2695	2940	921	388	191
11940	1393	4222	4598	1727	2238	4729	4115	1885	421	411
7229	703	2781	2960	785	1432	3038	2467	948	404	143
7663	965	2832	2906	960	1445	2959	2433	898	453	238
6310	461	1867	2829	1153	1005	2419	1580	470	182	163
6496	791	2312	2582	811	1150	2443	2200	1152	408	51
16769	1640	4796	7382	2951	2877	6949	5269	1778	712	94
12994	1405	4556	5419	1614	2225	5349	4235	1158	900	133
15030	1669	4980	5721	2660	2503	5417	4292	1791	1139	351
9492	1421	3636	3188	1247	2173	4141	3673	1370	973	209
10655	1093	3486	4220	1856	2038	4132	3492	418	607	482
7172	930	2696	2757	789	1442	2957	2703	780	1090	142
1189	110	383	525	171	193	495	597	39	19	31
16727	2231	5820	6193	2483	3816	7116	6368	2376	1268	367
5826	357	1433	2867	1169	932	2624	1928	167	406	179
7473	609	2250	3566	1048	1307	2797	2838	184	194	53
685	13	214	233	225	64	233	294	29	43	5
7224	706	2735	2845	938	1650	3528	3009	1719	685	131
6053	638	1894	2710	811	1096	2346	2518	353	381	48
1574	124	561	622	267	245	507	581	5	29	5
1464	145	566	584	169	278	530	614	125	60	26
6271	602	1948	2736	985	1141	2716	2713	243	231	114

中等技术学

Basic Statistics of

地区 Region	学校数(所) Schools	毕业生数 Graduates	招生数 Entrants			在校学生数 Enrolment		
			计 Total	招高中毕业生数 Graduates From Senior Sec. School	招初中毕业生数 Graduates From Junior Sec. School		合计 Total	计 Subtotal
总计 Total	3046	507299	865371	215411	649960	2098255	402920	366244
北京 Beijing	98	11969	16429	3720	12709	48791	12357	11169
天津 Tianjin	60	9021	15332	2913	12419	38784	8962	7907
河北 Hebei	136	22010	42742	12928	29814	101959	18581	17318
山西 Shanxi	101	18091	25656	8450	17206	71299	14243	13487
内蒙古 Inner Mongolia	80	11395	15021	4632	10389	42886	12467	11592
辽宁 Liaoning	136	22628	33828	7747	26081	92688	20519	18755
吉林 Jilin	96	16502	26560	7152	19408	63610	14546	12898
黑龙江 Heilongjiang	80	15702	24608	6920	17688	58675	14104	12394
上海 Shanghai	90	14359	27754	7091	20663	66148	13414	12245
江苏 Jiangsu	172	33584	70431	8510	61921	160801	20506	18734
浙江 Zhejiang	115	16491	26605	10112	16493	61844	12551	11414
安徽 Anhui	98	17978	34734	6657	28077	75803	11668	10468
福建 Fujian	82	11792	18408	3120	15288	50489	8701	8164
江西 Jiangxi	74	13304	22640	9269	13371	51070	10543	9086
山东 Shandong	181	35140	61231	11212	50019	142723	26480	24486
河南 Henan	133	28101	40460	16033	24427	97885	19419	17567
湖北 Hubei	197	41000	74206	10534	63672	173744	25342	22807
湖南 Hunan	108	22704	42041	4993	37048	99411	17874	15689
广东 Guangdong	182	29966	50455	12118	38337	118445	16312	15420
广西 Guangxi	97	15060	27037	9052	17985	63550	12613	10914
海南 Hainan	20	2569	3952	1248	2704	8908	1608	1591
四川 Sichuan	183	31010	63033	16616	46417	142971	27773	24437
贵州 Guizhou	83	11780	17457	5061	12396	44720	9283	8754
云南 Yunnan	114	15322	21804	5066	16738	59787	11492	11138
西藏 Tibet	11	600	788	55	733	3021	873	822
陕西 Shaanxi	90	11647	20872	6147	14725	54580	14967	12632
甘肃 Gansu	93	10982	15074	5983	9091	40109	10350	9652
青海 Qinghai	23	1771	2411	1012	1399	6430	2068	2036
宁夏 Ningxia	22	2408	3696	1504	2192	8789	2473	2300
新疆 Xinjiang	91	12413	20106	9556	10550	48335	10831	10368

校 基 本 情 况

Secondary Technical Schools

单位: 人

教职工数 Teachers, Staff & Workers										兼任教师数(不在教工数中) Part-time Teachers
校本部教职工 Employees in the School Proper								校办厂、场职工 Employees in School-run Factories & Farms	附设机构人员 Employees in Subsidiary Units	
专任教师 Full-time Teachers					教辅人员 Supporting Staff	行政人员 Adm. Personnel	工勤人员 Workers			
计 Subtotal	高级讲师 Senior Lecturers	讲师 Lecturers	助理讲师 Assistant Lecturers	教员 Instructors						
181172	20367	66004	70585	24216	38233	79021	67818	23077	13599	4515
5005	724	2063	1636	582	1238	2583	2343	802	386	311
3849	411	1468	1613	357	786	1764	1508	887	168	53
8957	861	2905	4040	1151	1703	3483	3175	798	465	311
6965	649	2259	3093	964	1204	2891	2427	473	283	34
5693	562	2081	2294	756	1411	2559	1929	502	373	38
9342	1212	3558	3433	1139	2031	3990	3392	914	850	161
6490	823	2589	2394	684	1272	2847	2289	1240	408	67
5455	837	2539	1633	446	1468	2586	2885	897	813	104
5560	698	2717	1727	418	1526	2457	2702	799	370	191
9574	1127	3513	3576	1358	1860	3928	3372	1404	368	409
5660	584	2261	2196	619	1229	2513	2012	822	315	139
5454	756	2127	1945	626	1051	2216	1747	817	383	229
4417	343	1409	1920	745	838	1750	1159	418	119	157
4585	578	1708	1738	561	925	1874	1702	1117	340	50
12689	1272	3866	5383	2168	2237	5444	4116	1398	596	86
8781	922	3308	3440	1111	1784	3887	3115	1022	830	122
12217	1269	4199	4707	2042	2109	4891	3590	1523	1012	346
7505	1117	2948	2430	1010	1853	3341	2990	1277	908	199
7673	822	2672	3057	1122	1651	3445	2651	369	523	460
5205	684	2047	1930	544	1214	2402	2093	746	953	139
728	51	235	338	104	138	351	374	3	14	31
11613	1549	4415	4039	1610	2964	5294	4566	2102	1234	334
4267	267	1126	2011	863	816	2100	1571	160	369	174
5632	483	1721	2677	751	1057	2303	2146	174	180	53
441	11	135	149	146	40	154	187	29	22	1
5645	608	2216	2088	733	1445	2979	2563	1699	636	131
4734	489	1536	2113	596	951	1853	2114	328	370	44
1017	90	384	405	138	194	409	416	3	29	1
1128	104	449	451	124	244	438	490	116	57	26
4891	464	1550	2129	748	994	2289	2194	238	225	114

中 等 工 业 学

Basic Statistics of

地 区 Region	学校数(所) Schools	毕业生数 Graduates	招生数 Entrants 计 Total	招生数 Entrants 招高中毕业生数 Graduates From Senior Sec. School	招生数 Entrants 招初中毕业生数 Graduates From Junior Sec. School	在校学生数 Enrolment	合 计 Total	计 Subtotal
总 计 Total	941	191385	332774	75625	257149	849358	164407	144675
北 京 Beijing	33	6737	8869	2202	6667	27461	6306	5379
天 津 Tianjin	25	4504	8477	1303	7174	22625	5282	4299
河 北 Hebei	34	6844	12852	3137	9715	33979	6826	6023
山 西 Shanxi	26	6479	9299	3818	5481	24952	5112	4741
内蒙古 Inner Mongolia	26	4088	5645	912	4733	17098	5013	4484
辽 宁 Liaoning	48	10427	15926	3675	12251	46589	10072	9124
吉 林 Jilin	25	5751	8000	2674	5326	20141	4657	4320
黑龙江 Heilongjiang	24	5051	6633	3123	3510	17136	4554	3919
上 海 Shanghai	39	6714	11491	3458	8033	29882	7439	6662
江 苏 Jiangsu	71	18608	41028	3064	37964	95515	10759	9497
浙 江 Zhejiang	36	5382	8681	3592	5089	20518	5067	4356
安 徽 Anhui	33	7752	14743	2551	12192	32987	4432	3969
福 建 Fujian	26	4937	7652	1500	6152	21464	3729	3362
江 西 Jiangxi	23	4912	8434	3552	4882	19967	4314	3561
山 东 Shandong	62	11349	21386	2719	18667	53874	9782	8823
河 南 Henan	31	8886	12725	3731	8994	34054	6445	5816
湖 北 Hubei	66	15721	29584	3599	25985	72334	11153	9556
湖 南 Hunan	33	8030	14806	1444	13362	37763	7637	6454
广 东 Guangdong	55	11089	20685	3666	17019	52130	6509	6183
广 西 Guangxi	27	5292	8195	2738	5457	21976	4141	3752
海 南 Hainan	4	388	448	71	377	1095	298	298
四 川 Sichuan	58	12558	24311	6821	17490	58137	12365	10229
贵 州 Guizhou	21	3315	4920	1417	3503	13105	2765	2563
云 南 Yunnan	26	3956	5872	942	4930	17168	3659	3465
西 藏 Tibet	1	37	80	0	80	201	82	80
陕 西 Shaanxi	27	4185	9026	3099	5927	23262	6681	5242
甘 肃 Gansu	31	4605	6491	3444	3047	16517	4694	4185
青 海 Qinghai	7	387	520	96	424	1573	555	543
宁 夏 Ningxia	5	233	653	291	362	2175	758	643
新 疆 Xinjiang	18	3168	5342	2986	2356	13680	3321	3147

校基本情况

Secondary Industrial Schools

单位:人

教职工数 Teachers, Staff & Workers										兼任教师数(不在教工数中) Part-time Teachers
校本部教职工 Employees in the School Proper								校办厂、场职工 Employees in School-run Factories & Farms	附设机构人员 Employees in Subsidiary Units	
专任教师 Full-time Teachers					教辅人员 Supporting Staff	行政人员 Adm. Personnel	工勤人员 Workers			
计 Subtotal	高级讲师 Senior Lecturers	讲师 Lecturers	助理讲师 Assistant Lecturers	教员 Instructors						
69912	8769	26946	27239	6958	17087	30445	27231	14678	5054	1194
2332	354	1026	739	213	651	1263	1133	654	273	104
2012	264	772	871	105	531	938	818	839	144	22
3038	302	1095	1359	282	616	1220	1149	537	266	48
2345	276	781	1130	158	496	930	970	269	102	11
2107	269	890	757	191	633	982	762	319	210	0
4425	632	1730	1724	339	1186	1733	1780	601	347	36
2106	350	938	705	113	501	946	767	261	76	0
1854	340	888	525	101	516	739	810	406	229	8
2904	363	1410	903	228	1017	1265	1476	619	158	58
4914	581	1870	1861	602	1036	1876	1671	1042	220	89
2048	228	863	760	197	531	955	822	581	130	33
1991	255	765	687	284	419	840	719	377	86	84
1761	116	622	775	248	386	701	514	331	36	19
1777	246	666	697	168	423	803	558	489	264	14
4570	430	1432	2125	583	888	1874	1491	778	181	10
2852	378	1070	1156	248	681	1219	1064	463	166	55
5047	587	1815	2047	598	939	2055	1515	1183	414	175
3036	465	1194	1003	374	822	1295	1301	871	312	30
2973	388	1071	1234	280	784	1396	1030	203	123	127
1833	281	740	703	109	449	819	651	360	29	58
146	10	35	65	36	25	64	63	0	0	0
4652	727	1871	1540	514	1373	2193	2011	1682	454	92
1224	86	405	535	198	263	629	447	71	131	3
1724	160	509	878	177	380	733	628	147	47	19
42	0	12	3	27	3	19	16	0	2	0
2204	282	1059	746	117	655	1202	1181	1169	270	72
1941	216	664	835	226	440	800	1004	223	286	14
241	18	104	85	34	79	98	125	3	9	0
309	24	121	148	16	75	126	133	78	37	4
1504	141	528	643	192	289	732	622	122	52	9

中 等 农 业 学

Basic Statistics of

地区 Region	学校数(所) Schools	毕业生数 Graduates	招生数 Entrants			在校学生数 Enrolment		
			计 Total	招高中毕业生数 Graduates From Senior Sec. School	招初中毕业生数 Graduates From Junior Sec. School		合计 Total	计 Subtotal
总计 Total	376	55734	102482	14575	87907	258723	50074	45427
北京 Beijing	1	318	982	126	856	1964	360	300
天津 Tianjin	3	107	494	0	494	1358	328	328
河北 Hebei	23	3652	6997	1828	5169	18029	2808	2657
山西 Shanxi	16	2272	2987	140	2847	9421	1887	1789
内蒙古 Inner Mongolia	11	1300	1677	283	1394	5475	1891	1728
辽宁 Liaoning	12	1599	2893	40	2853	8618	2129	1913
吉林 Jilin	9	2217	3549	534	3015	9257	1868	1731
黑龙江 Heilongjiang	11	1722	3429	415	3014	9959	2706	2175
上海 Shanghai	3	458	997	48	949	2326	492	416
江苏 Jiangsu	10	1654	3761	25	3736	8955	1578	1415
浙江 Zhejiang	11	1148	2036	278	1758	4917	1025	954
安徽 Anhui	13	1976	3762	220	3542	8481	1243	1157
福建 Fujian	12	1423	2441	103	2338	6913	1131	1114
江西 Jiangxi	13	1851	3421	1475	1946	6303	1616	1265
山东 Shandong	14	2947	6053	150	5903	14861	3023	2614
河南 Henan	14	3356	5368	2656	2712	11339	1854	1806
湖北 Hubei	23	4791	9795	378	9417	23198	2964	2743
湖南 Hunan	22	3798	7404	626	6778	18077	2962	2686
广东 Guangdong	14	2070	4091	407	3684	9238	1302	1229
广西 Guangxi	18	2446	3962	359	3603	9818	2011	1760
海南 Hainan	5	508	1284	214	1070	2596	492	487
四川 Sichuan	28	3556	8981	746	8235	21171	3527	3289
贵州 Guizhou	15	1617	2508	220	2288	7685	1702	1608
云南 Yunnan	22	2590	3606	596	3010	11307	1979	1950
西藏 Tibet	1	147	127	0	127	600	147	111
陕西 Shaanxi	12	1364	2215	225	1990	7575	2341	1790
甘肃 Gansu	13	1415	1979	314	1665	5898	1550	1437
青海 Qinghai	2	330	445	242	203	1220	311	293
宁夏 Ningxia	3	472	583	173	410	1574	483	441
新疆 Xinjiang	22	2630	4655	1754	2901	10590	2364	2241

校基本情况

Secondary Agricultural Schools

单位: 人

教职工数 Teachers, Staff & Workers										兼任教师数(不在教工数中) Part-time Teachers
校本部教职工 Employees in the School Proper								校办厂、场职工 Employees in School-run Factories & Farms	附设机构人员 Employees in Subsidiary Units	
专任教师 Full-time Teachers					教辅人员 Supporting Staff	行政人员 Adm. Personnel	工勤人员 Workers			
计 Subtotal	高级讲师 Senior Lecturers	讲师 Lecturers	助理讲师 Assistant Lecturers	教员 Instructors						
21814	2515	7054	9003	3242	4887	8947	9779	3715	932	269
125	38	50	18	19	44	58	73	32	28	15
156	20	61	60	15	33	78	61	0	0	5
1466	144	364	706	252	246	486	459	119	32	0
823	95	257	338	133	183	428	355	89	9	21
813	75	261	337	140	214	386	315	133	30	0
902	137	339	322	104	150	475	386	195	21	20
786	90	296	313	87	206	283	456	112	25	0
897	159	357	300	81	236	437	605	410	121	13
193	21	86	76	10	51	80	92	76	0	0
688	118	235	261	74	181	246	300	136	27	0
476	53	178	211	34	158	154	166	53	18	7
557	43	188	203	123	116	233	251	62	24	0
597	51	177	251	118	116	224	177	16	1	7
627	80	201	251	95	140	162	336	324	27	2
1281	160	410	535	176	295	517	521	248	161	0
878	98	332	350	98	159	333	436	28	20	0
1462	141	393	591	337	257	521	503	152	69	9
1231	164	387	481	199	315	572	568	232	44	29
582	59	196	246	81	123	207	317	63	10	55
769	123	290	283	73	231	357	403	222	29	5
176	12	52	97	15	51	111	149	0	5	31
1604	200	603	613	188	378	655	652	201	37	10
735	57	167	347	164	192	350	331	62	32	2
1029	71	291	532	135	152	339	430	22	7	0
67	1	20	29	17	10	11	23	22	14	0
777	82	240	336	119	211	388	414	489	62	17
670	53	195	325	97	149	257	361	83	30	9
144	16	57	65	6	31	74	44	0	18	0
223	23	84	79	37	56	61	101	38	4	0
1080	131	287	447	215	203	464	494	96	27	12

中 等 林 业 学

Basic Statistics of

地区 Region	学校数(所) Schools	毕业生数 Graduates	招生数 Entrants			在校学生数 Enrolment		
			计 Total	招高中毕业生数 Graduates From Senior Sec. School	招初中毕业生数 Graduates From Junior Sec. School		合计 Total	计 Subtotal
总 计 Total	52	8189	13400	2022	11378	36818	8690	8084
北 京 Beijing	1	75	135	0	135	371	97	84
天 津 Tianjin	1	83	317	36	281	617	155	155
河 北 Hebei	1	160	298	0	298	874	170	163
山 西 Shanxi	1	226	270	0	270	959	192	162
内蒙古 Inner Mongolia	2	252	202	0	202	1049	347	347
辽 宁 Liaoning	1	156	225	0	225	907	247	243
吉 林 Jilin	3	449	717	80	637	2413	657	619
黑龙江 Heilongjiang	5	993	1320	400	920	3604	1185	1148
上 海 Shanghai	1	32	213	0	213	519	136	133
江 苏 Jiangsu	1	151	232	0	232	796	265	236
浙 江 Zhejiang	2	338	518	78	440	1485	287	274
安 徽 Anhui	2	240	313	0	313	1081	241	234
福 建 Fujian	2	352	456	0	456	1545	311	279
江 西 Jiangxi	2	418	821	369	452	1632	326	289
山 东 Shandong	1	324	590	0	590	1338	375	318
河 南 Henan	3	302	518	40	478	1590	374	357
湖 北 Hubei	5	904	1900	241	1659	4243	617	514
湖 南 Hunan	1	180	397	0	397	1210	261	261
广 东 Guangdong	2	416	429	170	259	1122	192	187
广 西 Guangxi	3	400	844	100	744	2183	498	423
海 南 Hainan	0	0	0	0	0	0	0	0
四 川 Sichuan	1	450	685	194	491	1682	371	311
贵 州 Guizhou	2	242	340	80	260	1192	216	203
云 南 Yunnan	2	239	443	154	289	1113	241	241
西 藏 Tibet	0	0	0	0	0	0	0	0
陕 西 Shaanxi	3	266	420	0	420	1298	379	357
甘 肃 Gansu	2	334	425	0	425	1177	244	240
青 海 Qinghai	0	0	0	0	0	0	0	0
宁 夏 Ningxia	1	81	212	0	212	406	84	84
新 疆 Xinjiang	1	126	160	80	80	412	222	222

校基本情况

Secondary Forestry Schools

单位: 人

教职工数 Teachers, Staff & Workers										兼任教师数(不在教工数中) Part-time Teachers
校本部教职工 Employees in the School Proper								校办厂、场职工 Employees in School-run Factories & Farms	附设机构人员 Employees in Subsidiary Units	
专任教师 Full-time Teachers					教辅人员 Supporting Staff	行政人员 Adm. Personnel	工勤人员 Workers			
计 Subtotal	高级讲师 Senior Lecturers	讲师 Lecturers	助理讲师 Assistant Lecturers	教员 Instructors						
3597	453	1220	1578	346	817	1683	1987	491	115	22
33	6	19	8	0	14	19	18	4	9	0
78	7	32	30	9	5	24	48	0	0	10
88	0	14	58	16	13	23	39	7	0	0
81	17	13	42	9	16	38	27	30	0	0
158	22	42	79	15	19	61	109	0	0	0
114	24	51	33	6	41	32	56	0	4	0
311	48	135	118	10	59	104	145	23	15	0
409	54	181	148	26	94	261	384	37	0	0
51	8	21	9	13	6	42	34	3	0	0
94	19	45	24	6	27	47	68	5	24	0
156	23	45	69	19	28	35	55	11	2	0
119	11	35	65	8	19	60	36	0	7	0
146	14	36	82	14	30	54	49	28	4	0
130	11	36	64	19	36	65	58	37	0	0
110	12	32	57	9	38	76	94	57	0	0
179	24	73	70	12	35	49	94	13	4	0
248	23	66	118	41	51	95	120	83	20	0
124	25	47	41	11	43	35	59	0	0	0
83	9	25	44	5	31	40	33	0	5	0
164	14	49	70	31	24	158	77	61	14	8
0	0	0	0	0	0	0	0	0	0	0
130	25	56	47	2	35	68	78	60	0	0
86	5	16	54	11	29	52	36	10	3	0
122	21	31	62	8	20	56	43	0	0	0
0	0	0	0	0	0	0	0	0	0	0
145	8	54	62	21	45	68	99	20	2	0
118	9	35	57	17	34	40	48	2	2	0
0	0	0	0	0	0	0	0	0	0	0
34	2	17	11	4	14	16	20	0	0	0
86	12	14	56	4	11	65	60	0	0	4

中等医药学

Basic Statistics of

地区 Region	学校数(所) Schools	毕业生数 Graduates	招生数 Entrants 计 Total	招高中毕业生数 Graduates From Senior Sec. School	招初中毕业生数 Graduates From Junior Sec. School	在校学生数 Enrolment	合计 Total	计 Subtotal
总计 Total	556	93813	138168	12600	125568	355410	68190	60719
北京 Beijing	36	2263	3024	228	2796	8923	2043	1980
天津 Tianjin	8	1501	2352	217	2135	5842	824	810
河北 Hebei	20	3020	5838	562	5276	14190	2337	2236
山西 Shanxi	15	3478	4716	1175	3541	12128	2142	1949
内蒙古 Inner Mongolia	16	1836	2372	948	1424	6721	2043	1977
辽宁 Liaoning	22	4413	6062	301	5761	16008	2921	2553
吉林 Jilin	13	1823	3030	875	2155	7213	2662	1787
黑龙江 Heilongjiang	16	4142	6934	379	6555	15364	2962	2522
上海 Shanghai	24	2554	4196	327	3869	11633	2176	2155
江苏 Jiangsu	23	5914	7646	0	7646	20705	2378	2361
浙江 Zhejiang	19	3462	4365	209	4156	12364	2073	2024
安徽 Anhui	20	2333	4430	208	4222	10086	2362	2025
福建 Fujian	14	2048	2805	150	2655	7967	1288	1217
江西 Jiangxi	13	2693	3843	120	3723	11080	1687	1662
山东 Shandong	29	7249	9328	145	9183	24778	4197	4023
河南 Henan	23	4964	6303	1465	4838	16447	4812	3743
湖北 Hubei	37	8120	11945	245	11700	30025	4137	3685
湖南 Hunan	16	4037	6343	62	6281	15614	3091	2547
广东 Guangdong	36	5942	9222	10	9212	22682	2750	2590
广西 Guangxi	22	2942	4812	1673	3139	11062	3189	2255
海南 Hainan	3	842	847	0	847	2575	360	348
四川 Sichuan	38	5334	10207	1329	8878	24385	5516	4717
贵州 Guizhou	14	1971	2490	308	2182	6811	1498	1333
云南 Yunnan	18	2862	3457	312	3145	9901	1890	1808
西藏 Tibet	4	180	284	55	229	1216	275	262
陕西 Shaanxi	14	2272	3770	97	3673	9683	2413	2133
甘肃 Gansu	14	1922	2472	342	2130	7200	1496	1482
青海 Qinghai	7	378	519	2	517	1604	472	470
宁夏 Ningxia	3	528	764	0	764	1851	417	411
新疆 Xinjiang	19	2790	3792	856	2936	9352	1779	1654

校基本情况

Secondary Health Schools

单位：人

教职工数 Teachers, Staff & Workers										兼任教师数（不在教工数中） Part-time Teachers
校本部教职工 Employees in the School Proper								校办厂、场职工 Employees in School-run Factories & Farms	附设机构人员 Employees in Subsidiary Units	
专任教师 Full-time Teachers					教辅人员 Supporting Staff	行政人员 Adm. Personnel	工勤人员 Workers			
计 Subtotal	高级讲师 Senior Lecturers	讲师 Lecturers	助理讲师 Assistant Lecturers	教员 Instructors						
30975	3890	11660	11025	4400	7237	11644	10863	1765	5706	1379
953	106	319	383	145	277	400	350	52	11	179
473	33	131	219	90	74	148	115	11	3	8
1117	148	372	457	140	284	403	432	25	76	213
1039	104	434	406	95	239	362	309	46	147	1
992	98	346	371	177	302	384	299	22	44	38
1242	170	467	455	150	353	550	408	20	348	82
929	142	355	310	122	164	332	362	600	275	51
1121	155	555	327	84	355	508	538	20	420	20
1070	140	550	323	57	239	382	464	21	0	19
1136	168	424	401	143	264	465	496	10	7	156
1068	143	424	399	102	207	407	342	1	48	46
1147	220	428	406	93	218	358	302	136	201	47
646	86	214	251	95	151	235	185	9	62	45
940	136	414	306	84	168	268	286	1	24	7
2160	214	646	855	445	423	859	581	49	125	29
1738	187	730	578	243	469	831	705	475	594	34
1939	176	673	684	406	449	643	654	33	419	93
1255	258	625	265	107	332	526	434	14	530	27
1422	153	539	474	256	262	481	425	5	155	76
1132	143	495	365	129	246	399	478	88	846	30
172	11	69	83	9	42	63	71	3	9	0
2450	315	842	754	539	614	874	779	102	697	16
737	63	178	358	138	126	262	208	2	163	60
1023	135	351	376	161	188	262	335	0	82	0
133	4	49	54	26	17	39	73	7	6	1
964	127	369	333	135	290	489	390	13	267	2
810	113	255	361	81	145	227	300	0	14	11
245	22	61	94	68	28	84	113	0	2	1
193	29	72	73	19	59	77	82	0	6	9
729	91	273	304	61	252	326	347	0	125	78

地区 Region	学校数(所) Schools	毕业生数 Graduates	招生数 Entrants			在校学生数 Enrolment		
			计 Total	招高中毕业生数 Graduates From Senior Sec. School	招初中毕业生数 Graduates From Junior Sec. School		合计 Total	计 Subtotal
总计 Total	568	104697	183499	75521	107978	385718	61460	58851
北京 Beijing	8	1077	1743	699	1044	4373	1012	972
天津 Tianjin	9	1519	2251	692	1559	4943	1143	1099
河北 Hebei	30	5832	11263	5805	5458	22814	3833	3673
山西 Shanxi	21	3916	5538	2498	3040	14289	2269	2223
内蒙古 Inner Mongolia	14	2424	3091	1689	1402	7486	1884	1770
辽宁 Liaoning	20	3707	5256	2701	2555	11750	2312	2145
吉林 Jilin	16	3243	5845	2157	3688	11945	1839	1806
黑龙江 Heilongjiang	14	2396	4494	1733	2761	8250	1514	1476
上海 Shanghai	10	2016	3293	2078	1215	7310	1244	1165
江苏 Jiangsu	33	6051	13585	4033	9552	26995	3493	3267
浙江 Zhejiang	23	3386	6079	4506	1573	11888	2386	2166
安徽 Anhui	21	4174	8318	2288	6030	16974	2193	1913
福建 Fujian	16	2195	3666	552	3114	8923	1298	1290
江西 Jiangxi	12	2212	3922	2728	1194	7010	1644	1366
山东 Shandong	37	8946	15686	5388	10298	31055	4942	4736
河南 Henan	32	7590	10570	5704	4866	23400	3576	3527
湖北 Hubei	31	7968	15038	4161	10877	30760	3782	3685
湖南 Hunan	22	5124	9760	1962	7798	20272	2821	2692
广东 Guangdong	35	6274	9684	4040	5644	19886	2519	2407
广西 Guangxi	18	2659	7395	3117	4278	14308	1686	1661
海南 Hainan	5	766	1046	763	283	1848	295	295
四川 Sichuan	35	7075	14177	5434	8743	28501	3917	3843
贵州 Guizhou	20	3001	5047	2177	2870	10799	1867	1820
云南 Yunnan	29	3937	5429	1705	3724	14074	2389	2363
西藏 Tibet	1	62	91	0	91	128	68	68
陕西 Shaanxi	16	1908	3445	1755	1690	7721	1681	1663
甘肃 Gansu	14	1559	2228	1344	884	4954	1091	1042
青海 Qinghai	3	446	588	546	42	1248	374	374
宁夏 Ningxia	5	596	796	588	208	1456	387	377
新疆 Xinjiang	18	2638	4175	2678	1497	10358	2001	1967

单位: 人

教职工数 Teachers, Staff & Workers										兼任教师数(不在教工数中) Part-time Teachers
校本部教职工 Employees in the School Proper								校办厂、场职工 Employees in School-run Factories & Farms	附设机构人员 Employees in Subsidiary Units	
专任教师 Full-time Teachers					教辅人员 Supporting Staff	行政人员 Adm. Personnel	工勤人员 Workers			
计 Subtotal	高级讲师 Senior Lecturers	讲师 Lecturers	助理讲师 Assistant Lecturers	教员 Instructors						
29280	2485	10197	12652	3946	4611	14393	10567	1629	980	623
419	38	220	147	14	68	263	222	21	19	7
468	35	190	210	33	71	303	257	23	21	4
1817	175	588	871	183	306	828	722	95	65	29
1101	69	301	558	173	168	573	381	31	15	1
868	57	272	450	89	147	436	319	28	86	0
1127	93	451	478	105	141	499	378	81	86	0
877	81	365	336	95	167	467	295	16	17	0
670	88	340	199	43	106	378	322	7	31	54
526	55	258	174	39	92	313	234	56	23	3
1699	147	564	730	258	239	746	583	180	46	19
1048	74	447	428	99	198	478	442	126	94	36
1045	146	422	396	81	152	411	305	242	38	75
722	35	198	336	153	97	322	149	0	8	25
637	64	234	257	82	104	354	271	266	12	15
2371	197	675	1126	373	361	1184	820	109	97	31
1854	136	683	807	228	309	853	511	41	8	31
2013	191	714	742	366	268	858	546	31	66	40
1337	153	502	497	185	248	668	439	113	16	35
1254	110	373	560	211	207	574	372	61	51	66
808	77	309	323	99	129	398	326	10	15	27
137	9	41	59	28	11	80	67	0	0	0
1792	168	656	737	231	298	989	764	29	45	31
858	32	204	428	194	138	493	331	14	33	80
1131	59	318	560	194	155	588	489	5	21	9
36	0	8	4	24	2	10	20	0	0	0
833	67	235	400	131	143	438	249	7	11	5
527	45	174	257	51	92	266	157	18	31	0
189	9	72	93	15	29	78	78	0	0	0
189	11	91	77	10	18	83	87	0	10	0
927	64	292	412	159	147	462	431	19	15	0

中等政法学

Basic Statistics of Secondary

地区 Region	学校数(所) Schools	毕业生数 Graduates	招生数 Entrants			在校学生数 Enrolment		
			计 Total	招高中毕业生数 Graduates From Senior Sec. School	招初中毕业生数 Graduates From Junior Sec. School		合计 Total	计 Subtotal
总计 Total	141	22563	33227	28210	5017	61484	14269	13991
北京 Beijing	4	589	573	434	139	1576	405	405
天津 Tianjin	3	808	851	665	186	1519	362	348
河北 Hebei	9	972	2354	1576	778	4387	906	878
山西 Shanxi	4	697	838	654	184	1663	528	517
内蒙古 Inner Mongolia	5	677	875	457	418	1875	595	592
辽宁 Liaoning	7	719	880	880	0	1607	591	574
吉林 Jilin	5	627	781	695	86	1293	441	441
黑龙江 Heilongjiang	5	735	870	870	0	1849	635	618
上海 Shanghai	3	595	1110	672	438	1803	554	530
江苏 Jiangsu	6	620	1593	1360	233	2367	617	573
浙江 Zhejiang	8	1061	1410	1289	121	2611	640	610
安徽 Anhui	3	743	1469	1044	425	2406	413	407
福建 Fujian	4	416	641	601	40	1307	295	291
江西 Jiangxi	5	542	910	910	0	1620	398	391
山东 Shandong	8	1448	2434	2054	380	4105	899	883
河南 Henan	7	1636	2353	2053	300	4180	592	581
湖北 Hubei	9	1194	1363	1282	81	2728	605	600
湖南 Hunan	3	755	1130	501	629	1860	265	265
广东 Guangdong	10	2346	3477	3477	0	6351	996	983
广西 Guangxi	4	825	1020	1018	2	2023	494	490
海南 Hainan	1	0	200	200	0	396	45	45
四川 Sichuan	5	1078	1680	1506	174	3092	657	652
贵州 Guizhou	3	746	759	621	138	1585	345	340
云南 Yunnan	5	647	820	820	0	1562	346	340
西藏 Tibet	0	0	0	0	0	0	0	0
陕西 Shaanxi	5	882	861	811	50	2022	545	538
甘肃 Gansu	2	200	335	335	0	647	198	198
青海 Qinghai	2	195	242	126	116	612	248	248
宁夏 Ningxia	2	246	451	352	99	859	165	165
新疆 Xinjiang	4	564	947	947	0	1579	489	488

校基本情况

Politics & Law Schools

单位:人

教职工数 Teachers, Staff & Workers										兼任教师数(不在教工数中) Part-time Teachers
校本部教职工 Employees in the School Proper								校办厂、场职工 Employees in School-run Factories & Farms	附设机构人员 Employees in Subsidiary Units	
专任教师 Full-time Teachers					教辅人员 Supporting Staff	行政人员 Adm. Personnel	工勤人员 Workers			
计 Subtotal	高级讲师 Senior Lecturers	讲师 Lecturers	助理讲师 Assistant Lecturers	教员 Instructors						
6004	441	1957	2658	948	1207	4571	2209	117	161	105
179	14	63	66	36	14	160	52	0	0	0
151	9	69	61	12	35	114	48	14	0	0
377	20	112	176	69	102	254	145	2	26	3
215	19	47	131	18	32	196	74	1	10	0
300	14	105	163	18	46	189	57	0	3	0
217	9	67	96	45	36	251	70	15	2	0
188	21	83	61	23	43	154	56	0	0	0
233	22	94	79	38	96	154	135	17	0	9
199	23	85	60	31	34	155	142	24	0	0
222	12	69	100	41	35	208	108	16	28	1
258	15	102	119	22	53	222	77	15	15	4
165	8	51	83	23	35	145	62	0	6	8
143	5	29	75	34	22	98	28	0	4	6
163	14	40	59	50	24	110	94	0	7	0
355	26	99	133	97	70	310	148	5	11	0
275	28	98	128	21	35	193	78	0	11	0
278	43	95	97	43	25	235	62	2	3	9
95	4	35	31	25	37	67	66	0	0	0
415	29	130	179	77	72	326	170	0	13	12
216	16	65	91	44	76	133	65	0	4	6
23	5	8	10	0	5	9	8	0	0	0
294	26	115	128	25	94	197	67	5	0	3
170	5	40	95	30	25	98	47	1	4	0
157	3	27	94	33	18	110	55	0	6	7
0	0	0	0	0	0	0	0	0	0	0
226	11	74	114	27	39	212	61	0	7	17
84	1	20	53	10	11	61	42	0	0	10
128	19	55	45	9	19	54	47	0	0	0
81	8	31	36	6	17	38	29	0	0	0
197	12	49	95	41	57	118	116	0	1	10

中 等 体 育 学

Basic Statistics of Secondary

地区 Region	学校数(所) Schools	毕业生数 Graduates	招生数 Entrants			在校学生数 Enrolment		
			计 Total	招高中毕业生数 Graduates From Senior Sec. School	招初中毕业生数 Graduates From Junior Sec. School		合计 Total	计 Subtotal
总 计 Total	162	10150	15829	252	15577	43707	13067	12502
北 京 Beijing	8	398	481	31	450	1758	996	944
天 津 Tianjin	5	83	152	0	152	727	251	251
河 北 Hebei	6	364	763	0	763	1850	492	492
山 西 Shanxi	6	675	855	0	855	3325	784	777
内蒙古 Inner Mongolia	1	328	451	0	451	1472	80	80
辽 宁 Liaoning	14	923	1031	0	1031	3559	1156	1114
吉 林 Jilin	5	337	290	0	290	940	420	420
黑龙江 Heilongjiang	3	491	529	0	529	1509	287	284
上 海 Shanghai	3	42	204	0	204	452	544	372
江 苏 Jiangsu	12	274	582	0	582	1714	527	520
浙 江 Zhejiang	4	128	248	0	248	533	186	186
安 徽 Anhui	2	291	429	0	429	1298	236	215
福 建 Fujian	3	169	279	103	176	845	132	132
江 西 Jiangxi	3	323	387	0	387	1223	238	232
山 东 Shandong	17	941	1833	0	1833	3983	1377	1335
河 南 Henan	8	671	1123	0	1123	3150	651	651
湖 北 Hubei	8	874	1772	68	1704	4004	757	753
湖 南 Hunan	3	191	539	0	539	928	245	239
广 东 Guangdong	13	720	1086	50	1036	2658	808	651
广 西 Guangxi	1	56	151	0	151	255	192	192
海 南 Hainan	1	0	57	0	57	157	19	19
四 川 Sichuan	4	159	338	0	338	672	282	273
贵 州 Guizhou	2	215	344	0	344	957	388	385
云 南 Yunnan	4	286	450	0	450	1059	410	404
西 藏 Tibet	1	69	61	0	61	324	92	92
陕 西 Shaanxi	7	445	569	0	569	1468	429	415
甘 肃 Gansu	10	368	390	0	390	1554	568	559
青 海 Qinghai	1	0	40	0	40	40	35	35
宁 夏 Ningxia	1	41	49	0	49	167	61	61
新 疆 Xinjiang	6	288	346	0	346	1126	424	419

校基本情况
Physical Culture Schools

单位:人

教职工数 Teachers, Staff & Workers										兼任教师数(不在教工数中) Part-time Teachers
校本部教职工 Employees in the School Proper								校办厂、场职工 Employees in School-run Factories & Farms	附设机构人员 Employees in Subsidiary Units	
专任教师 Full-time Teachers					教辅人员 Supporting Staff	行政人员 Adm. Personnel	工勤人员 Workers			
计 Subtotal	高级讲师 Senior Lecturers	讲师 Lecturers	助理讲师 Assistant Lecturers	教员 Instructors						
6688	466	2281	2151	1790	669	2882	2263	58	507	146
356	34	140	146	36	33	248	307	6	46	6
147	3	42	39	63	0	62	42	0	0	2
263	16	86	101	60	40	83	106	0	0	8
498	28	159	179	132	28	127	124	7	0	0
52	3	25	24	0	4	13	11	0	0	0
647	77	231	141	198	46	251	170	2	40	0
238	18	101	67	52	6	111	65	0	0	0
122	5	56	25	36	42	56	64	0	3	0
168	26	97	45	0	11	114	79	0	172	3
291	23	106	73	89	13	165	51	0	7	21
111	5	30	14	62	1	45	29	0	0	0
107	10	58	36	3	26	46	36	0	21	15
79	9	27	39	4	10	28	15	0	0	9
109	8	32	32	37	6	71	46	0	6	0
816	55	199	262	300	16	281	222	27	15	11
355	24	103	131	97	44	171	81	0	0	2
463	23	142	162	136	37	148	105	4	0	1
118	11	52	37	18	12	56	53	0	6	1
328	14	103	118	93	66	130	127	0	157	46
46	8	31	7	0	52	64	30	0	0	0
15	2	2	6	5	0	3	1	0	0	0
130	9	57	23	41	8	102	33	9	0	0
222	6	53	77	86	3	95	65	0	3	19
122	3	65	47	7	106	95	81	0	6	1
40	0	14	19	7	2	27	23	0	0	0
237	9	75	54	99	8	79	91	1	13	0
319	20	100	132	67	22	106	112	2	7	0
20	2	12	6	0	0	12	3	0	0	0
32	5	6	4	17	0	17	12	0	0	0
237	10	77	105	45	27	76	79	0	5	1

中等艺术学

Basic Statistics of

地区 Region	学校数(所) Schools	毕业生数 Graduates	招生数 Entrants			在校学生数 Enrolment		
			计 Total	招高中毕业生数 Graduates From Senior Sec. School	招初中毕业生数 Graduates From Junior Sec. School		合计 Total	计 Subtotal
总计 Total	146	7550	16871	910	15961	45818	14166	13944
北京 Beijing	6	434	532	0	532	1827	1097	1064
天津 Tianjin	4	162	308	0	308	893	429	429
河北 Hebei	6	237	643	20	623	1602	672	672
山西 Shanxi	10	348	1003	15	988	4412	1235	1235
内蒙古 Inner Mongolia	3	262	443	129	314	1152	476	476
辽宁 Liaoning	8	263	987	30	957	2263	765	765
吉林 Jilin	2	214	888	32	856	1641	263	263
黑龙江 Heilongjiang	1	172	219	0	219	722	161	161
上海 Shanghai	6	190	310	57	253	1381	673	668
江苏 Jiangsu	12	207	1210	28	1182	2477	690	677
浙江 Zhejiang	5	105	469	0	469	1142	349	342
安徽 Anhui	3	137	508	53	455	1234	420	420
福建 Fujian	4	206	378	21	357	1345	486	448
江西 Jiangxi	2	251	744	27	717	1988	266	266
山东 Shandong	10	733	1509	0	1509	3781	1056	1030
河南 Henan	12	495	1120	4	1116	3140	893	867
湖北 Hubei	12	1037	1739	291	1448	4363	902	868
湖南 Hunan	4	249	408	0	408	1162	254	254
广东 Guangdong	11	413	770	26	744	2227	792	753
广西 Guangxi	2	199	478	47	431	1202	218	218
海南 Hainan	1	65	70	0	70	241	99	99
四川 Sichuan	6	243	293	26	267	1140	612	612
贵州 Guizhou	2	90	252	65	187	524	119	119
云南 Yunnan	2	169	431	24	407	876	241	241
西藏 Tibet	2	82	110	0	110	407	159	159
陕西 Shaanxi	4	185	406	0	406	1231	371	371
甘肃 Gansu	2	79	89	0	89	261	154	154
青海 Qinghai	1	35	57	0	57	133	73	73
宁夏 Ningxia	1	79	88	0	88	171	86	86
新疆 Xinjiang	2	209	409	15	394	880	155	154

校基本情况

Secondary Art Schools

单位:人

教职工数 Teachers, Staff & Workers										兼任教师数(不在教工数中) Part-time Teachers
校本部教职工 Employees in the School Proper								校办厂、场职工 Employees in School-run Factories & Farms	附设机构人员 Employees in Subsidiary Units	
专任教师 Full-time Teachers					教辅人员 Supporting Staff	行政人员 Adm. Personnel	工勤人员 Workers			
计 Subtotal	高级讲师 Senior Lecturers	讲师 Lecturers	助理讲师 Assistant Lecturers	教员 Instructors						
8655	935	3321	2438	1961	1055	2482	1752	163	59	318
580	125	218	121	116	134	162	188	33	0	0
279	36	148	72	23	33	50	67	0	0	2
441	36	170	131	104	40	109	82	0	0	7
835	41	267	309	218	42	205	153	0	0	0
339	17	101	95	126	17	83	37	0	0	0
504	54	177	110	163	56	122	83	0	0	19
159	17	68	59	15	36	46	22	0	0	0
103	7	41	19	36	16	25	17	0	0	0
370	60	175	99	36	64	86	148	0	5	75
408	35	146	95	132	55	131	83	12	1	59
215	23	88	64	40	15	85	27	0	7	8
269	52	153	56	8	52	76	23	0	0	0
311	25	105	103	78	22	76	39	34	4	39
178	15	77	63	23	22	23	43	0	0	12
618	91	247	149	131	68	184	160	22	4	0
556	38	181	176	161	35	173	103	0	26	0
566	65	224	165	112	66	201	35	28	6	16
177	16	51	31	79	21	35	21	0	0	48
406	42	159	127	78	54	186	107	33	6	22
145	13	47	32	53	7	47	19	0	0	1
59	2	28	18	11	4	21	15	0	0	0
313	54	137	74	48	88	106	105	0	0	0
69	6	30	27	6	5	22	23	0	0	10
153	16	64	53	20	31	31	26	0	0	0
96	5	25	31	35	6	36	21	0	0	0
211	21	99	41	50	35	81	44	0	0	0
92	16	29	31	16	17	32	13	0	0	0
50	4	23	17	6	8	9	6	0	0	0
52	2	25	18	7	2	15	17	0	0	0
101	1	18	52	30	4	24	25	1	0	0

其他中等技术

Basic Statistics of Other

地区 Region		学校数(所) Schools	毕业生数 Graduates	招生数 Entrants			在校学生数 Enrolment		
				计 Total	招高中毕业生数 Graduates From Senior Sec. School	招初中毕业生数 Graduates From Junior Sec. School		合计 Total	计 Subtotal
总计	**Total**	104	13218	29121	5696	23425	61219	8597	8051
北京	Beijing	1	78	90	0	90	538	41	41
天津	Tianjin	2	254	130	0	130	260	188	188
河北	Hebei	7	929	1734	0	1734	4234	537	524
山西	Shanxi	2	0	150	150	0	150	94	94
内蒙古	Inner Mongolia	2	228	265	214	51	558	138	138
辽宁	Liaoning	4	421	568	120	448	1387	326	324
吉林	Jilin	18	1841	3460	105	3355	8767	1739	1511
黑龙江	Heilongjiang	1	0	180	0	180	282	100	91
上海	Shanghai	1	1758	5940	451	5489	10842	156	144
江苏	Jiangsu	4	105	794	0	794	1277	199	188
浙江	Zhejiang	7	1481	2799	160	2639	6386	538	502
安徽	Anhui	1	332	762	293	469	1256	128	128
福建	Fujian	1	46	90	90	0	180	31	31
江西	Jiangxi	1	102	158	88	70	247	54	54
山东	Shandong	3	1203	2412	756	1656	4948	829	724
河南	Henan	3	201	380	380	0	585	222	219
湖北	Hubei	6	391	1070	269	801	2089	425	403
湖南	Hunan	4	340	1254	398	856	2525	338	291
广东	Guangdong	6	696	1011	272	739	2151	444	437
广西	Guangxi	2	241	180	0	180	723	184	163
海南	Hainan	0	0	0	0	0	0	0	0
四川	Sichuan	8	557	2361	560	1801	4191	526	511
贵州	Guizhou	4	583	797	173	624	2062	383	383
云南	Yunnan	6	636	1296	513	783	2727	337	326
西藏	Tibet	1	23	35	0	35	145	50	50
陕西	Shaanxi	2	140	160	160	0	320	127	123
甘肃	Gansu	5	500	665	204	461	1901	355	355
青海	Qinghai	0	0	0	0	0	0	0	0
宁夏	Ningxia	1	132	100	100	0	130	32	32
新疆	Xinjiang	1	0	280	240	40	358	76	76

学校基本情况

Secondary Technical Schools

单位:人

教职工数 Teachers, Staff & Workers — 校本部教职工 Employees in the School Proper — 专任教师 Full-time Teachers — 计 Subtotal	高级讲师 Senior Lecturers	讲师 Lecturers	助理讲师 Assistant Lecturers	教员 Instructors	教辅人员 Supporting Staff	行政人员 Adm. Personnel	工勤人员 Workers	校办厂、场职工 Employees in School-run Factories & Farms	附设机构人员 Employees in Subsidiary Units	兼任教师数(不在教工数中) Part-time Teachers
4247	413	1368	1841	625	663	1974	1167	461	85	459
28	9	8	8	3	3	10	0	0	0	0
85	4	23	51	7	4	47	52	0	0	0
350	20	104	181	45	56	77	41	13	0	3
28	0	0	0	28	0	32	34	0	0	0
64	7	39	18	0	29	25	20	0	0	0
164	16	45	74	29	22	77	61	0	2	4
896	56	248	425	167	90	404	121	228	0	16
46	7	27	11	1	7	28	10	0	9	0
79	2	35	38	4	12	20	33	0	12	33
122	24	54	31	13	10	44	12	3	8	64
280	20	84	132	44	38	132	52	35	1	5
54	11	27	13	3	14	47	13	0	0	0
12	2	1	8	1	4	12	3	0	0	7
24	4	8	9	3	2	18	10	0	0	0
408	87	126	141	54	78	159	79	103	2	5
94	9	38	44	3	17	65	43	2	1	0
201	20	77	101	3	17	135	50	7	15	3
132	21	55	44	12	23	87	49	47	0	29
210	18	76	75	41	52	105	70	4	3	56
92	9	21	56	6	0	27	44	5	16	4
0	0	0	0	0	0	0	0	0	0	0
248	25	78	123	22	76	110	77	14	1	182
166	7	33	90	36	35	99	83	0	0	0
171	15	65	75	16	7	89	59	0	11	17
27	1	7	9	10	0	12	11	0	0	0
48	1	11	2	34	19	22	34	0	4	18
173	16	64	62	31	41	64	77	0	0	0
0	0	0	0	0	0	0	0	0	0	0
15	0	2	5	8	3	5	9	0	0	13
30	2	12	15	1	4	22	20	0	0	0

中等师范学

Basic Statistics of

地区 Region	学校数(所) Schools	毕业生数 Graduates	招生数 Entrants 计 Total	招高中毕业生数 Graduates From Senior Sec. School	招初中毕业生数 Graduates From Junior Sec. School	在校学生数 Enrolment	合计 Total	计 Subtotal
总计 Total	918	228210	283552	34681	248871	722035	108372	103681
北京 Beijing	20	3883	4836	0	4836	12982	2588	2499
天津 Tianjin	11	2597	2528	0	2528	6399	1508	1406
河北 Hebei	84	13554	17836	4200	13636	41797	6597	6394
山西 Shanxi	24	9429	9064	0	9064	25266	3438	3298
内蒙古 Inner Mongolia	21	4753	5118	323	4795	13019	3085	2990
辽宁 Liaoning	30	7821	10398	1226	9172	32019	4973	4727
吉林 Jilin	23	6205	7740	1955	5785	22391	3075	2837
黑龙江 Heilongjiang	30	6458	9759	682	9077	23435	3904	3711
上海 Shanghai	11	2955	2968	0	2968	9653	1608	1468
江苏 Jiangsu	35	8186	13719	1258	12461	30979	4822	4288
浙江 Zhejiang	29	6316	9335	1409	7926	22989	2967	2752
安徽 Anhui	45	8146	9893	1279	8614	24372	4183	4032
福建 Fujian	25	7115	10129	1594	8535	24226	3265	3150
江西 Jiangxi	27	8680	10192	1429	8763	26333	3306	3203
山东 Shandong	60	16220	16644	3021	13623	42339	7874	7378
河南 Henan	45	23510	26076	0	26076	66054	7442	7236
湖北 Hubei	37	8473	13232	1906	11326	30307	4830	4435
湖南 Hunan	32	9947	12711	4582	8129	29497	3948	3790
广东 Guangdong	45	10996	14340	1963	12377	36009	5030	4897
广西 Guangxi	25	7304	11838	53	11785	28061	3531	3360
海南 Hainan	8	1610	2828	720	2108	5898	924	883
四川 Sichuan	108	20003	23587	1955	21632	62624	9898	9590
贵州 Guizhou	29	6147	6978	370	6608	18820	2600	2556
云南 Yunnan	28	7801	8596	0	8596	24868	3301	3277
西藏 Tibet	5	479	517	0	517	1933	475	454
陕西 Shaanxi	22	6823	7745	1727	6018	21067	2848	2779
甘肃 Gansu	22	5287	4993	1041	3952	15047	2397	2361
青海 Qinghai	11	1643	1936	350	1586	4992	873	871
宁夏 Ningxia	4	1522	1550	164	1386	3680	598	586
新疆 Xinjiang	22	4347	6466	1474	4992	14979	2484	2473

校基本情况

Teacher Training Schools

单位:人

教职工数 Teachers, Staff & Workers										兼任教师数(不在教工数中) Part-time Teachers
校本部教职工 Employees in the School Proper								校办厂、场职工 Employees in School-run Factories & Farms	附设机构人员 Employees in Subsidiary Units	
专任教师 Full-time Teachers					教辅人员 Supporting Staff	行政人员 Adm. Personnel	工勤人员 Workers			
计 Subtotal	高级讲师 Senior Lecturers	讲师 Lecturers	助理讲师 Assistant Lecturers	教员 Instructors						
58154	6128	17075	25434	9517	7882	19790	17855	3198	1493	172
1310	236	420	437	217	240	571	378	42	47	4
687	105	214	339	29	135	374	210	51	51	6
3480	245	995	1641	599	556	1231	1127	187	16	25
1735	169	523	722	321	207	750	606	82	58	6
1603	159	505	726	213	248	536	603	89	6	0
2661	291	673	1327	370	329	1008	729	199	47	0
1557	146	402	654	355	143	674	463	201	37	0
1891	224	839	590	238	226	844	750	102	91	0
850	137	361	277	75	142	238	238	122	18	0
2366	266	709	1022	369	378	801	743	481	53	2
1569	119	520	764	166	203	525	455	126	89	4
2209	209	705	961	334	394	743	686	81	70	9
1893	118	458	909	408	167	669	421	52	63	6
1911	213	604	844	250	225	569	498	35	68	1
4080	368	930	1999	783	640	1505	1153	380	116	8
4213	483	1248	1979	503	441	1462	1120	136	70	11
2813	400	781	1014	618	394	526	702	268	127	5
1987	304	688	758	237	320	800	683	93	65	10
2982	271	814	1163	734	387	687	841	49	84	22
1967	246	649	827	245	228	555	610	34	137	3
461	59	148	187	67	55	144	223	36	5	0
5114	682	1405	2154	873	852	1822	1802	274	34	33
1559	90	307	856	306	116	524	357	7	37	5
1841	126	529	889	297	250	494	692	10	14	0
244	2	79	84	79	24	79	107	0	21	4
1579	98	519	757	205	205	549	446	20	49	0
1319	149	358	597	215	145	493	404	25	11	4
557	34	177	217	129	51	98	165	2	0	4
336	41	117	133	45	34	92	124	9	3	0
1380	138	398	607	237	147	427	519	5	6	0

中等师范学校中幼

Basic Statistics of Pre－primary

地　区 Region		学校数(所) Schools	毕业生数 Graduates	招　生　数 Entrants			在校学生数 Enrolment		
				计 Total	招高中毕业生数 Graduates From Senior Sec. School	招初中毕业生数 Graduates From Junior Sec. School		合　计 Total	计 Subtotal
总　计	**Total**	67	12670	17323	821	16502	43832	7986	7361
北　京	Beijing	1	245	240	0	240	654	155	155
天　津	Tianjin	2	518	439	0	439	1479	424	361
河　北	Hebei	4	524	780	0	780	1849	212	212
山　西	Shanxi	4	838	940	0	940	2538	433	386
内蒙古	Inner Mongolia	2	398	346	0	346	950	241	234
辽　宁	Liaoning	4	668	941	0	941	2560	658	618
吉　林	Jilin	5	668	1170	100	1070	3074	535	484
黑龙江	Heilongjiang	3	601	679	0	679	1795	306	299
上　海	Shanghai	2	508	486	0	486	1586	273	269
江　苏	Jiangsu	4	505	996	50	946	2137	349	317
浙　江	Zhejiang	3	491	589	97	492	1436	326	251
安　徽	Anhui	3	613	796	0	796	1779	341	302
福　建	Fujian	2	516	826	46	780	1831	287	255
江　西	Jiangxi	1	146	155	0	155	498	87	87
山　东	Shandong	5	1189	1383	40	1343	3721	819	728
河　南	Henan	1	367	390	0	390	1103	162	162
湖　北	Hubei	4	1098	1734	59	1675	3896	601	538
湖　南	Hunan	2	513	649	280	369	1506	248	227
广　东	Guangdong	4	828	1245	105	1140	3102	472	462
广　西	Guangxi	1	246	409	0	409	965	173	146
海　南	Hainan	0	0	0	0	0	0	0	0
四　川	Sichuan	4	611	830	0	830	2291	441	426
贵　州	Guizhou	1	101	182	0	182	378	68	67
云　南	Yunnan	1	153	184	0	184	535	95	95
西　藏	Tibet	0	0	0	0	0	0	0	0
陕　西	Shaanxi	1	199	269	0	269	672	123	123
甘　肃	Gansu	1	126	180	44	136	519	80	80
青　海	Qinghai	1	0	60	0	60	60	0	0
宁　夏	Ningxia	0	0	0	0	0	0	0	0
新　疆	Xinjiang	1	0	425	0	425	918	77	77

儿师范学校基本情况

Teacher Training Schools

单位: 人

教职工数 Teachers, Staff & Workers: 校本部教职工 Employees in the School Proper: 专任教师 Full-time Teachers: 计 Subtotal	高级讲师 Senior Lecturers	讲师 Lecturers	助理讲师 Assistant Lecturers	教员 Instructors	教辅人员 Supporting Staff	行政人员 Adm. Personnel	工勤人员 Workers	校办厂、场职工 Employees in School-run Factories & Farms	附设机构人员 Employees in Subsidiary Units	兼任教师数(不在教工数中) Part-time Teachers
4187	508	1287	1805	587	537	1580	1057	215	410	19
80	21	34	17	8	12	36	27	0	0	0
191	38	62	90	1	27	73	70	17	46	0
124	11	42	57	14	17	48	23	0	0	0
205	24	66	76	39	25	85	71	12	35	0
139	17	30	85	7	21	42	32	1	6	0
366	34	73	223	36	59	116	77	12	28	0
259	19	59	105	76	16	150	59	28	23	0
172	23	99	35	15	19	85	23	1	6	0
140	16	52	61	11	28	62	39	4	0	0
178	26	61	70	21	9	77	53	13	19	0
147	13	53	66	15	17	41	46	28	47	0
185	13	47	92	33	15	67	35	21	18	6
146	14	35	79	18	7	66	36	4	28	0
56	6	16	22	12	0	26	5	0	0	0
376	28	103	196	49	55	180	117	32	59	0
101	20	40	38	3	7	32	22	0	0	0
346	72	116	91	67	34	70	88	11	52	0
124	15	42	41	26	18	46	39	6	15	9
281	27	86	107	61	67	61	53	10	0	0
83	14	41	28	0	18	21	24	0	27	0
0	0	0	0	0	0	0	0	0	0	0
229	31	73	103	22	49	87	61	15	0	0
44	9	14	18	3	2	16	5	0	1	0
48	4	18	22	4	0	32	15	0	0	0
0	0	0	0	0	0	0	0	0	0	0
62	4	11	39	8	10	36	15	0	0	0
50	6	12	17	15	5	12	13	0	0	4
0	0	0	0	0	0	0	0	0	0	0
0	0	0	0	0	0	0	0	0	0	0
55	3	2	27	23	0	13	9	0	0	0

中等专业学校女学

Number of Female Students, Teachers, Staff

地区 Region	毕业生数 Graduates	招生数 Entrants 计 Total	招高中毕业生数 Graduates From Senior Sec. School	招初中毕业生数 Graduates From Junior Sec. School	在校学生数 Enrolment	合计 Total	计 Subtotal
总计 Total	331847	547345	87823	459522	1336961	206123	188677
北京 Beijing	8496	11628	1591	10037	33353	7533	6998
天津 Tianjin	6047	9346	1103	8243	23542	4776	4284
河北 Hebei	19136	32821	8283	24538	77570	10471	9961
山西 Shanxi	14949	17950	3226	14724	51096	7405	7099
内蒙古 Inner Mongolia	7411	9738	1989	7749	26938	6754	6420
辽宁 Liaoning	15782	24110	3195	20915	69611	10998	10228
吉林 Jilin	11311	17415	3446	13969	45463	7858	6965
黑龙江 Heilongjiang	12484	20079	3183	16896	47565	7842	7020
上海 Shanghai	8863	16227	3129	13098	39604	6674	6164
江苏 Jiangsu	18054	41042	2922	38120	90112	9567	8624
浙江 Zhejiang	9709	17227	3271	13956	39171	6234	5714
安徽 Anhui	9278	18019	2200	15819	39743	5535	5030
福建 Fujian	8740	14793	1737	13056	36520	4416	4154
江西 Jiangxi	8256	13213	2605	10608	31664	5119	4497
山东 Shandong	22454	36363	5028	31335	87866	12856	11875
河南 Henan	23589	32049	5260	26789	80413	10154	9127
湖北 Hubei	20824	39092	3913	35179	91655	11742	10363
湖南 Hunan	13480	23899	3755	20144	53559	8616	7556
广东 Guangdong	17550	30152	3531	26621	71123	8946	8514
广西 Guangxi	9355	17838	2806	15032	41236	6885	5893
海南 Hainan	1804	3351	558	2793	7025	991	949
四川 Sichuan	21421	37738	6404	31334	89902	14250	12727
贵州 Guizhou	6588	9251	1641	7610	23409	4909	4630
云南 Yunnan	9683	13976	1973	12003	37479	6319	6161
西藏 Tibet	472	554	16	538	2155	564	529
陕西 Shaanxi	8122	12904	2843	10061	33787	6219	5332
甘肃 Gansu	5839	8042	2098	5944	21879	4331	4035
青海 Qinghai	1419	2150	588	1562	5319	1049	1027
宁夏 Ningxia	1977	2779	775	2004	6411	1352	1276
新疆 Xinjiang	8754	13599	4754	8845	31791	5758	5525

生和女教职工数

& Workers in Specialized Secondary Schools

单位: 人

教职工数 Teachers, Staff & Workers										兼任教师数（不在教职工数中）Part-time Teachers
校本部教职工 Employees in the School Proper								校办厂、场职工 Employees in School-run Factories & Farms	附设机构人员 Employees in Subsidiary Units	
专任教师 Full-time Teachers					教辅人员 Supporting Staff	行政人员 Adm. Personnel	工勤人员 Workers			
计 Subtotal	高级讲师 Senior Lecturers	讲师 Lecturers	助理讲师 Assistant Lecturers	教员 Instructors						
97020	6666	32280	43565	14509	26227	34306	31124	9075	8371	1285
3547	398	1405	1298	446	858	1517	1076	356	179	150
2317	164	770	1166	217	478	872	617	390	102	11
5788	280	1669	2958	881	1344	1383	1446	304	206	130
3860	191	1105	1916	648	946	1249	1044	137	169	15
3264	216	1037	1524	487	1020	1234	902	171	163	20
5759	372	1881	2745	761	1335	1839	1295	363	407	81
3937	267	1467	1672	531	833	1360	835	619	274	22
3496	321	1660	1191	324	917	1313	1294	317	505	4
2833	226	1271	1095	241	793	1142	1396	311	199	61
4522	379	1573	1872	698	1179	1440	1483	719	224	96
2798	172	1017	1273	336	838	1046	1032	317	203	38
2580	264	933	1053	330	796	904	750	244	261	42
2243	64	536	1140	503	572	741	598	143	119	37
2151	191	728	958	274	704	808	834	439	183	10
6573	440	1807	3112	1214	1614	2060	1628	529	452	22
4922	312	1712	2255	643	1255	1648	1302	512	515	48
5249	375	1744	2202	928	1451	2006	1657	692	687	47
3400	363	1269	1295	473	1305	1371	1480	457	603	38
4337	234	1337	1941	825	1088	1495	1594	138	294	111
2652	192	1010	1137	313	823	1079	1339	240	752	46
363	11	104	176	72	113	187	286	30	12	0
6113	515	2063	2545	990	2066	2507	2041	801	722	122
2317	83	498	1241	495	599	960	754	60	219	55
3084	129	828	1645	482	738	1060	1279	46	112	14
293	4	79	106	104	52	77	107	12	23	2
2492	149	881	1109	353	841	1034	965	492	395	23
1996	58	576	975	287	625	604	810	120	176	7
608	22	213	275	98	125	156	138	2	20	2
668	41	249	303	75	179	169	260	41	35	2
2858	133	858	1387	480	740	1045	882	73	160	29

普通中学校数、

Number of General Secondary Schools

地区 Region		学校数(所) Schools					
		计 Total	初级中学 Junior Sec. Schools	高级中学 Senior Sec. Schools	完全中学 Complete Sec. Schools	计 Total	小计 Subtotal
总计	**Total**	82795	68415	3171	11209	964610	826332
北京	Beijing	680	400	7	273	13006	10997
天津	Tianjin	666	497	34	135	9251	7790
河北	Hebei	5260	4680	212	368	50024	44096
山西	Shanxi	3540	3143	166	231	30521	25938
内蒙古	Inner Mongolia	1918	1536	84	298	22403	18534
辽宁	Liaoning	2433	2046	238	149	38870	33726
吉林	Jilin	1888	1584	141	163	25523	22126
黑龙江	Heilongjiang	2703	2194	192	317	35999	31038
上海	Shanghai	742	496	22	224	12579	10127
江苏	Jiangsu	5054	4086	56	912	59622	50991
浙江	Zhejiang	3259	2759	135	365	38027	33195
安徽	Anhui	4205	3587	31	587	43354	38259
福建	Fujian	1590	1186	1	403	26930	23232
江西	Jiangxi	2782	2235	24	523	33792	28704
山东	Shandong	5640	5028	335	277	71783	62357
河南	Henan	6644	5925	531	188	66376	58097
湖北	Hubei	4176	3578	284	314	43446	37215
湖南	Hunan	5036	4242	261	533	51045	43139
广东	Guangdong	3766	2964	45	757	53497	46655
广西	Guangxi	2874	2433	74	367	32009	27816
海南	Hainan	470	318	0	152	5317	4402
四川	Sichuan	6291	5180	43	1068	76369	65453
贵州	Guizhou	1719	1360	17	342	20035	17362
云南	Yunnan	2178	1699	9	470	26105	22306
西藏	Tibet	62	42	0	20	581	458
陕西	Shaanxi	2843	2261	158	424	28998	23398
甘肃	Gansu	1600	1140	10	450	19437	15807
青海	Qinghai	479	290	12	177	4427	3460
宁夏	Ningxia	446	325	5	116	5741	4620
新疆	Xinjiang	1851	1201	44	606	19543	15034

班数(总计)

and Classes (Regional Aggregates)

班数(个) Classes							
初中 Junior Sec. Schools				高中 Senior Sec. Schools			
一年级 Grade 1	二年级 Grade 2	三年级 Grade 3	四年级 Grade 4	小计 Subtotal	一年级 Grade 1	二年级 Grade 2	三年级 Grade 3
292836	277054	254358	2084	138278	46826	44818	46634
3907	3816	3269	5	2009	646	649	714
2756	2613	2413	8	1461	470	487	504
16052	14834	12899	311	5928	1997	1912	2019
9122	8613	8164	39	4583	1512	1542	1529
6439	6146	5894	55	3869	1271	1262	1336
11455	11416	10781	74	5144	1731	1693	1720
7761	7486	6815	64	3397	1159	1104	1134
11007	10403	9363	265	4961	1673	1600	1688
3522	3436	3156	13	2452	848	823	781
17278	17341	16326	46	8631	2953	2874	2804
11006	11342	10843	4	4832	1744	1573	1515
13681	12625	11920	33	5095	1686	1634	1775
8574	7808	6850	0	3698	1209	1239	1250
10119	9368	9204	13	5088	1745	1644	1699
21472	20412	19533	940	9426	3353	3067	3006
21195	19434	17372	96	8279	2739	2683	2857
13617	12594	10972	32	6231	2118	1985	2128
15466	14557	13108	8	7906	2780	2575	2551
17776	15766	13104	9	6842	2385	2220	2237
10380	9242	8180	14	4193	1414	1358	1421
1734	1476	1192	0	915	306	295	314
22131	22073	21230	19	10916	3537	3602	3777
6165	5682	5512	3	2673	904	861	908
7689	7472	7123	22	3799	1280	1257	1262
214	136	108	0	123	39	40	44
8350	7826	7220	2	5600	1947	1679	1974
5485	5262	5060	0	3630	1224	1122	1284
1190	1149	1114	7	967	341	291	335
1653	1486	1479	2	1121	380	357	384
5640	5240	4154	0	4509	1435	1390	1684

普通中学校数、

Number of General Secondary

地　区 Region	学校数(所) Schools 计 Total	初级中学 Junior Sec. Schools	高级中学 Senior Sec. Schools	完全中学 Complete Sec. Schools	计 Total	小计 Subtotal
总　计　Total	12177	7384	764	4029	190116	143922
北　京　Beijing	296	103	5	188	6890	5524
天　津　Tianjin	270	182	5	83	4460	3643
河　北　Hebei	677	474	25	178	9776	7951
山　西　Shanxi	395	245	21	129	5975	4398
内蒙古　Inner Mongolia	311	168	29	114	5365	3806
辽　宁　Liaoning	715	512	104	99	12897	10341
吉　林　Jilin	467	324	62	81	7978	6271
黑龙江　Heilongjiang	708	483	89	136	10912	8481
上　海　Shanghai	405	262	10	133	6350	4823
江　苏　Jiangsu	648	449	3	196	9604	7750
浙　江　Zhejiang	306	181	27	98	5290	3929
安　徽　Anhui	437	256	4	177	6400	5060
福　建　Fujian	178	84	1	93	3641	2657
江　西　Jiangxi	340	187	8	145	5111	3594
山　东　Shandong	742	525	68	149	12647	9257
河　南　Henan	757	531	95	131	10236	7774
湖　北　Hubei	851	573	73	205	12330	9451
湖　南　Hunan	575	317	22	236	7771	5741
广　东　Guangdong	524	257	19	248	10095	7697
广　西　Guangxi	176	105	4	67	3377	2650
海　南　Hainan	27	15	0	12	499	384
四　川　Sichuan	740	390	16	334	10120	7186
贵　州　Guizhou	222	133	9	80	2635	1932
云　南　Yunnan	234	107	6	121	3089	2101
西　藏　Tibet	13	4	0	9	206	143
陕　西　Shaanxi	460	249	27	184	6319	4502
甘　肃　Gansu	222	76	5	141	3732	2629
青　海　Qinghai	78	20	8	50	945	687
宁　夏　Ningxia	62	32	4	26	1025	746
新　疆　Xinjiang	341	140	15	186	4441	2814

班数(城市)

Schools and Classes (Urban)

班数(个) Classes							
初中 Junior Sec. Schools				高中 Senior Sec. Schools			
一年级 Grade 1	二年级 Grade 2	三年级 Grade 3	四年级 Grade 4	小计 Subtotal	一年级 Grade 1	二年级 Grade 2	三年级 Grade 3
48676	48114	46602	530	46194	15680	15009	15505
1937	1918	1664	5	1366	446	441	479
1283	1174	1180	6	817	268	275	274
2826	2650	2471	4	1825	620	588	617
1506	1431	1445	16	1577	518	532	527
1283	1231	1260	32	1559	507	518	534
3366	3459	3469	47	2556	866	836	854
2090	2128	2025	28	1707	580	567	560
2778	2811	2824	68	2431	825	781	825
1736	1622	1465	0	1527	521	508	498
2586	2597	2547	20	1854	621	617	616
1297	1321	1308	3	1361	495	445	421
1687	1705	1654	14	1340	441	429	470
878	896	883	0	984	325	336	323
1168	1151	1269	6	1517	524	484	509
3177	2984	2946	150	3390	1183	1108	1099
2542	2560	2593	79	2462	808	815	839
3150	3217	3066	18	2879	1007	934	938
1946	1926	1868	1	2030	718	664	648
2710	2636	2344	7	2398	851	752	795
933	939	769	9	727	247	241	239
138	131	115	0	115	41	35	39
2507	2397	2275	7	2934	923	957	1054
641	635	656	0	703	235	234	234
639	703	749	10	988	330	327	331
63	46	34	0	63	19	20	24
1522	1495	1485	0	1817	649	552	616
835	882	912	0	1103	382	349	372
216	235	236	0	258	96	71	91
246	251	249	0	279	100	88	91
990	983	841	0	1627	534	505	588

普通中学校数、

Number of General Secondary Schools

地区 Region	学校数(所) Schools 计 Total	初级中学 Junior Sec. Schools	高级中学 Senior Sec. Schools	完全中学 Complete Sec. Schools	计 Total	小计 Subtotal
总计 Total	17706	11723	1371	4612	256063	190446
北京 Beijing	148	92	1	55	2816	2314
天津 Tianjin	95	48	9	38	1537	1118
河北 Hebei	1280	971	155	154	14848	11272
山西 Shanxi	448	308	69	71	6272	4146
内蒙古 Inner Mongolia	497	285	49	163	7811	5691
辽宁 Liaoning	368	235	104	29	6418	4306
吉林 Jilin	621	464	79	78	9331	7668
黑龙江 Heilongjiang	676	460	84	132	10323	8259
上海 Shanghai	101	48	12	41	2068	1411
江苏 Jiangsu	1481	979	26	476	21563	16794
浙江 Zhejiang	2074	1709	104	261	24683	21296
安徽 Anhui	433	239	5	189	6739	4690
福建 Fujian	565	339	0	226	12408	10171
江西 Jiangxi	614	333	5	276	10505	7556
山东 Shandong	387	271	57	59	6507	4003
河南 Henan	940	688	228	24	11716	7970
湖北 Hubei	404	267	92	45	5294	3524
湖南 Hunan	798	516	85	197	10737	7268
广东 Guangdong	439	224	15	200	8554	6038
广西 Guangxi	397	212	36	149	6130	3881
海南 Hainan	64	20	0	44	1370	902
四川 Sichuan	2601	1903	24	674	35526	28220
贵州 Guizhou	328	176	7	145	4974	3490
云南 Yunnan	553	302	1	250	8446	6170
西藏 Tibet	48	37	0	11	372	312
陕西 Shaanxi	628	368	91	169	8346	5450
甘肃 Gansu	218	66	3	149	3793	2243
青海 Qinghai	138	51	3	84	1605	1101
宁夏 Ningxia	73	25	1	47	1456	901
新疆 Xinjiang	289	87	26	176	3915	2281

班数(县镇)

and Classes (County Seats & Towns)

班数(个) Classes							
初中 Junior Sec. Schools				高中 Senior Sec. Schools			
一年级 Grade 1	二年级 Grade 2	三年级 Grade 3	四年级 Grade 4	小计 Subtotal	一年级 Grade 1	二年级 Grade 2	三年级 Grade 3
66047	63912	60212	275	65617	22347	21335	21935
833	810	671	0	502	159	165	178
389	387	342	0	419	133	136	150
4052	3805	3338	77	3576	1201	1158	1217
1439	1372	1324	11	2126	710	714	702
1935	1878	1868	10	2120	700	682	738
1425	1468	1411	2	2112	710	705	697
2657	2573	2415	23	1663	570	528	565
2847	2766	2598	48	2064	689	669	706
483	488	440	0	657	233	221	203
5634	5693	5453	14	4769	1634	1589	1546
7017	7293	6986	0	3387	1220	1100	1067
1633	1561	1496	0	2049	692	670	687
3736	3416	3019	0	2237	733	744	760
2619	2457	2479	1	2949	1007	959	983
1360	1304	1275	64	2504	916	817	771
2820	2651	2498	1	3746	1279	1206	1261
1265	1177	1082	0	1770	607	563	600
2638	2426	2203	1	3469	1221	1137	1111
2213	2045	1780	0	2516	867	832	817
1409	1296	1173	3	2249	774	732	743
327	304	271	0	468	158	157	153
9650	9443	9117	10	7306	2402	2419	2485
1201	1138	1151	0	1484	510	479	495
2092	2058	2013	7	2276	770	753	753
150	89	73	0	60	20	20	20
1905	1820	1723	2	2896	996	865	1035
767	738	738	0	1550	530	475	545
380	363	357	1	504	180	156	168
332	289	280	0	555	191	178	186
839	804	638	0	1634	535	506	593

普通中学校数、

Number of General Secondary

地区 Region		学校数(所) Schools				计 Total	小计 Subtotal
		计 Total	初级中学 Junior Sec. Schools	高级中学 Senior Sec. Schools	完全中学 Complete Sec. Schools		
总计	**Total**	52912	49308	1036	2568	518431	491964
北京	Beijing	236	205	1	30	3300	3159
天津	Tianjin	301	267	20	14	3254	3029
河北	Hebei	3303	3235	32	36	25400	24873
山西	Shanxi	2697	2590	76	31	18274	17394
内蒙古	Inner Mongolia	1110	1083	6	21	9227	9037
辽宁	Liaoning	1350	1299	30	21	19555	19079
吉林	Jilin	800	796	0	4	8214	8187
黑龙江	Heilongjiang	1319	1251	19	49	14764	14298
上海	Shanghai	236	186	0	50	4161	3893
江苏	Jiangsu	2925	2658	27	240	28455	26447
浙江	Zhejiang	879	869	4	6	8054	7970
安徽	Anhui	3335	3092	22	221	30215	28509
福建	Fujian	847	763	0	84	10881	10404
江西	Jiangxi	1828	1715	11	102	18176	17554
山东	Shandong	4511	4232	210	69	52629	49097
河南	Henan	4947	4706	208	33	44424	42353
湖北	Hubei	2921	2738	119	64	25822	24240
湖南	Hunan	3663	3409	154	100	32537	30130
广东	Guangdong	2803	2483	11	309	34848	32920
广西	Guangxi	2301	2116	34	151	22502	21285
海南	Hainan	379	283	0	96	3448	3116
四川	Sichuan	2950	2887	3	60	30723	30047
贵州	Guizhou	1169	1051	1	117	12426	11940
云南	Yunnan	1391	1290	2	99	14570	14035
西藏	Tibet	1	1	0	0	3	3
陕西	Shaanxi	1755	1644	40	71	14333	13446
甘肃	Gansu	1160	998	2	160	11912	10935
青海	Qinghai	263	219	1	43	1877	1672
宁夏	Ningxia	311	268	0	43	3260	2973
新疆	Xinjiang	1221	974	3	244	11187	9939

班数(农村)

Schools and Classes (Rural)

班数(个) Classes							
初中 Junior Sec. Schools				高中 Senior Sec. Schools			
一年级 Grade 1	二年级 Grade 2	三年级 Grade 3	四年级 Grade 4	小计 Subtotal	一年级 Grade 1	二年级 Grade 2	三年级 Grade 3
178113	165028	147544	1279	26467	8799	8474	9194
1137	1088	934	0	141	41	43	57
1084	1052	891	2	225	69	76	80
9174	8379	7090	230	527	176	166	185
6177	5810	5395	12	880	284	296	300
3221	3037	2766	13	190	64	62	64
6664	6489	5901	25	476	155	152	169
3014	2785	2375	13	27	9	9	9
5382	4826	3941	149	466	159	150	157
1303	1326	1251	13	268	94	94	80
9058	9051	8326	12	2008	698	668	642
2692	2728	2549	1	84	29	28	27
10361	9359	8770	19	1706	553	535	618
3960	3496	2948	0	477	151	159	167
6332	5760	5456	6	622	214	201	207
16935	16124	15312	726	3532	1254	1142	1136
15833	14223	12281	16	2071	652	662	757
9202	8200	6824	14	1582	504	488	590
10882	10205	9037	6	2407	841	774	792
12853	11085	8980	2	1928	667	636	625
8038	7007	6238	2	1217	393	385	439
1269	1041	806	0	332	107	103	122
9974	10233	9838	2	676	212	226	238
4323	3909	3705	3	486	159	148	179
4958	4711	4361	5	535	180	177	178
1	1	1	0	0	0	0	0
4923	4511	4012	0	887	302	262	323
3883	3642	3410	0	977	312	298	367
594	551	521	6	205	65	64	76
1075	946	950	2	287	89	91	107
3811	3453	2675	0	1248	366	379	503

普通中学毕业生数、招生数、毕业班学生数(总计)

Number of Graduates, Entrants & Graduates for Next Year in General Secondary Schools (Regional Aggregates)

单位:人

地区 Region	毕业生数 Graduates 初中 Junior Sec. Schools	毕业生数 Graduates 高中 Senior Sec. Schools	招生数 Entrants 初中 Junior Sec. Schools	招生数 Entrants 高中 Senior Sec. Schools	毕业班学生数 Graduates for Next Year 初中 Junior Sec. Schools	毕业班学生数 Graduates for Next Year 高中 Senior Sec. Schools
总计 Total	11341743	2317127	14789434	2283351	11906373	2149668
北京 Beijing	92322	27428	155768	26275	125615	25753
天津 Tianjin	80756	21386	116698	19496	99352	20073
河北 Hebei	524853	105320	824338	101104	592283	95337
山西 Shanxi	353622	81097	418669	70691	348884	72179
内蒙古 Inner Mongolia	241482	63823	298462	60932	240800	55431
辽宁 Liaoning	459104	83059	566303	86867	513913	84430
吉林 Jilin	317336	57154	391793	59318	343600	52524
黑龙江 Heilongjiang	420156	88317	491453	83228	424994	78402
上海 Shanghai	124576	32170	162533	38141	141866	33712
江苏 Jiangsu	730303	137176	871019	144262	774496	134915
浙江 Zhejiang	478965	77744	547767	83047	513178	69474
安徽 Anhui	572854	92168	763303	85436	608699	83373
福建 Fujian	275295	53691	410180	56008	322685	57523
江西 Jiangxi	466935	89034	566300	88999	485114	80180
山东 Shandong	999164	159603	1202883	188550	1008901	158594
河南 Henan	878887	144474	1154212	148634	922598	146895
湖北 Hubei	524946	110359	734935	108705	545808	104204
湖南 Hunan	549609	126312	807333	137615	591805	115270
广东 Guangdong	589105	118953	956982	119641	646287	105025
广西 Guangxi	356457	74777	552380	71666	388704	72206
海南 Hainan	55165	16730	90786	15057	60317	14979
四川 Sichuan	880936	176474	1025584	149824	824394	157403
贵州 Guizhou	246994	40349	314234	43658	263381	41234
云南 Yunnan	303827	58022	384975	60005	324973	59546
西藏 Tibet	5346	1597	7775	1577	4215	1396
陕西 Shaanxi	299513	96917	380599	89636	306172	84459
甘肃 Gansu	211327	66495	251826	55621	217075	53409
青海 Qinghai	47818	17091	54414	15020	49509	13595
宁夏 Ningxia	71263	20732	78427	18158	67390	17656
新疆 Xinjiang	182827	78675	207503	56180	149365	60491

普通中学毕业生数、招生数、毕业班学生数(城市)

Number of Graduates, Entrants & Graduates for Next Year in General Secondary Schools (Urban)

单位:人

地区 Region	毕业生数 Graduates 初中 Junior Sec. Schools	毕业生数 Graduates 高中 Senior Sec. Schools	招生数 Entrants 初中 Junior Sec. Schools	招生数 Entrants 高中 Senior Sec. Schools	毕业班学生数 Graduates for Next Year 初中 Junior Sec. Schools	毕业班学生数 Graduates for Next Year 高中 Senior Sec. Schools
总计 Total	1996274	741856	2320498	745049	2167417	688506
北京 Beijing	47774	16945	77523	18568	65426	16754
天津 Tianjin	36645	11404	54106	11380	49382	11000
河北 Hebei	94478	31006	135037	30139	111918	28044
山西 Shanxi	63166	28438	73111	23716	66041	24263
内蒙古 Inner Mongolia	51602	24074	61371	23438	52552	21773
辽宁 Liaoning	141867	39585	167709	42230	181540	40292
吉林 Jilin	92668	28892	111764	30558	109171	26680
黑龙江 Heilongjiang	123028	41774	134747	40532	135780	37379
上海 Shanghai	58915	20335	78227	23180	64386	21400
江苏 Jiangsu	113211	27123	123248	29049	116390	27219
浙江 Zhejiang	59710	22145	63837	23553	64217	19340
安徽 Anhui	75864	21939	83243	20878	82837	19529
福建 Fujian	37263	15070	39274	15136	39912	15031
江西 Jiangxi	65653	24960	54935	25581	61110	23062
山东 Shandong	146403	58552	172974	66421	151305	57081
河南 Henan	119984	38891	119751	40293	124064	40438
湖北 Hubei	134810	46633	156321	50293	143483	44377
湖南 Hunan	76076	30485	93452	33423	84589	27815
广东 Guangdong	102868	41382	136802	42589	114541	36521
广西 Guangxi	33611	11817	43179	11543	35851	11537
海南 Hainan	4816	2453	7654	2047	6299	1996
四川 Sichuan	91039	44758	107231	37168	85917	40667
贵州 Guizhou	28664	11265	29275	11429	29590	10757
云南 Yunnan	33696	14579	27623	14882	34263	14896
西藏 Tibet	2482	1057	2757	880	1441	805
陕西 Shaanxi	63384	28875	67344	28581	62637	24649
甘肃 Gansu	39301	19008	38402	17448	40044	15459
青海 Qinghai	10007	5296	10401	4228	10913	3800
宁夏 Ningxia	10126	4837	10723	4475	10382	4035
新疆 Xinjiang	37163	28278	38477	21411	31436	21907

普通中学毕业生数、招生数、毕业班学生数(县镇)

Number of Graduates, Entrants & Graduates for Next Year in General Secondary Schools (County Seats & Towns)

单位:人

地区 Region	毕业生数 Graduates 初中 Junior Sec. Schools	毕业生数 Graduates 高中 Senior Sec. Schools	招生数 Entrants 初中 Junior Sec. Schools	招生数 Entrants 高中 Senior Sec. Schools	毕业班学生数 Graduates for Next Year 初中 Junior Sec. Schools	毕业班学生数 Graduates for Next Year 高中 Senior Sec. Schools
总计 Total	2762794	1124610	3362140	1116551	2899875	1055364
北京 Beijing	19810	8039	34432	6300	27218	7206
天津 Tianjin	13090	6418	17056	5183	15163	5857
河北 Hebei	146102	64470	217603	61945	160911	58779
山西 Shanxi	65472	39237	73418	34097	66250	34134
内蒙古 Inner Mongolia	83717	36732	94158	34676	84086	30900
辽宁 Liaoning	66294	35154	73045	37038	74202	36187
吉林 Jilin	112412	27480	129481	28408	118941	25458
黑龙江 Heilongjiang	125267	38303	132741	35756	121284	34135
上海 Shanghai	17426	8592	23147	10883	20614	9112
江苏 Jiangsu	246615	76480	285180	79962	264007	76290
浙江 Zhejiang	313676	54299	352738	58076	333769	48809
安徽 Anhui	73070	37528	88327	36687	78542	34274
福建 Fujian	128540	32461	184360	34537	146227	35134
江西 Jiangxi	132471	53301	144070	53390	132400	48242
山东 Shandong	69811	41926	79989	54585	72872	43967
河南 Henan	135714	68861	167972	74003	144709	72412
湖北 Hubei	52692	33427	69195	32765	57523	31621
湖南 Hunan	99577	57388	145317	62805	107570	52982
广东 Guangdong	87791	46548	130866	45920	99294	41527
广西 Guangxi	54244	42005	73782	41784	62002	40580
海南 Hainan	14590	9653	19492	8324	16631	8948
四川 Sichuan	389053	120075	460897	104294	367169	107387
贵州 Guizhou	53810	22234	61545	25287	58286	24052
云南 Yunnan	90527	36047	105038	37174	97071	36923
西藏 Tibet	2826	540	4931	697	2733	591
陕西 Shaanxi	72949	53774	88264	48758	77683	48327
甘肃 Gansu	33858	28796	37772	24759	35259	24125
青海 Qinghai	15253	8496	17938	8270	16009	7054
宁夏 Ningxia	15232	10691	16737	9718	16810	9510
新疆 Xinjiang	30905	25655	32649	20470	24640	20841

普通中学毕业生数、招生数、毕业班学生数(农村)

Number of Graduates, Entrants & Graduates for Next Year in General Secondary Schools (Rural)

单位:人

地区 Region		毕业生数 Graduates		招生数 Entrants		毕业班学生数 Graduates for Next Year	
		初中 Junior Sec. Schools	高中 Senior Sec. Schools	初中 Junior Sec. Schools	高中 Senior Sec. Schools	初中 Junior Sec. Schools	高中 Senior Sec. Schools
总计	**Total**	6582675	450661	9106796	421751	6839081	405798
北京	Beijing	24738	2444	43813	1407	32971	1793
天津	Tianjin	31021	3564	45536	2933	34807	3216
河北	Hebei	284273	9844	471698	9020	319454	8514
山西	Shanxi	224984	13422	272140	12878	216593	13782
内蒙古	Inner Mongolia	106163	3017	142933	2818	104162	2758
辽宁	Liaoning	250943	8320	325549	7599	258171	7951
吉林	Jilin	112256	782	150548	352	115488	386
黑龙江	Heilongjiang	171861	8240	223965	6940	167930	6888
上海	Shanghai	48235	3243	61159	4078	56866	3200
江苏	Jiangsu	370477	33573	462591	35251	394099	31406
浙江	Zhejiang	105579	1300	131192	1418	115192	1325
安徽	Anhui	423920	32701	591733	27871	447320	29570
福建	Fujian	109492	6160	186546	6335	136546	7358
江西	Jiangxi	268811	10773	367295	10028	291604	8876
山东	Shandong	782950	59125	949920	67544	784724	57546
河南	Henan	623189	36722	866489	34338	653825	34045
湖北	Hubei	337444	30299	509419	25647	344802	28206
湖南	Hunan	373956	38439	568564	41387	399646	34473
广东	Guangdong	398446	31023	689314	31132	432452	26977
广西	Guangxi	268602	20955	435419	18339	290851	20089
海南	Hainan	35759	4624	63640	4686	37387	4035
四川	Sichuan	400844	11641	457456	8362	371308	9349
贵州	Guizhou	164520	6850	223414	6942	175505	6425
云南	Yunnan	179604	7396	252314	7949	193639	7727
西藏	Tibet	38	0	87	0	41	0
陕西	Shaanxi	163180	14268	224991	12297	165852	11483
甘肃	Gansu	138168	18691	175652	13414	141772	13825
青海	Qinghai	22558	3299	26075	2522	22587	2741
宁夏	Ningxia	45905	5204	50967	3965	40198	4111
新疆	Xinjiang	114759	24742	136377	14299	93289	17743

普通中学在校

Enrolment of General Secondary

地区 Region		合计 Total	初中 Junior Secondary Schools			
			计 Subtotal	一年级 Grade 1	二年级 Grade 2	三年级 Grade 3
总计	**Total**	47391133	40822065	15029778	13713756	11983545
北京	Beijing	523195	444934	160466	158661	125625
天津	Tianjin	389079	328860	119471	109995	99162
河北	Hebei	2477565	2188405	841054	738155	599445
山西	Shanxi	1384388	1166761	426105	388412	350808
内蒙古	Inner Mongolia	990093	818255	302322	271325	242648
辽宁	Liaoning	1911632	1655696	568870	569447	513939
吉林	Jilin	1294562	1127603	397085	383569	343893
黑龙江	Heilongjiang	1663538	1423252	506507	475444	429871
上海	Shanghai	582324	471107	166486	161954	142032
江苏	Jiangsu	2939825	2516175	878765	860777	774714
浙江	Zhejiang	1850229	1622911	550409	559045	513322
安徽	Anhui	2310474	2062430	775178	676954	608751
福建	Fujian	1279696	1106433	413850	369898	322685
江西	Jiangxi	1823218	1571165	575841	510028	484692
山东	Shandong	3952837	3442725	1207731	1122497	1062267
河南	Henan	3629629	3194404	1194790	1071055	925179
湖北	Hubei	2274961	1960113	743753	666330	548481
湖南	Hunan	2504542	2132520	819635	720716	591900
广东	Guangdong	2771877	2440376	964210	829458	646253
广西	Guangxi	1641102	1426924	564248	473462	388597
海南	Hainan	274079	229893	91567	78009	60317
四川	Sichuan	3271880	2809146	1033144	950724	824663
贵州	Guizhou	1005506	881055	327695	289979	263227
云南	Yunnan	1267830	1089384	393871	368591	326030
西藏	Tibet	23251	18934	9453	5266	4215
陕西	Shaanxi	1296246	1049029	388325	354459	306158
甘肃	Gansu	872830	716260	260402	237468	218390
青海	Qinghai	198420	158381	56263	52362	49475
宁夏	Ningxia	267718	216530	80180	68960	67260
新疆	Xinjiang	718607	552404	212102	190756	149546

学生数(总计)

Schools (Regional Aggregates)

单位:人

	高中 Senior Secondary Schools				
四年级 Grade 4	计 Subtotal	一年级 Grade 1	二年级 Grade 2	三年级 Grade 3	合计中住宿生 of the total Boarding Students
94986	6569068	2296371	2123069	2149628	12866851
182	78261	27088	25420	25753	28342
232	60219	20069	20077	20073	18567
9751	289160	101584	92239	95337	431531
1436	217627	70831	74617	72179	449274
1960	171838	61135	55272	55431	269922
3440	255936	87022	84484	84430	218146
3056	166959	59471	54964	52524	117194
11430	240286	83487	78397	78402	216492
635	111217	38823	38682	33712	25748
1919	423650	145337	143398	134915	463187
135	227318	83545	74299	69474	484855
1547	248044	86091	78580	83373	483181
0	173263	56434	59306	57523	394452
604	252053	90402	81471	80180	649034
50230	510112	188502	163016	158594	937663
3380	435225	149775	138555	146895	1335619
1549	314848	109033	101611	104204	1053774
269	372022	138231	118521	115270	870760
455	331501	119791	106685	105025	788562
617	214178	72621	69391	72166	1038867
0	44186	15157	14050	14979	76253
615	462734	150097	155234	157403	945802
154	124451	43889	39328	41234	236243
892	178446	60393	58507	59546	685247
0	4317	1543	1378	1396	11068
87	247217	90195	72563	84459	302604
0	156570	55555	47606	53409	150816
281	40039	15051	11393	13595	25719
130	51188	18317	15215	17656	48381
0	166203	56902	48810	60491	109548

普通中学在校

Enrolment of General Secondary

地 区 Region		合 计 Total	初 中 Junior Secondary Schools			
			计 Subtotal	一 年 级 Grade 1	二 年 级 Grade 2	三 年 级 Grade 3
总 计	**Total**	9027903	6894842	2349752	2336455	2184189
北 京	Beijing	279583	226181	80151	80412	65436
天 津	Tianjin	189977	155509	55769	50316	49192
河 北	Hebei	462301	376176	137481	126573	111992
山 西	Shanxi	282944	209503	73744	68755	66277
内蒙古	Inner Mongolia	241611	173521	61907	56501	53971
辽 宁	Liaoning	659067	536200	169163	182913	181766
吉 林	Jilin	429324	343316	112150	120479	109398
黑龙江	Heilongjiang	530990	415710	136150	139784	136609
上 海	Shanghai	288306	219802	80880	74536	64386
江 苏	Jiangsu	452031	366284	124744	124305	116423
浙 江	Zhejiang	259457	195211	64079	66663	64357
安 徽	Anhui	314586	255042	84451	87142	82841
福 建	Fujian	166275	120219	39421	40886	39912
江 西	Jiangxi	242778	170697	56047	53358	61028
山 东	Shandong	691286	507915	173394	165661	160519
河 南	Henan	497009	376067	121852	124951	126434
湖 北	Hubei	606173	466081	158434	162346	144523
湖 南	Hunan	362434	271392	94900	91833	84625
广 东	Guangdong	503893	388221	138108	135257	114501
广 西	Guangxi	159229	124463	43844	44439	35720
海 南	Hainan	27419	21651	7695	7657	6299
四 川	Sichuan	408895	292191	107639	98447	85880
贵 州	Guizhou	121793	89097	29592	29915	29590
云 南	Yunnan	138765	93911	27723	31092	34696
西 藏	Tibet	8654	6213	2844	1924	1445
陕 西	Shaanxi	273893	197859	67934	67288	62637
甘 肃	Gansu	171013	123002	39081	43101	40820
青 海	Qinghai	43829	32818	10610	11295	10913
宁 夏	Ningxia	44637	32409	10899	11128	10382
新 疆	Xinjiang	169751	108181	39066	37498	31617

学生数(城市)

Schools (Urban)

单位:人

	高中 Senior Secondary Schools				
四年级 Grade 4	计 Subtotal	一年级 Grade 1	二年级 Grade 2	三年级 Grade 3	合计中住宿生 Of the total Boarding Students
24446	2133061	749055	695974	688032	763931
182	53402	19220	17428	16754	7003
232	34468	11820	11648	11000	2155
130	86125	30277	27804	28044	42740
727	73441	23753	25425	24263	35847
1142	68090	23621	22696	21773	25591
2358	122867	42349	40226	40292	26961
1289	86008	30636	28692	26680	27577
3167	115280	40567	37334	37379	34982
0	68504	23547	23557	21400	3683
812	85747	29239	29289	27219	15761
112	64246	23721	21185	19340	32658
608	59544	21061	18954	19529	14285
0	46056	15295	15730	15031	21824
264	72081	25762	23257	23062	15981
8341	183371	66433	59881	57057	86186
2830	120942	40458	40046	40438	50606
778	140092	50338	45787	43967	81504
34	91042	33653	29574	27815	46701
355	115672	42661	36490	36521	31130
460	34766	11609	11660	11497	21317
0	5768	2054	1718	1996	3720
225	116704	37240	38797	40667	51170
0	32696	11449	10490	10757	11595
400	44854	14921	15037	14896	25723
0	2441	846	790	805	897
0	76034	28749	22636	24649	21029
0	48011	17488	15064	15459	10934
0	11011	4282	2929	3800	620
0	12228	4475	3718	4035	858
0	61570	21531	18132	21907	12893

普通中学在校

Enrolment of General Secondary

地　区 Region		合　计 Total	初中 Junior Secondary Schools			
			计 Subtotal	一年级 Grade 1	二年级 Grade 2	三年级 Grade 3
总　计	**Total**	12780094	9557004	3409440	3228088	2907812
北　京	Beijing	117741	97511	35564	34729	27218
天　津	Tianjin	66153	49606	17513	16930	15163
河　北	Hebei	759315	582013	220055	196344	163038
山　西	Shanxi	315607	211889	74549	70420	66533
内蒙古	Inner Mongolia	364159	268624	94678	89304	84313
辽　宁	Liaoning	336234	225830	73382	78309	74055
吉　林	Jilin	463171	383344	131504	131729	118986
黑龙江	Heilongjiang	499205	394706	136551	133305	122649
上　海	Shanghai	99030	68081	23610	23857	20614
江　苏	Jiangsu	1075240	838658	287658	286092	264254
浙　江	Zhejiang	1210230	1051221	354459	362993	333769
安　徽	Anhui	358219	253285	89459	85284	78542
福　建	Fujian	605254	499024	185858	166939	146227
江　西	Jiangxi	566344	414529	147712	134381	132376
山　东	Shandong	381409	236374	80120	76770	76044
河　南	Henan	691949	477702	172938	159178	145557
湖　北	Hubei	289384	194265	70085	65915	58265
湖　南	Hunan	552650	381947	146196	128188	107541
广　东	Guangdong	482406	351693	130889	120924	99880
广　西	Guangxi	332813	209718	75840	71762	62023
海　南	Hainan	81156	55392	19840	18921	16631
四　川	Sichuan	1573393	1253859	464402	421833	367356
贵　州	Guizhou	255182	182614	64218	60110	58286
云　南	Yunnan	420909	310396	107556	105379	97187
西　藏	Tibet	14428	12552	6522	3308	2722
陕　西	Shaanxi	391988	254150	90483	85911	77669
甘　肃	Gansu	180909	110779	38869	36329	35581
青　海	Qinghai	73402	51786	18556	17177	16018
宁　夏	Ningxia	74441	46963	17090	15198	14675
新　疆	Xinjiang	147773	88493	33284	30569	24640

学生数(县镇)

Schools (County Seats & Towns)

单位:人

	高中 Senior Secondary Schools				合计中住宿生 Of the total Boarding Students
四年级 Grade 4	计 Subtotal	一年级 Grade 1	二年级 Grade 2	三年级 Grade 3	
11664	3223090	1123886	1043948	1055256	3749151
0	20230	6449	6575	7206	12081
0	16547	5290	5400	5857	9787
2576	177302	62056	56531	58715	245623
387	103718	34082	35502	34134	107702
329	95535	34680	29955	30900	95552
84	110404	37070	37147	36187	80469
1125	79827	28483	25886	25458	66236
2201	104499	35936	34428	34135	72779
0	30949	11114	10723	9112	16902
654	236582	80676	79616	76290	181641
0	159009	58405	51795	48809	335906
0	104934	37026	33634	34274	80786
0	106230	34816	36280	35134	182610
60	151815	54357	49216	48242	200812
3440	145035	54819	46016	44200	122601
29	214247	74739	67272	72236	273114
0	95119	32639	30901	31579	109544
22	170703	63121	54600	52982	228129
0	130713	46172	43043	41498	119308
93	123095	42520	39995	40580	158013
0	25764	8422	8394	8948	21653
268	319534	104482	107665	107387	560150
0	72568	25418	23098	24052	55785
274	110513	37449	36141	36923	201613
0	1876	697	588	591	10171
87	137838	49120	40391	48327	98999
0	70130	24883	21152	24095	43350
35	21616	8228	6334	7054	15717
0	27478	9861	8107	9510	17426
0	59280	20876	17563	20841	24692

普通中学在校

Enrolment of General Secondary

地区 Region		合计 Total	初中 Junior Secondary Schools			
			计 Subtotal	一年级 Grade 1	二年级 Grade 2	三年级 Grade 3
总计	**Total**	25583136	24370219	9270586	8149213	6891544
北京	Beijing	125871	121242	44751	43520	32971
天津	Tianjin	132949	123745	46189	42749	34807
河北	Hebei	1255949	1230216	483518	415238	324415
山西	Shanxi	785837	745369	277812	249237	217998
内蒙古	Inner Mongolia	384323	376110	145737	125520	104364
辽宁	Liaoning	916331	893666	326325	308225	258118
吉林	Jilin	402067	400943	153431	131361	115509
黑龙江	Heilongjiang	633343	612836	233806	202355	170613
上海	Shanghai	194988	183224	61996	63561	57032
江苏	Jiangsu	1412554	1311233	466363	450380	394037
浙江	Zhejiang	380542	376479	131871	129389	115196
安徽	Anhui	1637669	1554103	601268	504528	447368
福建	Fujian	508167	487190	188571	162073	136546
江西	Jiangxi	1014096	985939	372082	322289	291288
山东	Shandong	2880142	2698436	954217	880066	825704
河南	Henan	2440671	2340635	900000	786926	653188
湖北	Hubei	1379404	1299767	515234	438069	345693
湖南	Hunan	1589458	1479181	578539	500695	399734
广东	Guangdong	1785578	1700462	695213	573277	431872
广西	Guangxi	1149060	1092743	444564	357261	290854
海南	Hainan	165504	152850	64032	51431	37387
四川	Sichuan	1289592	1263096	461103	430444	371427
贵州	Guizhou	628531	609344	233885	199954	175351
云南	Yunnan	708156	685077	258592	232120	194147
西藏	Tibet	169	169	87	34	48
陕西	Shaanxi	630365	597020	229908	201260	165852
甘肃	Gansu	520908	482479	182452	158038	141989
青海	Qinghai	81189	73777	27097	23890	22544
宁夏	Ningxia	148640	137158	52191	42634	42203
新疆	Xinjiang	401083	355730	139752	122689	93289

学生数(农村)

Schools (Rural)

单位: 人

	高中 Senior Secondary Schools				
四年级 Grade 4	计 Subtotal	一年级 Grade 1	二年级 Grade 2	三年级 Grade 3	合计中住宿生 Of the total Boarding Students
58876	1212917	423430	383147	406340	8353769
0	4629	1419	1417	1793	9258
0	9204	2959	3029	3216	6625
7045	25733	9251	7904	8578	143168
322	40468	12996	13690	13782	305725
489	8213	2834	2621	2758	148779
998	22665	7603	7111	7951	110716
642	1124	352	386	386	23381
6062	20507	6984	6635	6888	108731
635	11764	4162	4402	3200	5163
453	101321	35422	34493	31406	265785
23	4063	1419	1319	1325	116291
939	83566	28004	25992	29570	388110
0	20977	6323	7296	7358	190018
280	28157	10283	8998	8876	432241
38449	181706	67250	57119	57337	728876
521	100036	34578	31237	34221	1011899
771	79637	26056	24923	28658	862726
213	110277	41457	34347	34473	595930
100	85116	30958	27152	27006	638124
64	56317	18492	17736	20089	859537
0	12654	4681	3938	4035	50880
122	26496	8375	8772	9349	334482
154	19187	7022	5740	6425	168863
218	23079	8023	7329	7727	457911
0	0	0	0	0	0
0	33345	12326	9536	11483	182576
0	38429	13184	11390	13855	96532
246	7412	2541	2130	2741	9382
130	11482	3981	3390	4111	30097
0	45353	14495	13115	17743	71963

普通中学学生

Number of Female Students in

地区 Region		合计 Total	初中 Junior Secondary Schools 计 Subtotal	一年级 Grade 1	二年级 Grade 2	三年级 Grade 3
总计	**Total**	20716836	18142021	6680893	6093645	5325041
北京	Beijing	257208	217409	76999	77335	62992
天津	Tianjin	191418	161819	57742	53816	50140
河北	Hebei	1186716	1052364	402205	354789	290746
山西	Shanxi	660566	559421	202773	186563	169366
内蒙古	Inner Mongolia	473132	389124	141999	127944	118196
辽宁	Liaoning	920232	801072	274395	275110	249938
吉林	Jilin	608835	535376	186351	182522	165034
黑龙江	Heilongjiang	802874	689102	242728	230684	210202
上海	Shanghai	284778	230745	80455	79143	70838
江苏	Jiangsu	1264542	1109752	391763	379997	337086
浙江	Zhejiang	837388	747768	254871	256716	236110
安徽	Anhui	902736	829089	316980	272927	238578
福建	Fujian	499486	444943	170120	148035	126788
江西	Jiangxi	684702	601603	225493	195610	180250
山东	Shandong	1712768	1523944	539145	495108	468331
河南	Henan	1598270	1429320	532129	479470	416096
湖北	Hubei	949296	845590	323188	287286	234444
湖南	Hunan	1062027	936972	363510	315889	257455
广东	Guangdong	1187666	1071202	423841	362690	284499
广西	Guangxi	668501	594169	233157	197039	163681
海南	Hainan	112681	97853	39806	32909	25138
四川	Sichuan	1408649	1239454	457637	419848	361707
贵州	Guizhou	369082	326846	123913	108352	94532
云南	Yunnan	546308	474244	166644	160588	146598
西藏	Tibet	10046	8054	3915	2192	1947
陕西	Shaanxi	585119	480538	176479	162252	141765
甘肃	Gansu	362064	302807	109090	100121	93596
青海	Qinghai	90652	71681	24517	23781	23256
宁夏	Ningxia	116879	95759	35031	30549	30128
新疆	Xinjiang	362215	274001	104017	94380	75604

总数中女学生数

General Secondary Schools

单位: 人

	高中 Senior Secondary Schools				合计中住宿生 Of the total Boarding Students
四年级 Grade 4	计 Subtotal	一年级 Grade 1	二年级 Grade 2	三年级 Grade 3	
42442	2574815	901744	831262	841809	5052896
83	39799	13650	12891	13258	13581
121	29599	9662	9859	10078	9664
4624	134352	47078	42942	44332	199249
719	101145	32419	35279	33447	205756
985	84008	29756	26915	27337	123425
1629	119160	40490	39016	39654	100380
1469	73459	26489	24256	22714	50483
5488	113772	39681	36786	37305	100110
309	54033	18926	18882	16225	11765
906	154790	52954	52615	49221	172989
71	89620	32729	29018	27873	215093
604	73647	25949	23084	24614	139547
0	54543	17982	18843	17718	151334
250	83099	29948	26648	26503	201603
21360	188824	71010	60487	57327	385203
1625	168950	57868	54736	56346	580007
672	103706	35786	33676	34244	398759
118	125055	46297	39340	39418	331261
172	116464	43004	36898	36562	312283
292	74332	25027	24071	25234	368321
0	14828	5166	4737	4925	3094
262	169195	55664	55660	57871	361166
49	42236	15005	13408	13823	71307
414	72064	24265	23468	24331	284247
0	1992	750	648	594	4526
42	104581	37906	30813	35862	122450
0	59257	21249	18215	19793	53776
127	18971	7142	5501	6328	10447
51	21120	7734	6369	7017	19042
0	88214	30158	26201	31855	52028

普通中学教

Number of Teachers, Staff & Workers in General

地区 Region	教职工 Teachers, Staff &				
	合计 Total	专任教师 Full-time Teachers			行政人员 Adm. Personnel
		计 Total	初中 Junior Sec. Schools	高中 Senior Sec. Schools	
总计 Total	4133174	3166831	2607855	558976	505524
北京 Beijing	67913	43111	34580	8531	15851
天津 Tianjin	49312	34471	27853	6618	10174
河北 Hebei	208664	164256	139170	25086	23951
山西 Shanxi	141665	109786	90555	19231	16172
内蒙古 Inner Mongolia	107324	77982	62178	15804	13676
辽宁 Liaoning	186545	135397	114124	21273	28666
吉林 Jilin	119598	87622	72508	15114	20392
黑龙江 Heilongjiang	173995	128374	106239	22135	24371
上海 Shanghai	69270	43012	34360	8652	16152
江苏 Jiangsu	250465	180160	146312	33848	29381
浙江 Zhejiang	123621	97283	79915	17368	14050
安徽 Anhui	171781	133736	112941	20795	19346
福建 Fujian	103104	81875	67815	14060	12992
江西 Jiangxi	138184	114002	93567	20435	10862
山东 Shandong	337259	260896	221133	39763	37251
河南 Henan	286813	236032	199788	36244	29136
湖北 Hubei	211366	165810	136401	29409	17825
湖南 Hunan	208215	168578	136550	32028	18043
广东 Guangdong	199399	153943	128072	25871	24686
广西 Guangxi	120954	88304	73186	15118	16953
海南 Hainan	25703	17891	14210	3681	2633
四川 Sichuan	320393	247047	203835	43212	41536
贵州 Guizhou	75830	60453	50457	9996	8701
云南 Yunnan	99955	76616	63900	12716	10523
西藏 Tibet	3210	2377	1781	596	280
陕西 Shaanxi	128103	98672	76110	22562	19402
甘肃 Gansu	76779	62083	48715	13368	7380
青海 Qinghai	19770	15916	11621	4295	2130
宁夏 Ningxia	22116	17698	13673	4025	2229
新疆 Xinjiang	85868	63448	46306	17142	10780

职 工 数 (总 计)

Secondary Schools (Regional Aggregates)

单位:人

数 Workers			代课教师 Substitute Teachers	临时工 Temporary Workers	兼任教师 Part－time Teachers
工勤人员 Workers	校办工厂、农场职工 Employees in School－run Factories & Farms				
	计 Total	其中:由厂、场收入支付工资的职工 Employees maintained by income of School－run businesses			
376576	84243	43578	138170	109521	7387
5128	3823	1832	1759	4206	344
2806	1861	341	365	763	100
16756	3701	1797	9947	8900	123
13909	1798	1220	6087	6323	341
13903	1763	647	1665	1246	119
11654	10828	9209	3574	3739	185
8092	3492	2946	4312	1329	71
17200	4050	2767	4651	2733	120
6507	3599	1	580	2010	0
28132	12792	7726	7071	8099	354
7429	4859	3337	15515	6746	271
16544	2155	504	6227	6390	500
6839	1398	917	5081	1802	594
12029	1291	669	3758	3583	278
34390	4722	1288	4066	5595	105
19023	2622	1168	11825	2564	203
22664	5067	2400	1480	4720	312
18241	3353	1259	4553	2363	210
19652	1118	336	7356	6651	501
14598	1099	338	10330	3412	199
5083	96	35	498	569	74
27954	3856	312	11385	5318	540
6162	514	151	3748	3315	643
12364	452	199	4334	8834	288
495	58	52	138	379	46
8607	1422	574	2348	2596	189
6681	635	407	1568	1706	100
1576	148	103	246	766	90
1946	243	124	513	1318	275
10212	1428	919	3190	1546	212

地区 Region		教职工 Teachers, Staff &				
		合计 Total	专任教师 Full-time Teachers			行政人员 Adm. Personnel
			计 Total	初中 Junior Sec. Schools	高中 Senior Sec. Schools	
总计	Total	1027720	719875	528811	191064	174402
北京	Beijing	41707	24678	18758	5920	10498
天津	Tianjin	27151	17334	13766	3568	6732
河北	Hebei	49689	36163	28480	7683	7773
山西	Shanxi	34229	24295	17624	6671	5617
内蒙古	Inner Mongolia	30273	21116	14495	6621	5446
辽宁	Liaoning	73333	48956	38437	10519	12254
吉林	Jilin	46473	31872	23987	7885	8605
黑龙江	Heilongjiang	63591	45229	34042	11187	10656
上海	Shanghai	41904	25082	19608	5474	10703
江苏	Jiangsu	52013	32918	25634	7284	7863
浙江	Zhejiang	25690	16976	11941	5035	3840
安徽	Anhui	32866	24840	19045	5795	4730
福建	Fujian	17910	12929	9071	3858	2969
江西	Jiangxi	25859	20524	14535	5989	2998
山东	Shandong	69878	49751	35712	14039	11476
河南	Henan	55174	39838	29551	10287	9837
湖北	Hubei	65357	48668	35743	12925	8632
湖南	Hunan	40410	29725	21065	8660	5052
广东	Guangdong	44711	32680	23617	9063	7430
广西	Guangxi	14570	10647	8106	2541	2258
海南	Hainan	2314	1705	1272	433	336
四川	Sichuan	56844	40264	27972	12292	9479
贵州	Guizhou	13799	10238	7336	2902	2193
云南	Yunnan	15353	10917	7408	3509	2490
西藏	Tibet	1211	892	585	307	96
陕西	Shaanxi	32374	23108	15691	7417	6086
甘肃	Gansu	18867	14061	9650	4411	2919
青海	Qinghai	5195	3744	2477	1267	1007
宁夏	Ningxia	4805	3669	2584	1085	508
新疆	Xinjiang	24170	17056	10619	6437	3919

职 工 数（城 市）

Secondary Schools (Urban)

单位: 人

数 Workers			代课教师 Substitute Teachers	临时工 Temporary Workers	兼任教师 Part-time Teachers
工勤人员 Workers	校办工厂、农场职工 Employees in School-run Factories & Farms				
	计 Total	其中:由厂、场收入支付工资的职工 Employees maintained by income of School-run businesses			
84563	48880	30530	8260	19151	3705
3266	3265	1693	305	2065	252
1629	1456	294	76	300	79
4197	1556	821	650	1244	99
3406	911	606	509	976	216
2755	956	278	101	438	71
4113	8010	7303	175	1495	137
2992	3004	2691	356	435	17
5011	2695	2045	362	653	69
4047	2072	0	437	1515	0
4048	7184	5967	601	761	231
1988	2886	2337	300	1012	169
2550	746	249	315	583	231
1172	840	670	81	257	264
1926	411	171	85	234	104
6390	2261	599	221	877	52
4118	1381	832	383	303	36
5788	2269	1056	308	1499	223
3707	1926	1225	169	300	175
4084	517	156	1041	1136	299
1339	326	210	205	269	38
266	7	0	10	19	32
5430	1671	61	594	747	177
1177	191	25	211	273	246
1760	186	97	140	374	150
173	50	44	41	62	20
2328	852	384	276	671	122
1537	350	252	86	276	74
334	110	82	42	86	59
480	148	76	23	59	0
2552	643	306	157	232	63

普通中学教

Number of Teachers, Staff & Workers in General

地区 Region		教职工 Teachers, Staff &				
		合计 Total	专任教师 Full-time Teachers			行政人员 Adm. Personnel
			计 Total	初中 Junior Sec. Schools	高中 Senior Sec. Schools	
总计	**Total**	1161760	866767	607334	259433	146093
北京	Beijing	13004	8915	6886	2029	2880
天津	Tianjin	8166	5800	3915	1885	1530
河北	Hebei	69926	52430	37198	15232	8718
山西	Shanxi	33257	24235	15250	8985	3929
内蒙古	Inner Mongolia	39628	27795	19334	8461	5186
辽宁	Liaoning	36106	25091	16476	8615	5932
吉林	Jilin	44106	32181	25078	7103	7554
黑龙江	Heilongjiang	52786	38351	29334	9017	7596
上海	Shanghai	10213	6205	4074	2131	2237
江苏	Jiangsu	94188	67505	49019	18486	11205
浙江	Zhejiang	78016	63204	51150	12054	8286
安徽	Anhui	31368	22992	14851	8141	3884
福建	Fujian	48102	38361	29963	8398	5943
江西	Jiangxi	45564	36776	25088	11688	3172
山东	Shandong	36753	25483	15640	9843	5272
河南	Henan	60872	47068	30711	16357	6519
湖北	Hubei	29709	22644	13969	8675	2258
湖南	Hunan	49809	38299	24238	14061	4813
广东	Guangdong	37360	28027	18494	9533	4612
广西	Guangxi	29489	20233	11983	8250	4241
海南	Hainan	7499	5059	3145	1914	800
四川	Sichuan	157565	119151	90775	28376	20682
贵州	Guizhou	22270	16834	11507	5327	2741
云南	Yunnan	35536	26085	18630	7455	4108
西藏	Tibet	1979	1474	1185	289	183
陕西	Shaanxi	39265	29837	18204	11633	6036
甘肃	Gansu	17185	12776	7334	5442	1964
青海	Qinghai	7493	5818	3661	2157	752
宁夏	Ningxia	6295	4651	2727	1924	867
新疆	Xinjiang	18251	13487	7515	5972	2193

职 工 数 （县 镇）

Secondary Schools (County Seats & Towns)

单位：人

数 Workers			代课教师 Substitute Teachers	临时工 Temporary Workers	兼任教师 Part-time Teachers
工勤人员 Workers	校办工厂、农场职工 Employees in School-run Factories & Farms				
	计 Total	其中：由厂、场收入支付工资的职工 Employees maintained by income of School-run businesses			
126388	22512	8468	31071	35463	1649
924	285	68	535	1092	46
576	260	30	29	242	11
7138	1640	811	2393	4580	20
4383	710	524	754	2180	80
6044	603	269	525	458	20
3243	1840	1418	558	1033	5
3915	456	236	1471	698	38
5998	841	410	1184	472	33
1043	728	0	40	280	0
11632	3846	1237	1875	3327	69
4707	1819	992	10075	4402	98
3891	601	94	552	1473	49
3392	406	183	1577	763	188
5017	599	344	769	1181	75
5063	935	163	83	950	5
6461	824	232	748	448	10
3794	1013	437	165	647	48
5629	1068	29	404	633	11
4343	378	135	591	1505	113
4528	487	73	295	494	28
1624	16	4	35	127	0
15906	1826	168	4459	2439	239
2439	256	106	350	750	201
5159	184	74	581	2621	42
314	8	8	97	315	26
2996	396	127	476	798	59
2258	187	115	173	465	5
892	31	19	73	364	15
686	91	47	47	401	77
2393	178	115	157	325	38

普通中学教

Number of Teachers, Staff & Workers in General

地区 Region		教职工 Teachers, Staff &				
		合计 Total	专任教师 Full-time Teachers			行政人员 Adm. Personnel
			计 Total	初中 Junior Sec. Schools	高中 Senior Sec. Schools	
总计	**Total**	1943694	1580189	1471710	108479	185029
北京	Beijing	13202	9518	8936	582	2473
天津	Tianjin	13995	11337	10172	1165	1912
河北	Hebei	89049	75663	73492	2171	7460
山西	Shanxi	74179	61256	57681	3575	6626
内蒙古	Inner Mongolia	37423	29071	28349	722	3044
辽宁	Liaoning	77106	61350	59211	2139	10480
吉林	Jilin	29019	23569	23443	126	4233
黑龙江	Heilongjiang	57618	44794	42863	1931	6119
上海	Shanghai	17153	11725	10678	1047	3212
江苏	Jiangsu	104264	79737	71659	8078	10313
浙江	Zhejiang	19915	17103	16824	279	1924
安徽	Anhui	107547	85904	79045	6859	10732
福建	Fujian	37092	30585	28781	1804	4080
江西	Jiangxi	66761	56702	53944	2758	4692
山东	Shandong	230628	185662	169781	15881	20503
河南	Henan	170767	149126	139526	9600	12780
湖北	Hubei	116300	94498	86689	7809	6935
湖南	Hunan	117996	100554	91247	9307	8178
广东	Guangdong	117328	93236	85961	7275	12644
广西	Guangxi	76895	57424	53097	4327	10454
海南	Hainan	15890	11127	9793	1334	1497
四川	Sichuan	105984	87632	85088	2544	11375
贵州	Guizhou	39761	33381	31614	1767	3767
云南	Yunnan	49066	39614	37862	1752	3925
西藏	Tibet	20	11	11	0	1
陕西	Shaanxi	56464	45727	42215	3512	7280
甘肃	Gansu	40727	35246	31731	3515	2497
青海	Qinghai	7082	6354	5483	871	371
宁夏	Ningxia	11016	9378	8362	1016	854
新疆	Xinjiang	43447	32905	28172	4733	4668

职 工 数（农 村）

Secondary Schools (Rural)

单位：人

数 Workers			代课教师 Substitute Teachers	临时工 Temporary Workers	兼任教师 Part－time Teachers
工勤人员 Workers	校办工厂、农场职工 Employees in School－run Factories & Farms				
	计 Total	其中：由厂、场收入支付工资的职工 Employees maintained by income of School－run businesses			
165625	12851	4580	98839	54907	2033
938	273	71	919	1049	46
601	145	17	260	221	10
5421	505	165	6904	3076	4
6120	177	90	4824	3167	45
5104	204	100	1039	350	28
4298	978	488	2841	1211	43
1185	32	19	2485	196	16
6191	514	312	3105	1608	18
1417	799	1	103	215	0
12452	1762	522	4595	4011	54
734	154	8	5140	1332	4
10103	808	161	5360	4334	220
2275	152	64	3423	782	142
5086	281	154	2904	2168	99
22937	1526	526	3762	3768	48
8444	417	104	10694	1813	157
13082	1785	907	1007	2574	41
8905	359	5	3980	1430	24
11225	223	45	5724	4010	89
8731	286	55	9830	2649	133
3193	73	31	453	423	42
6618	359	83	6332	2132	124
2546	67	20	3187	2292	196
5445	82	28	3613	5839	96
8	0	0	0	2	0
3283	174	63	1596	1127	8
2886	98	40	1309	965	21
350	7	2	131	316	16
780	4	1	443	858	198
5267	607	498	2876	989	111

普通中学教职工总

Number of General Secondary Schools Teachers,

地区 Region		教职工 Teachers, Staff &				
		合计 Total	专任教师 Full-time Teachers			行政人员 Adm. Personnel
			计 Total	初中 Junior Sec. Schools	高中 Senior Sec. Schools	
总计	**Total**	308485	225913	224652	1261	8041
北京	Beijing	0	0	0	0	0
天津	Tianjin	102	40	40	0	3
河北	Hebei	14496	11334	11229	105	206
山西	Shanxi	12423	9752	9732	20	255
内蒙古	Inner Mongolia	12494	7842	7691	151	280
辽宁	Liaoning	20604	9958	9942	16	668
吉林	Jilin	10494	7710	7678	32	300
黑龙江	Heilongjiang	13595	11782	11725	57	251
上海	Shanghai	0	0	0	0	0
江苏	Jiangsu	38434	21619	21470	149	1402
浙江	Zhejiang	3503	1566	1558	8	104
安徽	Anhui	13516	9668	9609	59	238
福建	Fujian	103	67	47	20	30
江西	Jiangxi	3785	2081	2065	16	142
山东	Shandong	57472	46911	46891	20	1377
河南	Henan	38395	36288	36098	190	872
湖北	Hubei	10479	5177	5114	63	109
湖南	Hunan	13006	9671	9656	15	148
广东	Guangdong	13651	8962	8831	131	287
广西	Guangxi	7925	6614	6574	40	338
海南	Hainan	198	27	27	0	2
四川	Sichuan	7622	6622	6559	63	260
贵州	Guizhou	1463	1179	1176	3	75
云南	Yunnan	524	401	397	4	29
西藏	Tibet	0	0	0	0	0
陕西	Shaanxi	8936	7214	7177	37	602
甘肃	Gansu	4043	2550	2516	34	39
青海	Qinghai	156	61	61	0	0
宁夏	Ningxia	498	401	393	8	8
新疆	Xinjiang	568	416	396	20	16

数中民办教职工数

Staff & Workers Maintained by the Communities

单位:人

数 Workers			代课教师 Substitute Teachers	临时工 Temporary Workers	兼任教师 Part-time Teachers
工勤人员 Workers	校办工厂、农场职工 Employees in School-run Factories & Farms				
	计 Total	其中:由厂、场收入支付工资的职工 Employees maintained by income of School-run businesses			
47278	27253	24287	46687	26257	565
0	0	0	0	0	0
52	7	0	56	81	1
2325	631	538	6751	2507	1
2250	166	152	406	662	16
3881	491	364	461	121	7
1489	8489	8225	2243	598	8
239	2245	2198	32	59	1
463	1099	1074	698	920	0
0	0	0	0	0	0
7451	7962	7001	3833	5110	56
305	1528	1502	4899	2230	18
3177	433	108	1744	1357	59
6	0	0	0	0	4
1433	129	61	274	632	80
8426	758	407	3684	2202	16
1169	66	6	10958	1353	126
4232	961	832	348	1230	14
1789	1398	1200	952	647	12
4226	176	98	3100	3419	63
888	85	24	2406	1007	0
163	6	0	117	97	5
638	102	73	1571	298	19
129	80	80	24	65	12
89	5	4	96	123	18
0	0	0	0	0	0
1028	92	42	1145	911	5
1201	253	232	592	486	20
10	85	63	5	8	0
85	4	3	51	104	0
134	2	0	241	30	4

普通中学教职工总

Number of Female Teachers, Staff &

地区 Region		教职工 Teachers, Staff &				
		合计 Total	专任教师 Full-time Teachers			行政人员 Adm. Personnel
			计 Total	初中 Junior Sec. Schools	高中 Senior Sec. Schools	
总计	**Total**	1357349	1078065	922569	155496	118252
北京	Beijing	39193	26972	22361	4611	7936
天津	Tianjin	25361	19306	16271	3035	4364
河北	Hebei	80587	70344	60975	9369	4626
山西	Shanxi	51042	43965	37949	6016	3051
内蒙古	Inner Mongolia	43065	34090	28319	5771	3757
辽宁	Liaoning	88293	69602	59900	9702	8935
吉林	Jilin	56128	45432	38679	6753	6088
黑龙江	Heilongjiang	82596	65450	55394	10056	8408
上海	Shanghai	34008	21878	18526	3352	7328
江苏	Jiangsu	68281	49661	42475	7186	4928
浙江	Zhejiang	40145	31953	27581	4372	3063
安徽	Anhui	37879	29431	25951	3480	3038
福建	Fujian	29364	23482	20642	2840	2356
江西	Jiangxi	32807	27552	23686	3866	1480
山东	Shandong	90943	76071	66182	9889	6406
河南	Henan	80409	70049	61703	8346	5500
湖北	Hubei	57254	43523	37872	5651	3927
湖南	Hunan	60163	50158	43124	7034	2826
广东	Guangdong	61652	46337	40204	6133	4746
广西	Guangxi	34315	24985	21584	3401	2602
海南	Hainan	7492	3979	3460	519	478
四川	Sichuan	92907	74332	63817	10515	8706
贵州	Guizhou	21330	16768	14116	2652	1979
云南	Yunnan	33882	24783	21582	3201	2654
西藏	Tibet	996	700	539	161	90
陕西	Shaanxi	36404	30647	24609	6038	3271
甘肃	Gansu	18790	15320	12583	2737	1437
青海	Qinghai	7204	5947	4591	1356	622
宁夏	Ningxia	7328	6056	4890	1166	430
新疆	Xinjiang	37531	29292	23004	6288	3220

数中女教职工数

Workers in General Secondary Schools

单位:人

数 Workers			代课教师 Substitute Teachers	临时工 Temporary Workers	兼任教师 Part-time Teachers
工勤人员 Workers	校办工厂、农场职工 Employees in School-run Factories & Farms				
	计 Total	其中:由厂、场收入支付工资的职工 Employees maintained by income of School-run businesses			
127251	33781	21381	53450	38080	1548
2492	1793	1022	1148	1568	191
1064	627	63	164	140	29
4405	1212	652	5264	1597	47
3366	660	437	2827	1437	41
4567	651	295	817	395	41
3791	5965	5363	1422	1098	69
2599	2009	1781	1880	539	32
6789	1949	1410	1978	1039	38
3510	1292	0	5	10	0
8643	5049	3786	2130	2427	85
3048	2081	1749	7994	3152	54
4719	691	220	1378	2022	81
2937	589	448	1414	693	55
3416	359	242	910	979	33
7041	1425	431	1758	1098	4
4058	802	442	4304	716	25
8151	1653	837	445	1820	51
5888	1291	685	1456	940	28
10171	398	135	2802	3807	58
6325	403	134	3512	1618	18
2990	45	26	178	348	8
8840	1029	123	3556	1393	73
2419	164	83	1063	1643	88
6315	130	75	1733	4863	76
192	14	13	77	150	18
2031	455	256	958	618	50
1793	240	142	446	386	16
565	70	54	66	313	17
701	141	79	223	706	161
4425	594	398	1542	565	61

地　　区 Region	学校数(所) Schools			
	计 Total	初中 Junior Sec. Schools	高中 Senior Sec. Schools	初高中合设 Junior & Senior Sec. Schools
总　计　Total	9985	1582	7827	576
北　京　Beijing	178	0	178	0
天　津　Tianjin	102	9	80	13
河　北　Hebei	369	98	255	16
山　西　Shanxi	354	113	221	20
内蒙古　Inner Mongolia	422	205	177	40
辽　宁　Liaoning	608	75	532	1
吉　林　Jilin	317	33	265	19
黑龙江　Heilongjiang	436	19	405	12
上　海　Shanghai	81	0	81	0
江　苏　Jiangsu	399	0	396	3
浙　江　Zhejiang	401	6	385	10
安　徽　Anhui	643	308	275	60
福　建　Fujian	278	13	248	17
江　西　Jiangxi	379	53	302	24
山　东　Shandong	599	48	523	28
河　南　Henan	685	64	601	20
湖　北　Hubei	511	175	307	29
湖　南　Hunan	581	82	471	28
广　东　Guangdong	558	10	481	67
广　西　Guangxi	211	26	144	41
海　南　Hainan	45	0	32	13
四　川　Sichuan	627	41	557	29
贵　州　Guizhou	250	103	130	17
云　南　Yunnan	234	39	177	18
西　藏　Tibet	1	0	1	0
陕　西　Shaanxi	250	13	227	10
甘　肃　Gansu	191	14	156	21
青　海　Qinghai	69	26	36	7
宁　夏　Ningxia	36	5	25	6
新　疆　Xinjiang	170	4	159	7

毕业生数和招生数(总计)

Admitted in Vocational Schools (Regional Aggregates)

班数(个) Classes		毕业生数(人) Graduates		招生数(人) Students Admitted	
初中 Junior	高中 Senior	初中 Junior	高中 Senior	初中 Junior	高中 Senior
12316	73674	145232	879888	266453	1348801
3	1751	186	17312	106	22757
67	947	902	7163	1550	14044
894	2959	9799	35818	16571	58359
546	1633	7827	26343	8005	31107
1859	1782	20817	19777	38565	23825
184	3628	3202	46920	3730	57051
733	2605	12698	41852	17846	48377
158	3083	976	44408	4087	43687
6	1754	18	15914	34	34267
16	5248	142	52677	179	88399
46	3068	572	38073	775	61885
1982	2415	23545	29643	48873	41700
145	2916	1348	26629	2170	63311
476	2175	7871	32259	10148	45006
277	6897	5176	95127	5930	135488
382	5118	6518	46944	7358	119705
1237	2273	10455	28016	22649	38250
274	3566	5478	33358	3760	73296
150	4295	2042	67994	3574	70727
302	1936	3380	20511	6421	32423
18	250	92	2802	327	3907
238	6170	4152	58389	3366	111892
566	899	7279	11963	10291	16087
1138	1438	2442	19956	37633	30733
0	6	0	74	0	15
119	1944	959	24385	2573	37772
84	1104	950	13698	2143	18883
71	140	2428	1782	1131	2646
71	215	2708	3013	2125	2957
274	1459	1270	17088	4533	20245

职业中学校数、班数、

Number of Schools, Classes, Graduates & Students

地 区 Region	学校数(所) Schools			
	计 Total	初中 Junior Sec. Schools	高中 Senior Sec. Schools	初高中合设 Junior & Senior Sec. Schools
总 计 Total	3040	37	2886	117
北 京 Beijing	123	0	123	0
天 津 Tianjin	63	1	51	11
河 北 Hebei	106	2	98	6
山 西 Shanxi	81	4	76	1
内蒙古 Inner Mongolia	66	2	59	5
辽 宁 Liaoning	364	2	361	1
吉 林 Jilin	126	5	120	1
黑龙江 Heilongjiang	157	1	154	2
上 海 Shanghai	50	0	50	0
江 苏 Jiangsu	108	0	107	1
浙 江 Zhejiang	136	0	131	5
安 徽 Anhui	96	2	91	3
福 建 Fujian	75	1	71	3
江 西 Jiangxi	77	0	77	0
山 东 Shandong	210	1	191	18
河 南 Henan	213	1	204	8
湖 北 Hubei	165	7	152	6
湖 南 Hunan	213	0	206	7
广 东 Guangdong	139	2	129	8
广 西 Guangxi	39	0	28	11
海 南 Hainan	7	0	4	3
四 川 Sichuan	160	4	154	2
贵 州 Guizhou	27	1	24	2
云 南 Yunnan	49	0	44	5
西 藏 Tibet	1	0	1	0
陕 西 Shaanxi	79	0	79	0
甘 肃 Gansu	31	0	27	4
青 海 Qinghai	17	0	17	0
宁 夏 Ningxia	10	0	9	1
新 疆 Xinjiang	52	1	48	3

毕业生数和招生数(城市)

Admitted in Vocational Schools (Urban)

班数(个) Classes		毕业生数(人) Graduates		招生数(人) Students Admitted	
初中 Junior	高中 Senior	初中 Junior	高中 Senior	初中 Junior	高中 Senior
401	32533	4896	348276	6037	568027
3	1225	0	12317	106	15265
38	679	243	5286	648	9935
24	1236	439	15081	303	18947
20	708	367	10192	323	12178
18	828	161	9041	229	12227
6	2530	96	30674	80	39404
31	1236	219	17434	295	20126
3	1452	35	18870	40	20549
6	1189	18	8942	34	20578
8	1626	9	16010	95	23015
0	1265	0	13317	0	26277
29	1062	412	10205	694	19254
9	1202	51	9915	91	28290
0	727	0	8755	0	13218
13	3066	671	38334	290	58601
16	2244	219	19009	214	46820
96	1315	821	14161	1270	21369
6	1514	61	13633	99	31791
18	1554	433	21821	366	25846
4	792	0	6895	44	13369
0	61	0	739	0	1077
4	2159	157	17659	0	37762
4	286	97	2742	219	5735
19	459	85	6307	316	10587
0	6	0	74	0	15
3	894	0	8149	82	16611
1	454	68	3917	0	7842
0	70	0	563	0	1293
2	111	18	1145	65	1430
20	583	216	7089	134	8616

职业中学校数、班数、

Number of Schools, Classes, Graduates & Students

地区 Region	学校数(所) Schools 计 Total	初中 Junior Sec. Schools	高中 Senior Sec. Schools	初高中合设 Junior & Senior Sec. Schools
总计 Total	2992	131	2697	164
北京 Beijing	30	0	30	0
天津 Tianjin	14	0	13	1
河北 Hebei	129	16	105	8
山西 Shanxi	79	7	62	10
内蒙古 Inner Mongolia	122	19	85	18
辽宁 Liaoning	90	1	89	0
吉林 Jilin	132	9	114	9
黑龙江 Heilongjiang	159	5	151	3
上海 Shanghai	12	0	12	0
江苏 Jiangsu	175	0	175	0
浙江 Zhejiang	239	4	230	5
安徽 Anhui	93	7	75	11
福建 Fujian	128	3	111	14
江西 Jiangxi	128	5	118	5
山东 Shandong	70	1	68	1
河南 Henan	142	8	131	3
湖北 Hubei	75	6	63	6
湖南 Hunan	194	12	176	6
广东 Guangdong	110	0	102	8
广西 Guangxi	83	1	72	10
海南 Hainan	4	0	4	0
四川 Sichuan	350	11	321	18
贵州 Guizhou	92	2	86	4
云南 Yunnan	112	6	97	9
西藏 Tibet	0	0	0	0
陕西 Shaanxi	93	3	86	4
甘肃 Gansu	55	4	50	1
青海 Qinghai	19	1	12	6
宁夏 Ningxia	16	0	12	4
新疆 Xinjiang	47	0	47	0

毕业生数和招生数(县镇)

Admitted in Vocational Schools (County Seats & Towns)

班数(个) Classes		毕业生数(人) Graduates		招生数(人) Students Admitted	
初中 Junior	高中 Senior	初中 Junior	高中 Senior	初中 Junior	高中 Senior
1878	24242	27386	293482	43378	470086
0	357	186	2951	0	5398
4	132	121	705	134	2315
173	1276	2855	14766	3414	30261
57	442	1318	6175	1193	8545
370	672	5577	7754	8541	8314
0	762	210	10700	0	11947
324	1013	4279	15912	7204	19324
40	1007	185	16088	619	15241
0	364	0	1635	0	4239
0	2464	49	24277	0	44441
32	1700	482	23462	509	33872
106	634	1364	8460	2396	11203
97	1154	726	11074	1502	23653
66	770	1390	11889	1478	17376
4	994	344	12822	168	21276
26	1080	1344	10499	928	30202
65	503	531	7051	1220	9794
31	1302	680	13085	604	28538
9	1048	186	16473	229	19535
55	777	903	9062	1173	13718
0	36	0	336	0	716
64	3279	1638	33359	877	61778
26	488	532	7508	423	8363
226	739	672	10187	8497	15229
0	0	0	0	0	0
28	549	159	8826	659	12051
13	241	251	3532	345	4808
13	59	294	779	229	1138
36	75	1022	1045	831	1131
13	325	88	3070	205	5680

职业中学校数、班数、

Number of Schools, Classes, Graduates & Students

地区 Region	学校数(所) Schools 计 Total	初中 Junior Sec. Schools	高中 Senior Sec. Schools	初高中合设 Junior & Senior Sec. Schools
总计 Total	3953	1414	2244	295
北京 Beijing	25	0	25	0
天津 Tianjin	25	8	16	1
河北 Hebei	134	80	52	2
山西 Shanxi	194	102	83	9
内蒙古 Inner Mongolia	234	184	33	17
辽宁 Liaoning	154	72	82	0
吉林 Jilin	59	19	31	9
黑龙江 Heilongjiang	120	13	100	7
上海 Shanghai	19	0	19	0
江苏 Jiangsu	116	0	114	2
浙江 Zhejiang	26	2	24	0
安徽 Anhui	454	299	109	46
福建 Fujian	75	9	66	0
江西 Jiangxi	174	48	107	19
山东 Shandong	319	46	264	9
河南 Henan	330	55	266	9
湖北 Hubei	271	162	92	17
湖南 Hunan	174	70	89	15
广东 Guangdong	309	8	250	51
广西 Guangxi	89	25	44	20
海南 Hainan	34	0	24	10
四川 Sichuan	117	26	82	9
贵州 Guizhou	131	100	20	11
云南 Yunnan	73	33	36	4
西藏 Tibet	0	0	0	0
陕西 Shaanxi	78	10	62	6
甘肃 Gansu	105	10	79	16
青海 Qinghai	33	25	7	1
宁夏 Ningxia	10	5	4	1
新疆 Xinjiang	71	3	64	4

毕业生数和招生数(农村)

Admitted in Vocational Schools (Rural)

班数(个) Classes		毕业生数(人) Graduates		招生数(人) Students Admitted	
初中 Junior	高中 Senior	初中 Junior	高中 Senior	初中 Junior	高中 Senior
10037	16899	112950	238130	217038	310688
0	169	0	2044	0	2094
25	136	538	1172	768	1794
697	447	6505	5971	12854	9151
469	483	6142	9976	6489	10384
1471	282	15079	2982	29795	3284
178	336	2896	5546	3650	5700
378	356	8200	8506	10347	8927
115	624	756	9450	3428	7897
0	201	0	5337	0	9450
8	1158	84	12390	84	20943
14	103	90	1294	266	1736
1847	719	21769	10978	45783	11243
39	560	571	5640	577	11368
410	678	6481	11615	8670	14412
260	2837	4161	43971	5472	55611
340	1794	4955	17436	6216	42683
1076	455	9103	6804	20159	7087
237	750	4737	6640	3057	12967
123	1693	1423	29700	2979	25346
243	367	2477	4554	5204	5336
18	153	92	1727	327	2114
170	732	2357	7371	2489	12352
536	125	6650	1713	9649	1989
893	240	1685	3462	28820	4917
0	0	0	0	0	0
88	501	800	7410	1832	9110
70	409	631	6249	1798	6233
58	11	2134	440	902	215
33	29	1668	823	1229	396
241	551	966	6929	4194	5949

职业中学在校学生
Enrolment and Number of Graduates for Next Year

在校学 Enrolment

地区 Region	合计 Total	初中 Junior Sec. Schools 计 Subtotal	一年级 Grade 1	二年级 Grade 2	三年级 Grade 3
总计 Total	3625907	562380	268352	156843	137185
北京 Beijing	56062	106	106	0	0
天津 Tianjin	36542	2173	1585	158	430
河北 Hebei	172601	40962	16710	11920	12332
山西 Shanxi	93204	21602	8044	8864	4694
内蒙古 Inner Mongolia	140657	79968	38927	21588	19453
辽宁 Liaoning	155231	5744	3730	1531	483
吉林 Jilin	148986	39416	17941	11277	10198
黑龙江 Heilongjiang	123219	6886	4145	1539	1202
上海 Shanghai	63884	91	35	24	32
江苏 Jiangsu	221432	626	179	196	251
浙江 Zhejiang	125449	1877	778	587	512
安徽 Anhui	210260	106187	49315	31312	25560
福建 Fujian	124794	6411	2193	2331	1887
江西 Jiangxi	118299	24309	10220	7953	6136
山东 Shandong	346901	14403	5931	4188	4284
河南 Henan	258558	18290	7482	5580	5228
湖北 Hubei	147955	55149	22729	16736	15684
湖南 Hunan	162345	10494	3796	3157	3541
广东 Guangdong	192125	8456	3579	2902	1975
广西 Guangxi	93459	14449	6434	4328	3687
海南 Hainan	9762	715	327	217	171
四川 Sichuan	248033	9532	3369	2695	3468
贵州 Guizhou	66038	27664	10615	9161	7888
云南 Yunnan	107252	42719	37648	2668	2403
西藏 Tibet	112	0	0	0	0
陕西 Shaanxi	81426	5229	2592	1564	1073
甘肃 Gansu	43377	3319	2153	610	556
青海 Qinghai	8584	3283	1131	169	1983
宁夏 Ningxia	10851	3353	2125	334	894
新疆 Xinjiang	58509	8967	4533	3254	1180

数、毕业班学生数(总计)

in Vocational Schools (Regional Aggregates)

单位:人

生数 计 Subtotal	高中 Senior Sec. Schools 二年制 2-year 一年级 Grade 1	二年级 Grade 2	三年制 3-year 一年级 Grade 1	二年级 Grade 2	三年级 Grade 3	四年制 4-year	毕业班学生数 Graduates for Next Year 初中 Junior Sec. Schools	高中 Senior Sec. Schools
3063527	344040	225429	988770	797912	661536	45840	137516	896378
55956	4344	3764	16217	13058	10840	7733	0	16531
34369	1307	1043	7180	6283	5337	13219	1089	8407
131639	13770	11476	44614	33140	28544	95	10482	39943
71602	15175	11962	16483	15253	12499	230	4749	24569
60689	3372	2542	20299	18479	15730	267	17291	18330
149487	4545	3713	52190	46089	40410	2540	1242	46046
109570	22018	16545	25979	25043	19210	775	16690	35867
116333	14062	13087	29564	29948	29472	200	1659	42598
63793	11512	3986	21497	14037	9687	3074	32	14053
220806	13708	9956	74653	65382	56307	800	141	66435
123572	27962	19907	33621	23800	17658	624	512	37602
104073	5723	5369	36118	29980	26865	18	26286	32252
118383	19610	14682	42515	25153	14135	2288	1887	29219
93990	18254	10027	26878	19910	18921	0	6008	28948
332498	15498	12038	120014	104085	80673	190	3422	92901
240268	18873	8002	99204	62555	46837	4797	5228	55725
92806	8461	6220	29749	25972	21779	625	9769	28089
151851	7161	2884	65170	43174	32342	1120	3895	35153
183669	16096	13958	54487	49378	49551	199	1975	63509
79010	2953	2252	26802	21183	20152	5668	3536	23250
9047	742	476	3165	2411	2253	0	171	2729
238501	46207	16230	65706	62547	47781	30	3229	64011
38374	4315	2601	11897	9712	9690	159	7888	12356
64533	16402	11482	14339	12368	9572	370	2347	21064
112	15	0	0	33	64	0	0	64
76197	19025	12321	18597	14896	10784	574	833	23183
40058	4209	3657	14705	8762	8725	0	646	12382
5301	1756	1263	890	763	507	122	2720	1892
7498	507	603	2450	2085	1853	0	2609	2406
49542	6458	3383	13787	12433	13358	123	1180	16864

职业中学在校学生

Enrolment and Number of Graduates for Next Year

地区 Region	在校学 Enrolment				
	合计 Total	初中 Junior Sec. Schools			
		计 Subtotal	一年级 Grade 1	二年级 Grade 2	三年级 Grade 3
总计 Total	1338530	14133	6088	4221	3824
北京 Beijing	38137	106	106	0	0
天津 Tianjin	26723	1271	683	158	430
河北 Hebei	49013	922	303	232	387
山西 Shanxi	30996	884	323	304	257
内蒙古 Inner Mongolia	29754	488	229	131	128
辽宁 Liaoning	102058	259	80	83	96
吉林 Jilin	52627	881	307	333	241
黑龙江 Heilongjiang	53039	110	40	30	40
上海 Shanghai	40916	91	35	24	32
江苏 Jiangsu	64501	230	95	86	49
浙江 Zhejiang	52850	0	0	0	0
安徽 Anhui	47201	1547	694	513	340
福建 Fujian	52748	235	91	112	32
江西 Jiangxi	28799	0	0	0	0
山东 Shandong	146188	654	290	206	158
河南 Henan	100554	565	214	228	123
湖北 Hubei	55896	2840	1270	911	659
湖南 Hunan	64979	220	99	66	55
广东 Guangdong	70500	936	369	322	245
广西 Guangxi	31974	70	44	0	26
海南 Hainan	2525	0	0	0	0
四川 Sichuan	83785	101	0	21	80
贵州 Guizhou	13600	556	219	190	147
云南 Yunnan	21641	542	316	99	127
西藏 Tibet	112	0	0	0	0
陕西 Shaanxi	33869	82	82	0	0
甘肃 Gansu	16955	36	0	0	36
青海 Qinghai	2647	58	0	0	58
宁夏 Ningxia	3834	65	65	0	0
新疆 Xinjiang	20109	384	134	172	78

数、毕业班学生数(城市)

in Vocational Schools (Urban)

单位:人

生数								毕业班学生数 Graduates for Next Year	
高中 Senior Sec. Schools									
计 Subtotal	二年制 2-year		三年制 3-year			四年制 4-year		初中 Junior Sec. Schools	高中 Senior Sec. Schools
	一年级 Grade 1	二年级 Grade 2	一年级 Grade 1	二年级 Grade 2	三年级 Grade 3				
1324397	91983	60382	462412	370559	301310	37751		3724	369739
38031	2642	2447	10494	8181	6787	7480		0	11161
25452	431	624	4050	3773	3495	13079		430	6110
48091	2820	1773	16139	14067	13242	50		417	14958
30112	4917	3827	7659	7513	6096	100		257	9981
29266	1106	509	10967	9145	7302	237		128	7839
101799	1607	868	37481	31594	27764	2485		96	30555
51746	3453	3488	16673	16205	11880	47		241	15386
52929	5295	4201	15175	14655	13403	200		40	17643
40825	5130	2363	14480	9503	6622	2727		32	9365
64271	1335	836	21682	21066	19328	24		49	20164
52850	9553	6757	16507	11161	8248	624		0	15042
45654	1060	761	18313	13710	11810	0		340	12571
52513	7050	2852	20340	13278	7576	1417		32	10650
28799	5063	1974	8155	7467	6140	0		0	8114
145534	3752	4763	54665	45970	36384	0		158	41147
99989	4655	2331	40761	27581	21313	3348		123	24154
53056	3399	2575	17970	15965	12690	457		480	15355
64759	2265	1471	29512	17969	13382	160		65	14853
69564	1414	1686	24468	21405	20591	0		245	22277
31904	776	384	10117	8422	6919	5286		0	8184
2525	30	23	1047	756	669	0		0	692
83684	9732	3484	28040	24404	17994	30		80	21478
13044	1495	426	4260	3341	3522	0		147	3948
21099	4564	3445	6088	4249	2753	0		127	6198
112	15	0	0	33	64	0		0	64
33787	5237	3807	11374	7920	5449	0		0	9256
16919	758	988	7085	4349	3739	0		36	4727
2589	648	420	645	584	292	0		58	712
3769	30	174	1400	1165	1000	0		65	1174
19725	1751	1125	6865	5128	4856	0		78	5981

职业中学在校学生

Enrolment and Number of Graduates for Next Year

在校学 Enrolment

地区 Region	合计 Total	初中 Junior Sec. Schools 计 Subtotal	一年级 Grade 1	二年级 Grade 2	三年级 Grade 3
总计 Total	1120897	86894	43609	21731	21554
北京 Beijing	12950	0	0	0	0
天津 Tianjin	4724	134	134	0	0
河北 Hebei	70994	8101	3446	2111	2544
山西 Shanxi	22064	2326	1193	734	399
内蒙古 Inner Mongolia	38602	16294	8575	3934	3785
辽宁 Liaoning	34192	0	0	0	0
吉林 Jilin	57299	15826	7267	4155	4404
黑龙江 Heilongjiang	41398	1674	635	608	431
上海 Shanghai	7792	0	0	0	0
江苏 Jiangsu	108179	0	0	0	0
浙江 Zhejiang	68629	1364	510	456	398
安徽 Anhui	34133	5768	2417	1927	1424
福建 Fujian	49471	4728	1523	1685	1520
江西 Jiangxi	37550	3438	1486	1156	796
山东 Shandong	52098	168	168	0	0
河南 Henan	58420	1412	928	322	162
湖北 Hubei	25623	3129	1220	998	911
湖南 Hunan	60042	1166	604	402	160
广东 Guangdong	50123	634	229	209	196
广西 Guangxi	35900	3041	1183	875	983
海南 Hainan	1739	0	0	0	0
四川 Sichuan	131055	2564	877	582	1105
贵州 Guizhou	21608	1253	431	436	386
云南 Yunnan	42153	9472	8497	416	559
西藏 Tibet	0	0	0	0	0
陕西 Shaanxi	25805	1342	676	447	219
甘肃 Gansu	9958	490	345	68	77
青海 Qinghai	2924	528	229	35	264
宁夏 Ningxia	4531	1715	831	96	788
新疆 Xinjiang	10941	327	205	79	43

数、毕业班学生数(县镇)

in Vocational Schools (County Seats & Towns)

单位:人

生数								
高中 Senior Sec. Schools							毕业班学生数 Graduates for Next Year	
计 Subtotal	二年制 2-year		三年制 3-year			四年制 4-year	初中 Junior Sec. Schools	高中 Senior Sec. Schools
	一年级 Grade 1	二年级 Grade 2	一年级 Grade 1	二年级 Grade 2	三年级 Grade 3			
1034003	154378	96123	313491	255413	209371	5227	25082	306291
12950	1248	812	4156	3730	3004	0	0	3816
4590	633	160	1603	1201	878	115	92	1074
62893	8063	6619	22211	14327	11673	0	2780	18272
19738	3227	3201	5364	4537	3329	80	399	6530
22308	1632	1598	6597	6521	5960	0	3613	7558
34192	584	609	11363	11449	10132	55	0	10741
41473	10955	7144	7989	7916	6741	728	6852	13979
39724	6100	5495	9151	9445	9533	0	451	15028
7792	1336	466	2840	2020	1010	120	0	1476
108179	6135	4728	38139	31784	26671	722	0	31551
67265	17397	12325	16390	12256	8897	0	398	21222
28365	1647	1671	9572	8464	6993	18	1474	8682
44743	7920	7552	15745	8847	4610	69	1520	12231
34112	7665	4634	9758	6002	6053	0	766	10687
51930	3239	1370	18245	16314	12762	0	0	14132
57008	10430	3427	19608	12618	9520	1405	162	13323
22494	3120	2076	6584	5714	4910	90	775	6986
58876	3713	1099	23999	16731	12476	858	344	13502
49489	3418	2822	15627	14352	13161	109	196	15983
32859	1289	1289	12287	8807	8886	301	983	10173
1739	175	207	541	508	308	0	0	515
128491	29873	11122	31908	31741	23847	0	1092	34969
20355	2511	2038	5899	5068	4774	65	386	6877
32681	8638	5625	6533	6316	5199	370	559	10834
0	0	0	0	0	0	0	0	0
24463	7070	4070	4981	4654	3688	0	219	7758
9468	1761	1372	3051	1659	1625	0	167	2997
2396	923	793	215	149	194	122	407	1109
2816	477	401	654	639	645	0	1404	996
10614	3199	1398	2481	1644	1892	0	43	3290

职业中学在校学生

Enrolment and Number of Graduates for Next Year

地区 Region	合计 Total	在校学 Enrolment 初中 Junior Sec. Schools 计 Subtotal	一年级 Grade 1	二年级 Grade 2	三年级 Grade 3
总计 Total	1166480	461353	218655	130891	111807
北京 Beijing	4975	0	0	0	0
天津 Tianjin	5095	768	768	0	0
河北 Hebei	52594	31939	12961	9577	9401
山西 Shanxi	40144	18392	6528	7826	4038
内蒙古 Inner Mongolia	72301	63186	30123	17523	15540
辽宁 Liaoning	18981	5485	3650	1448	387
吉林 Jilin	39060	22709	10367	6789	5553
黑龙江 Heilongjiang	28782	5102	3470	901	731
上海 Shanghai	15176	0	0	0	0
江苏 Jiangsu	48752	396	84	110	202
浙江 Zhejiang	3970	513	268	131	114
安徽 Anhui	128926	98872	46204	28872	23796
福建 Fujian	22575	1448	579	534	335
江西 Jiangxi	51950	20871	8734	6797	5340
山东 Shandong	148615	13581	5473	3982	4126
河南 Henan	99584	16313	6340	5030	4943
湖北 Hubei	66436	49180	20239	14827	14114
湖南 Hunan	37324	9108	3093	2689	3326
广东 Guangdong	71502	6886	2981	2371	1534
广西 Guangxi	25585	11338	5207	3453	2678
海南 Hainan	5498	715	327	217	171
四川 Sichuan	33193	6867	2492	2092	2283
贵州 Guizhou	30830	25855	9965	8535	7355
云南 Yunnan	43458	32705	28835	2153	1717
西藏 Tibet	0	0	0	0	0
陕西 Shaanxi	21752	3805	1834	1117	854
甘肃 Gansu	16464	2793	1808	542	443
青海 Qinghai	3013	2697	902	134	1661
宁夏 Ningxia	2486	1573	1229	238	106
新疆 Xinjiang	27459	8256	4194	3003	1059

数、毕业班学生数(农村)

in Vocational Schools (Rural)

单位:人

生数							毕业班学生数 Graduates for Next Year	
	高中 Senior Sec. Schools							
计 Subtotal	二年制 2-year		三年制 3-year			四年制 4-year	初中 Junior Sec. Schools	高中 Senior Sec. Schools
	一年级 Grade 1	二年级 Grade 2	一年级 Grade 1	二年级 Grade 2	三年级 Grade 3			
705127	97679	68924	212867	171940	150855	2862	108710	220348
4975	454	505	1567	1147	1049	253	0	1554
4327	243	259	1527	1309	964	25	567	1223
20655	2887	3084	6264	4746	3629	45	7285	6713
21752	7031	4934	3460	3203	3074	50	4093	8058
9115	634	435	2735	2813	2468	30	13550	2933
13496	2354	2236	3346	3046	2514	0	1146	4750
16351	7610	5913	1317	922	589	0	9597	6502
23680	2667	3391	5238	5848	6536	0	1168	9927
15176	5046	1157	4177	2514	2055	227	0	3212
48356	6238	4392	14832	12532	10308	54	92	14720
3457	1012	825	724	383	513	0	114	1338
30054	3016	2937	8233	7806	8062	0	24472	10999
21127	4640	4278	6430	3028	1949	802	335	6338
31079	5526	3419	8965	6441	6728	0	5242	10147
135034	8507	5905	47104	41801	31527	190	3264	37622
83271	3788	2244	38835	22356	16004	44	4943	18248
17256	1942	1569	5195	4293	4179	78	8514	5748
28216	1183	314	11659	8474	6484	102	3486	6798
64616	11264	9450	14392	13621	15799	90	1534	25249
14247	888	579	4398	3954	4347	81	2553	4893
4783	537	246	1577	1147	1276	0	171	1522
26326	6602	1624	5758	6402	5940	0	2057	7564
4975	309	137	1738	1303	1394	94	7355	1531
10753	3200	2412	1718	1803	1620	0	1661	4032
0	0	0	0	0	0	0	0	0
17947	6718	4444	2242	2322	1647	574	614	6169
13671	1690	1297	4569	2754	3361	0	443	4658
316	185	50	30	30	21	0	2255	71
913	0	28	396	281	208	0	1140	236
19203	1508	860	4441	5661	6610	123	1059	7593

职业中学学生

Number of Female Students

地区 Region	合计 Total	在校学 Enrolment 初中 Junior Sec. Schools 计 Subtotal	一年级 Grade 1	二年级 Grade 2	三年级 Grade 3
总计 Total	1694454	232244	111177	64742	56325
北京 Beijing	31216	58	58	0	0
天津 Tianjin	21251	1221	810	108	303
河北 Hebei	89550	18815	7610	5493	5712
山西 Shanxi	48728	10086	3800	4056	2230
内蒙古 Inner Mongolia	66191	34506	16127	9737	8642
辽宁 Liaoning	83448	2260	1564	532	164
吉林 Jilin	72083	17478	8131	4859	4488
黑龙江 Heilongjiang	65312	3234	1995	717	522
上海 Shanghai	33783	32	10	10	12
江苏 Jiangsu	104155	250	75	80	95
浙江 Zhejiang	60443	759	331	229	199
安徽 Anhui	81058	37865	17908	11154	8803
福建 Fujian	52385	2438	903	876	659
江西 Jiangxi	40689	8199	3565	2704	1930
山东 Shandong	161644	5867	2498	1676	1693
河南 Henan	118251	8170	3276	2480	2414
湖北 Hubei	65522	23690	9800	7295	6595
湖南 Hunan	71967	4405	1611	1350	1444
广东 Guangdong	90287	3862	1636	1346	880
广西 Guangxi	41108	5823	2556	1691	1576
海南 Hainan	4163	362	168	105	89
四川 Sichuan	111326	4039	1420	1083	1536
贵州 Guizhou	29292	10499	4128	3443	2928
云南 Yunnan	49282	17610	15492	1096	1022
西藏 Tibet	0	0	0	0	0
陕西 Shaanxi	42133	2283	1147	638	498
甘肃 Gansu	20362	1253	821	240	192
青海 Qinghai	4828	1483	482	107	894
宁夏 Ningxia	5496	1708	1212	150	346
新疆 Xinjiang	28501	3989	2043	1487	459

总数中女学生数

in Vocational Schools

单位:人

生 数							毕业班学生数 Graduates for Next Year	
高 中 Senior Sec. Schools								
计 Subtotal	二年制 2-year		三年制 3-year			四年制 4-year	初中 Junior Sec. Schools	高中 Senior Sec. Schools
	一年级 Grade 1	二年级 Grade 2	一年级 Grade 1	二年级 Grade 2	三年级 Grade 3			
1462210	149578	100700	474960	390003	323145	23824	55640	426839
31158	2425	2164	9093	7120	5799	4557	0	9060
20030	566	485	4251	3887	3380	7461	627	4996
70735	6883	5989	24045	18510	15257	51	4683	20874
38642	7308	6215	9000	8776	7210	133	2289	13483
31685	1783	1293	10589	9561	8364	95	7443	9518
81188	2111	1302	28823	24871	22840	1241	571	24991
54605	9904	8357	12822	12934	10244	344	7014	18661
62078	6700	5984	16364	16630	16308	92	730	22292
33751	6377	2041	11290	7495	4991	1557	12	7217
103905	5424	4179	36186	31133	26716	267	52	30980
59684	13161	9494	16922	11616	8049	442	199	17561
43193	2090	1743	15425	12978	10957	0	8805	12477
49947	6382	5796	18757	12156	6709	147	659	12629
32490	5951	3249	9189	7596	6505	0	1946	9481
155777	7699	5873	55569	47604	39017	15	1365	44905
110081	6816	3276	45350	29709	21954	2976	2414	25493
41832	3308	2867	13236	11801	10379	241	3830	13165
67562	2512	843	29572	19114	15049	472	1570	15733
86425	7585	6428	25728	23789	22863	32	885	29291
35285	1197	944	11741	9361	9058	2984	1428	10266
3801	292	215	1346	1049	899	0	89	1114
107287	18660	5435	30049	30101	23018	24	1421	28453
18793	1767	1055	5927	5095	4863	86	2928	5919
31672	7945	5439	7212	6370	4511	195	1005	9951
0	0	0	0	0	0	0	0	0
39850	8705	5803	10598	8498	5999	247	385	11836
19109	1976	1584	7167	4368	4014	0	202	5511
3345	1146	706	557	503	314	119	1265	1139
3788	225	285	1246	1138	894	0	1364	1157
24512	2680	1656	6906	6240	6984	46	459	8686

职业中学教

Number of Teachers, Staff & Workers in

地区 Region	教职工 Teachers, Staff &				
	合计 Total	专任教师 Full－time Teachers			行政人员 Adm. Personnel
		计 Total	初中 Junior Sec. Schools	高中 Senior Sec. Schools	
总计 Total	396626	261771	33135	228636	66997
北京 Beijing	9895	5487	0	5487	3045
天津 Tianjin	4812	3088	113	2975	1226
河北 Hebei	20426	13531	2582	10949	2816
山西 Shanxi	11402	7561	1610	5951	1811
内蒙古 Inner Mongolia	17475	12076	5329	6747	2327
辽宁 Liaoning	21518	13336	404	12932	4286
吉林 Jilin	14723	9480	1730	7750	3164
黑龙江 Heilongjiang	19126	11901	313	11588	3625
上海 Shanghai	5353	2692	18	2674	1632
江苏 Jiangsu	23510	14951	26	14925	3372
浙江 Zhejiang	11898	8048	71	7977	2115
安徽 Anhui	18508	13257	6367	6890	2673
福建 Fujian	11104	7771	405	7366	2182
江西 Jiangxi	13146	8355	1162	7193	1214
山东 Shandong	36320	23241	1144	22097	6860
河南 Henan	24538	17224	1030	16194	3562
湖北 Hubei	18858	13398	4478	8920	2143
湖南 Hunan	17533	11867	785	11082	2555
广东 Guangdong	18917	14163	376	13787	2834
广西 Guangxi	8766	5819	771	5048	1401
海南 Hainan	1359	963	39	924	160
四川 Sichuan	31003	19510	656	18854	5944
贵州 Guizhou	6301	4425	1655	2770	964
云南 Yunnan	7413	4981	1061	3920	977
西藏 Tibet	23	23	0	23	0
陕西 Shaanxi	9761	5846	340	5506	2306
甘肃 Gansu	5510	3593	122	3471	799
青海 Qinghai	787	556	145	411	139
宁夏 Ningxia	1033	775	92	683	137
新疆 Xinjiang	5608	3853	311	3542	728

职工数（总计）

Vocational Schools (Regional Aggregates)

单位:人

数 Workers					
工勤人员 Workers	校办工厂、农场职工 Employees in School-run Factories & Farms		代课教师 Substitute Teachers	临时工 Temporary Workers	兼任教师 Part-time Teachers
	计 Total	其中:由厂、场收入支付工资的职工 Employees maintained by income of school-run businesses			
48229	19629	11076	12916	16916	21731
897	466	255	206	957	453
305	193	35	105	132	109
2644	1435	838	558	1793	553
1512	518	301	654	904	732
2430	642	298	303	273	210
1985	1911	1616	452	654	1243
1293	786	627	360	240	449
2734	866	608	323	281	357
656	373	0	317	314	0
3138	2049	1515	738	1040	1560
1053	682	491	735	963	2367
2011	567	193	815	1024	871
941	210	91	694	183	656
1489	2088	1725	364	641	558
4991	1228	388	602	1488	1078
2837	915	265	157	511	1321
2455	862	381	386	570	333
2273	838	285	754	681	1628
1784	136	29	304	542	625
1354	192	42	444	348	274
222	14	0	18	27	40
4191	1358	500	1414	936	2490
780	132	28	434	436	577
1319	136	49	371	819	1284
0	0	0	1	0	0
1083	526	212	778	543	1193
830	288	211	155	244	266
73	19	10	76	52	55
101	20	16	44	80	53
848	179	67	354	240	396

职业中学教

Number of Teachers, Staff & Workers in

地区 Region		教职工 Teachers, Staff &				
		合计 Total	专任教师 Full-time Teachers			行政人员 Adm. Personnel
			计 Total	初中 Junior Sec. Schools	高中 Senior Sec. Schools	
总计	**Total**	155374	97677	1323	96354	32414
北京	Beijing	7578	4201	0	4201	2340
天津	Tianjin	3458	2220	55	2165	882
河北	Hebei	6776	4441	64	4377	1178
山西	Shanxi	4729	2984	82	2902	894
内蒙古	Inner Mongolia	4815	3086	115	2971	994
辽宁	Liaoning	14925	9053	31	9022	3066
吉林	Jilin	7241	4356	103	4253	1726
黑龙江	Heilongjiang	8523	5480	11	5469	1844
上海	Shanghai	4152	2082	18	2064	1311
江苏	Jiangsu	7920	4612	6	4606	1183
浙江	Zhejiang	4715	2873	0	2873	1041
安徽	Anhui	4160	2751	120	2631	879
福建	Fujian	4157	2710	20	2690	958
江西	Jiangxi	2988	2223	0	2223	399
山东	Shandong	15144	8969	74	8895	3453
河南	Henan	9343	6192	56	6136	1918
湖北	Hubei	7536	5052	243	4809	1184
湖南	Hunan	6716	4235	34	4201	1271
广东	Guangdong	6608	4909	45	4864	1109
广西	Guangxi	2528	1643	6	1637	488
海南	Hainan	367	303	0	303	43
四川	Sichuan	9772	5850	6	5844	2093
贵州	Guizhou	1232	931	144	787	199
云南	Yunnan	1595	1149	31	1118	229
西藏	Tibet	23	23	0	23	0
陕西	Shaanxi	3857	2253	0	2253	1069
甘肃	Gansu	1835	1213	0	1213	279
青海	Qinghai	284	189	0	189	63
宁夏	Ningxia	394	295	3	292	39
新疆	Xinjiang	2003	1399	56	1343	282

职 工 数（城 市）

Vocational Schools (Urban)

单位:人

数 Workers			代课教师 Substitute Teachers	临时工 Temporary Workers	兼任教师 Part-time Teachers
工勤人员 Workers	校办工厂、农场职工 Employees in School-run Factories & Farms				
	计 Total	其中:由厂、场收入支付工资的职工 Employees maintained by income of school-run businesses			
15023	10260	6192	3874	4727	11998
638	399	244	123	601	233
189	167	29	71	29	79
759	398	180	153	312	205
605	246	164	172	339	255
307	428	215	107	108	105
1297	1509	1289	148	286	999
556	603	525	30	114	133
722	477	342	38	102	163
519	240	0	186	183	0
641	1484	1304	137	180	309
444	357	273	144	241	1739
372	158	41	189	122	417
349	140	88	109	82	380
259	107	38	49	65	191
1894	828	189	396	353	668
884	349	116	7	185	886
843	457	237	241	258	242
784	426	240	163	207	1086
503	87	20	85	169	463
334	63	30	92	114	124
18	3	0	9	4	10
1006	823	359	296	264	1507
77	25	9	78	33	292
200	17	0	103	97	362
0	0	0	1	0	0
313	222	97	397	128	895
209	134	120	71	46	141
21	11	10	50	6	14
45	15	15	38	13	12
235	87	18	191	86	88

职业中学教

Number of Teachers, Staff & Workers in

地区 Region	教职工 Teachers, Staff &				
	合计 Total	专任教师 Full-time Teachers			行政人员 Adm. Personnel
		计 Total	初中 Junior Sec. Schools	高中 Senior Sec. Schools	
总计 Total	123897	81392	4924	76468	19615
北京 Beijing	1320	860	0	860	322
天津 Tianjin	561	339	11	328	164
河北 Hebei	8300	5344	550	4794	1084
山西 Shanxi	2630	1749	242	1507	392
内蒙古 Inner Mongolia	5583	3711	1018	2693	742
辽宁 Liaoning	4583	2944	3	2941	869
吉林 Jilin	5703	3675	786	2889	1183
黑龙江 Heilongjiang	6556	4260	97	4163	1172
上海 Shanghai	406	197	0	197	128
江苏 Jiangsu	10624	6913	0	6913	1571
浙江 Zhejiang	6775	4869	50	4819	1011
安徽 Anhui	3406	2167	390	1777	561
福建 Fujian	4923	3533	275	3258	911
江西 Jiangxi	4009	2747	182	2565	374
山东 Shandong	4964	3190	18	3172	833
河南 Henan	5195	3483	68	3415	596
湖北 Hubei	3590	2452	262	2190	346
湖南 Hunan	6403	4353	78	4275	802
广东 Guangdong	4755	3421	35	3386	706
广西 Guangxi	3629	2332	157	2175	562
海南 Hainan	208	132	0	132	26
四川 Sichuan	16658	10662	180	10482	3054
贵州 Guizhou	2744	1656	78	1578	498
云南 Yunnan	3784	2367	230	2137	527
西藏 Tibet	0	0	0	0	0
陕西 Shaanxi	3080	1745	114	1631	653
甘肃 Gansu	1420	870	16	854	199
青海 Qinghai	369	242	32	210	69
宁夏 Ningxia	459	324	35	289	88
新疆 Xinjiang	1260	855	17	838	172

职 工 数（县 镇）

Vocational Schools (County Seats & Towns)

单位:人

数 Workers			代课教师 Substitute Teachers	临时工 Temporary Workers	兼任教师 Part-time Teachers
工勤人员 Workers	校办工厂、农场职工 Employees in School-run Factories & Farms				
	计 Total	其中:由厂、场收入支付工资的职工 Employees maintained by income of school-run businesses			
18004	4886	2134	4339	6559	6827
121	17	3	37	251	137
45	13	2	22	36	12
1221	651	328	185	969	297
391	98	37	134	226	277
992	138	53	45	62	75
537	233	200	119	237	113
664	181	102	245	101	242
927	197	99	177	132	137
49	32	0	29	41	0
1687	453	186	283	525	969
574	321	217	514	681	570
513	165	73	141	258	339
428	51	3	295	79	183
602	286	216	100	191	223
767	174	128	57	314	254
727	389	114	7	96	274
630	162	47	98	124	66
932	316	26	273	241	390
609	19	4	46	142	60
668	67	9	99	139	108
50	0	0	2	16	16
2474	468	141	870	548	940
517	73	8	141	216	224
782	108	45	151	435	452
0	0	0	0	0	0
502	180	51	161	261	215
294	57	28	31	62	97
50	8	0	26	42	30
43	4	1	0	48	25
208	25	13	51	86	102

职业中学教

Number of Teachers, Staff & Workers in

地区 Region		教职工 Teachers, Staff &				
		合计 Total	专任教师 Full-time Teachers			行政人员 Adm. Personnel
			计 Total	初中 Junior Sec. Schools	高中 Senior Sec. Schools	
总计	**Total**	117355	82702	26888	55814	14968
北京	Beijing	997	426	0	426	383
天津	Tianjin	793	529	47	482	180
河北	Hebei	5350	3746	1968	1778	554
山西	Shanxi	4043	2828	1286	1542	525
内蒙古	Inner Mongolia	7077	5279	4196	1083	591
辽宁	Liaoning	2010	1339	370	969	351
吉林	Jilin	1779	1449	841	608	255
黑龙江	Heilongjiang	4047	2161	205	1956	609
上海	Shanghai	795	413	0	413	193
江苏	Jiangsu	4966	3426	20	3406	618
浙江	Zhejiang	408	306	21	285	63
安徽	Anhui	10942	8339	5857	2482	1233
福建	Fujian	2024	1528	110	1418	313
江西	Jiangxi	6149	3385	980	2405	441
山东	Shandong	16212	11082	1052	10030	2574
河南	Henan	10000	7549	906	6643	1048
湖北	Hubei	7732	5894	3973	1921	613
湖南	Hunan	4414	3279	673	2606	482
广东	Guangdong	7554	5833	296	5537	1019
广西	Guangxi	2609	1844	608	1236	351
海南	Hainan	784	528	39	489	91
四川	Sichuan	4573	2998	470	2528	797
贵州	Guizhou	2325	1838	1433	405	267
云南	Yunnan	2034	1465	800	665	221
西藏	Tibet	0	0	0	0	0
陕西	Shaanxi	2824	1848	226	1622	584
甘肃	Gansu	2255	1510	106	1404	321
青海	Qinghai	134	125	113	12	7
宁夏	Ningxia	180	156	54	102	10
新疆	Xinjiang	2345	1599	238	1361	274

职 工 数（农 村）

Vocational Schools (Rural)

单位:人

数 Workers			代课教师 Substitute Teachers	临 时 工 Temporary Workers	兼任教师 Part-time Teachers
工勤人员 Workers	校办工厂、农场职工 Employees in School-run Factories & Farms				
	计 Total	其中:由厂、场收入支付工资的职工 Employees maintained by income of school-run businesses			
15202	4483	2750	4703	5630	2906
138	50	8	46	105	83
71	13	4	12	67	18
664	386	330	220	512	51
516	174	100	348	339	200
1131	76	30	151	103	30
151	169	127	185	131	131
73	2	0	85	25	74
1085	192	167	108	47	57
88	101	0	102	90	0
810	112	25	318	335	282
35	4	1	77	41	58
1126	244	79	485	644	115
164	19	0	290	22	93
628	1695	1471	215	385	144
2330	226	71	149	821	156
1226	177	35	143	230	161
982	243	97	47	188	25
557	96	19	318	233	152
672	30	5	173	231	102
352	62	3	253	95	42
154	11	0	7	7	14
711	67	0	248	124	43
186	34	11	215	187	61
337	11	4	117	287	470
0	0	0	0	0	0
268	124	64	220	154	83
327	97	63	53	136	28
2	0	0	0	4	11
13	1	0	6	19	16
405	67	36	112	68	206

职业中学教职工总

Number of Female Teachers, Staff

地区 Region		教职工 Teachers, Staff &				
		合计 Total	专任教师 Full-time Teachers			行政人员 Adm. Personnel
			计 Total	初中 Junior Sec. Schools	高中 Senior Sec. Schools	
总计	**Total**	134107	90842	8148	82694	18978
北京	Beijing	5765	3438	0	3438	1630
天津	Tianjin	2565	1850	56	1794	536
河北	Hebei	7747	5889	872	5017	561
山西	Shanxi	3989	3028	528	2500	400
内蒙古	Inner Mongolia	5807	4415	1466	2949	591
辽宁	Liaoning	10849	7405	130	7275	1782
吉林	Jilin	6690	4708	676	4032	1092
黑龙江	Heilongjiang	9023	6039	105	5934	1409
上海	Shanghai	2639	1382	14	1368	779
江苏	Jiangsu	7261	4401	6	4395	740
浙江	Zhejiang	3780	2381	12	2369	626
安徽	Anhui	3769	2591	987	1604	447
福建	Fujian	3350	2357	115	2242	568
江西	Jiangxi	2963	1546	165	1381	182
山东	Shandong	11331	7905	309	7596	1726
河南	Henan	7171	5360	232	5128	819
湖北	Hubei	4912	3315	926	2389	437
湖南	Hunan	5160	3457	193	3264	619
广东	Guangdong	5486	3929	71	3858	637
广西	Guangxi	2753	1633	207	1426	371
海南	Hainan	344	185	14	171	25
四川	Sichuan	9697	6122	179	5943	1709
贵州	Guizhou	1678	1159	357	802	191
云南	Yunnan	2429	1478	257	1221	217
西藏	Tibet	8	8	0	8	0
陕西	Shaanxi	2810	1808	77	1731	522
甘肃	Gansu	1239	854	18	836	104
青海	Qinghai	232	188	21	167	23
宁夏	Ningxia	359	286	36	250	25
新疆	Xinjiang	2301	1725	119	1606	210

数中女教职工数

& Workers in Vocational Schools

单位:人

数 Workers			代课教师 Substitute Teachers	临时工 Temporary Workers	兼任教师 Part-time Teachers
工勤人员 Workers	校办工厂、农场职工 Employees in School-run Factories & Farms				
	计 Total	其中:由厂、场收入支付工资的职工 Employees maintained by income of school-run businesses			
16470	7817	5228	3548	4880	4404
475	222	129	79	555	175
109	70	6	39	29	33
774	523	374	218	337	136
409	152	116	243	137	131
697	104	22	134	74	68
686	976	888	143	169	397
411	479	405	157	91	92
1146	429	300	127	75	113
340	138	0	0	0	0
1107	1013	859	147	250	174
477	296	239	229	328	468
560	171	86	137	275	99
368	57	15	170	80	147
359	876	804	70	222	66
1277	423	116	139	341	238
631	361	112	29	103	143
867	293	153	79	161	55
822	262	118	170	228	371
879	41	6	74	207	83
679	70	10	153	143	62
127	7	0	7	19	1
1396	470	244	369	228	561
296	32	3	127	146	62
695	39	17	95	406	253
0	0	0	0	0	0
337	143	84	227	85	342
182	99	86	28	39	45
17	4	3	15	18	2
43	5	5	19	39	11
304	62	28	124	95	76

小学校数、班数、招生

Number of Schools, Classes, Graduates & Students

地区 Region	学校数(所) Schools	教学点数(个) Teaching Sites	班 计 Total	一年级 Grade 1	二年级 Grade 2
总计 Total	696681	191510	3976406	765527	677972
北京 Beijing	3190	10	31055	5465	4942
天津 Tianjin	3243	0	25556	4297	3941
河北 Hebei	47975	4410	241146	42967	37844
山西 Shanxi	41472	3279	128577	18143	16509
内蒙古 Inner Mongolia	14092	9238	91978	16177	14990
辽宁 Liaoning	14805	3142	117941	20721	18718
吉林 Jilin	10572	3170	88045	16221	14889
黑龙江 Heilongjiang	16448	6140	129807	23537	21183
上海 Shanghai	2141	13	27829	4722	4396
江苏 Jiangsu	28183	1615	173428	32363	28290
浙江 Zhejiang	25304	322	104920	16657	14190
安徽 Anhui	32615	5859	177771	38565	32842
福建 Fujian	16091	12496	127885	24183	21986
江西 Jiangxi	26307	8433	131477	28121	23628
山东 Shandong	54009	8389	273703	61859	54171
河南 Henan	42071	10726	271357	58156	52239
湖北 Hubei	30965	6084	186792	35550	31959
湖南 Hunan	46605	3215	214759	39688	36514
广东 Guangdong	24686	12946	232691	43193	40332
广西 Guangxi	15841	37928	196641	37299	32413
海南 Hainan	4646	1560	32940	7527	6517
四川 Sichuan	71094	3678	308149	60226	54208
贵州 Guizhou	20249	11285	137055	28747	25154
云南 Yunnan	26376	27465	159634	29398	25860
西藏 Tibet	2831	1307	8231	3018	2284
陕西 Shaanxi	36578	2569	151347	25024	21401
甘肃 Gansu	23887	310	95479	20691	16848
青海 Qinghai	3445	522	16752	3405	2799
宁夏 Ningxia	3872	956	21647	4899	4000
新疆 Xinjiang	7088	4443	71814	14708	12925

数、毕业生数(总计)

Admitted in Primary Schools (Regional Aggregates)

数 (个) Classes					毕业生数(人) Graduates	招生数(人) Students Admitted
三年级 Grade 3	四年级 Grade 4	五年级 Grade 5	六年级 Grade 6	复式班 Multiple-grade Classes		
641949	623633	601706	341612	324007	18415116	23534825
4625	4910	5321	5260	532	157838	175853
3944	4227	4188	3786	1173	121237	143268
36719	36466	34046	26204	26900	1015032	1444791
16834	17597	18877	2513	38104	508207	609360
15026	14847	15223	2284	13431	391571	438922
17822	19112	20590	19496	1482	630759	652210
13932	13757	14201	13534	1511	443285	462950
20532	20680	21081	16527	6267	598846	642106
4134	4566	5075	4902	34	160782	195891
26708	26870	28224	18144	12829	991548	1138278
14508	15848	17461	8364	17892	593334	647352
31339	30629	30525	2462	11409	1050847	1124387
21384	20422	18967	9310	11633	510545	626997
22705	21944	21040	964	13075	714928	792663
50454	47022	43408	5166	11623	1457545	1857546
50962	50627	48145	3644	7584	1632646	1903120
30993	30007	28208	19906	10169	939952	1185837
35539	34522	28013	23973	16510	970668	1251348
38670	36970	34990	32286	6250	1086876	1463095
30566	28242	26074	14924	27123	796296	1166918
5665	4934	4312	3599	386	111647	172088
47538	46583	48514	43546	7534	1260704	1882719
22276	19622	17331	15411	8514	508197	879769
23356	21954	19578	14181	25307	573428	843248
1519	593	416	365	36	12403	52739
20535	19612	17905	16332	30538	448152	761526
15495	14081	13634	3571	11159	307282	454730
2636	2413	2440	851	2208	64168	79816
3678	3332	3232	912	1594	96925	99763
11855	11244	10687	9195	1200	259468	385535

小学校数、班数、招生

Number of Schools, Classes, Graduates & Students

地区 Region	学校数(所) Schools	教学点数(个) Teaching Sites	班		
			计 Total	一年级 Grade 1	二年级 Grade 2
总计 Total	29203	3542	350192	62723	58249
北京 Beijing	752	0	13113	2111	1985
天津 Tianjin	496	0	9441	1411	1422
河北 Hebei	1944	97	20779	3683	3308
山西 Shanxi	741	151	9820	1793	1740
内蒙古 Inner Mongolia	613	67	8439	1550	1487
辽宁 Liaoning	1452	52	23523	3963	3665
吉林 Jilin	983	24	13890	2412	2269
黑龙江 Heilongjiang	1142	37	18175	3196	2970
上海 Shanghai	766	0	15209	2593	2434
江苏 Jiangsu	2257	49	20474	3545	3194
浙江 Zhejiang	1065	14	9770	1704	1585
安徽 Anhui	1035	85	11177	2049	1916
福建 Fujian	480	80	6673	1116	1111
江西 Jiangxi	602	21	6181	1295	1177
山东 Shandong	2324	653	23618	4737	4168
河南 Henan	1681	289	17505	3344	3066
湖北 Hubei	2305	200	22920	4181	3931
湖南 Hunan	1552	95	14161	2495	2345
广东 Guangdong	1599	711	21610	3976	3797
广西 Guangxi	522	150	6825	1205	1168
海南 Hainan	118	124	1180	221	212
四川 Sichuan	1451	199	17272	3071	2690
贵州 Guizhou	503	110	5015	948	881
云南 Yunnan	303	7	3676	668	629
西藏 Tibet	21	4	316	52	47
陕西 Shaanxi	1350	231	13856	2579	2451
甘肃 Gansu	484	25	5839	1072	966
青海 Qinghai	107	0	1321	229	210
宁夏 Ningxia	105	8	1552	259	253
新疆 Xinjiang	450	59	6862	1265	1172

数、毕业生数(城市)

Admitted in Primary Schools (Urban)

数 (个) Classes					毕业生数(人) Graduates	招生数(人) Students Admitted
三年级 Grade 3	四年级 Grade 4	五年级 Grade 5	六年级 Grade 6	复式班 Multiple-grade Classes		
56530	59311	62236	48914	2229	2256510	2755088
1971	2178	2432	2436	0	77834	77411
1537	1701	1799	1571	0	55275	62670
3187	3441	3787	3150	223	132129	150399
1716	1743	1792	986	50	69475	82739
1491	1510	1562	792	47	58057	68788
3592	4089	4505	3708	1	161383	194549
2194	2335	2527	2146	7	105481	115656
2912	3126	3388	2582	1	127457	153921
2336	2654	2808	2384	0	75979	116308
2963	3159	3554	3499	560	126638	146114
1609	1685	1733	1218	236	59995	76878
1812	1864	1923	1573	40	82941	100168
1137	1193	1123	983	10	36769	47285
1152	1171	1185	150	51	48558	55285
4137	4307	4430	1449	390	172061	199884
3008	3146	3175	1750	16	118150	147763
3787	3894	4020	2980	127	162557	186922
2274	2325	2388	2284	50	89708	108193
3598	3558	3452	3214	15	136083	176843
1119	1090	1123	1069	51	43762	50660
203	192	186	166	0	7963	10465
2531	2785	3121	3061	13	97077	130305
818	763	777	773	55	28049	40110
590	608	623	556	2	22428	28895
56	55	54	52	0	2049	2626
2257	2203	2137	2002	227	65741	106537
962	970	1007	816	46	37127	46169
204	215	233	230	0	10016	11189
257	249	264	270	0	10278	11501
1120	1102	1128	1064	11	35490	48855

小学校数、班数、招生

Number of Schools, Classes, Graduates & Students

地　区 Region	学校数(所) Schools	教学点数(个) Teaching Sites	班 计 Total	一年级 Grade 1	二年级 Grade 2
总计 Total	82998	9638	522228	98532	88226
北京 Beijing	709	0	6493	1249	1091
天津 Tianjin	350	0	3253	537	494
河北 Hebei	4961	862	30078	5490	4766
山西 Shanxi	2514	491	11553	2039	1920
内蒙古 Inner Mongolia	940	164	10631	1999	1972
辽宁 Liaoning	638	87	8633	1490	1354
吉林 Jilin	1080	269	13106	2302	2175
黑龙江 Heilongjiang	1121	128	14795	2585	2451
上海 Shanghai	151	0	2446	402	361
江苏 Jiangsu	8275	356	49646	8960	7732
浙江 Zhejiang	14388	186	63591	10463	9003
安徽 Anhui	2171	376	14102	3092	2577
福建 Fujian	1637	724	19565	3813	3694
江西 Jiangxi	4490	1141	26126	5688	4900
山东 Shandong	2095	344	12891	2938	2624
河南 Henan	3102	577	22579	5013	4411
湖北 Hubei	1537	297	11408	2153	1964
湖南 Hunan	4274	226	25427	4746	4438
广东 Guangdong	1162	249	15981	2983	2774
广西 Guangxi	593	363	8514	1636	1529
海南 Hainan	147	10	2099	401	351
四川 Sichuan	18388	963	85252	16385	14724
贵州 Guizhou	1394	911	13279	2726	2450
云南 Yunnan	1656	450	13346	2525	2259
西藏 Tibet	133	58	1179	258	182
陕西 Shaanxi	3535	269	21158	3749	3357
甘肃 Gansu	670	1	5342	1052	961
青海 Qinghai	315	24	2402	451	413
宁夏 Ningxia	107	9	1470	280	261
新疆 Xinjiang	465	103	5883	1127	1038

数、毕业生数(县镇)

Admitted in Primary Schools (County Seats & Towns)

数 (个) Classes					毕业生数(人) Graduates	招生数(人) Students Admitted
三年级 Grade 3	四年级 Grade 4	五年级 Grade 5	六年级 Grade 6	复式班 Multiple-grade Classes		
83974	84158	86265	54527	26546	3030175	3736580
990	1017	1084	1062	0	33365	39356
505	539	560	517	101	17895	18540
4637	4635	4712	3723	2115	152253	201729
1931	1924	1961	164	1614	63996	78454
1944	1936	1996	701	83	70578	75409
1271	1425	1578	1494	21	61470	66628
2073	2085	2199	2103	169	84136	88602
2428	2489	2647	2128	67	98084	102478
337	362	458	517	9	17226	17644
7041	7298	8164	5880	4571	301076	341627
9190	9931	10791	5010	9203	373824	403013
2501	2494	2545	262	631	98921	105034
3642	3544	3404	1280	188	113596	134161
4775	4603	4426	225	1509	162484	184416
2463	2302	2160	162	242	87071	118426
4230	4280	4116	316	213	167896	211441
1879	1823	1789	1308	492	73588	91373
4305	4196	3679	3306	757	138299	173128
2696	2585	2526	2381	36	111138	152972
1451	1405	1404	883	206	58242	71354
341	343	336	327	0	17440	18768
12990	13010	14207	13002	934	411400	597442
2168	2028	1882	1768	257	66173	102252
2154	2050	2080	1509	769	75557	92267
179	192	175	190	3	7038	7995
3244	3104	2861	2711	2132	81747	133828
937	910	882	463	137	28870	40420
407	408	419	242	62	14824	16443
265	263	289	109	3	13104	10655
1000	977	935	784	22	28884	40725

地区 Region	学校数(所) Schools	教学点数(个) Teaching Sites	班		
			计 Total	一年级 Grade 1	二年级 Grade 2
总计 Total	584480	178330	3103986	604272	531497
北京 Beijing	1729	10	11449	2105	1866
天津 Tianjin	2397	0	12862	2349	2025
河北 Hebei	41070	3451	190289	33794	29770
山西 Shanxi	38217	2637	107204	14311	12849
内蒙古 Inner Mongolia	12539	9007	72908	12628	11531
辽宁 Liaoning	12715	3003	85785	15268	13699
吉林 Jilin	8509	2877	61049	11507	10445
黑龙江 Heilongjiang	14185	5975	96837	17756	15762
上海 Shanghai	1224	13	10174	1727	1601
江苏 Jiangsu	17651	1210	103308	19858	17364
浙江 Zhejiang	9851	122	31559	4490	3602
安徽 Anhui	29409	5398	152492	33424	28349
福建 Fujian	13974	11692	101647	19254	17181
江西 Jiangxi	21215	7271	99170	21138	17551
山东 Shandong	49590	7392	237194	54184	47379
河南 Henan	37288	9860	231273	49799	44762
湖北 Hubei	27123	5587	152464	29216	26064
湖南 Hunan	40779	2894	175171	32447	29731
广东 Guangdong	21925	11986	195100	36234	33761
广西 Guangxi	14726	37415	181302	34458	29716
海南 Hainan	4381	1426	29661	6905	5954
四川 Sichuan	51255	2516	205625	40770	36794
贵州 Guizhou	18352	10264	118761	25073	21823
云南 Yunnan	24417	27008	142612	26205	22972
西藏 Tibet	2677	1245	6736	2708	2055
陕西 Shaanxi	31693	2069	116333	18696	15593
甘肃 Gansu	22733	284	84298	18567	14921
青海 Qinghai	3023	498	13029	2725	2176
宁夏 Ningxia	3660	939	18625	4360	3486
新疆 Xinjiang	6173	4281	59069	12316	10715

数、毕业生数(农村)

Admitted in Primary Schools (Rural)

数 (个) Classes					毕业生数(人) Graduates	招生数(人) Students Admitted
三年级 Grade 3	四年级 Grade 4	五年级 Grade 5	六年级 Grade 6	复式班 Multiple grade Classes		
501445	480164	453205	238171	295232	13128431	17043157
1664	1715	1805	1762	532	46639	59086
1902	1987	1829	1698	1072	48067	62058
28895	28390	25547	19331	24562	730650	1092663
13187	13930	15124	1363	36440	374736	448167
11591	11401	11665	791	13301	262936	294725
12959	13598	14507	14294	1460	407906	391033
9665	9337	9475	9285	1335	253668	258692
15192	15065	15046	11817	6199	373305	385707
1461	1550	1809	2001	25	67577	61939
16704	16413	16506	8765	7698	563834	650537
3709	4232	4937	2136	8453	159515	167461
27026	26271	26057	627	10738	868985	919185
16605	15685	14440	7047	11435	360180	445551
16778	16170	15429	589	11515	503886	552962
43854	40413	36818	3555	10991	1198413	1539236
43724	43201	40854	1578	7355	1346600	1543916
25327	24290	22399	15618	9550	703807	907542
28960	28001	21946	18383	15703	742661	970027
32376	30827	29012	26691	6199	839655	1133280
27996	25747	23547	12972	26866	694292	1044904
5121	4399	3790	3106	386	86244	142855
32017	30788	31186	27483	6587	752227	1154972
19290	16831	14672	12870	8202	413975	737407
20612	19296	16875	12116	24536	475443	722086
1284	346	187	123	33	3316	42118
15034	14305	12907	11619	28179	300664	521161
13596	12201	11745	2292	10976	241285	368141
2025	1790	1788	379	2146	39328	52184
3156	2820	2679	533	1591	73543	77607
9735	9165	8624	7347	1167	195094	295955

六年制小学校数、班

Number of Schools, Classes, Students Admitted

地区 Region	学校数(所) Schools	教学点数(个) Teaching Sites	班 计 Total	一年级 Grade 1	二年级 Grade 2
总计 Total	416792	113927	2545147	462627	416203
北京 Beijing	3187	10	30995	5452	4929
天津 Tianjin	3243	0	25556	4297	3941
河北 Hebei	40930	2810	208057	35518	31972
山西 Shanxi	3798	526	18687	2724	2527
内蒙古 Inner Mongolia	1717	835	14334	1916	2072
辽宁 Liaoning	14474	3069	114466	19232	18074
吉林 Jilin	10549	3170	87299	16040	14737
黑龙江 Heilongjiang	12673	4052	97400	11479	15780
上海 Shanghai	1942	13	26856	4011	4312
江苏 Jiangsu	18299	909	117525	20311	16914
浙江 Zhejiang	13230	95	58963	9079	7246
安徽 Anhui	1883	207	15139	2546	2293
福建 Fujian	7757	5880	64678	10726	10492
江西 Jiangxi	1002	78	5134	307	699
山东 Shandong	6461	1113	36909	6554	6052
河南 Henan	2693	766	24935	4783	4235
湖北 Hubei	25485	5553	154223	28192	25718
湖南 Hunan	44317	3021	206690	37923	34861
广东 Guangdong	24247	12327	230900	42761	39953
广西 Guangxi	10172	21519	134544	28949	22504
海南 Hainan	4503	1481	31695	7213	6230
四川 Sichuan	70481	3567	304470	59511	53549
贵州 Guizhou	19706	10776	134669	28176	24651
云南 Yunnan	23679	24911	138043	27198	21422
西藏 Tibet	791	183	4600	1353	1057
陕西 Shaanxi	36578	2492	151308	25015	21394
甘肃 Gansu	4485	69	26408	5167	4303
青海 Qinghai	1311	75	7086	1447	1231
宁夏 Ningxia	716	80	5657	925	967
新疆 Xinjiang	6483	4340	67921	13822	12088

数、招生数、毕业生数

& Graduates in 6-year Primary Schools

数 (个) Classes					毕业生数(人) Graduates	招生数(人) Students Admitted
三年级 Grade 3	四年级 Grade 4	五年级 Grade 5	六年级 Grade 6	复式班 Multiple-grade Classes		
390522	381719	367853	341612	184611	10838637	14401560
4613	4899	5310	5260	532	151677	169844
3944	4227	4188	3786	1173	121237	143268
31434	31736	29355	26204	21838	875039	1168857
2520	2560	2686	2513	3157	79319	103934
2162	2142	2345	2284	1413	71149	63671
17230	18674	20339	19496	1421	612710	597686
13811	13615	14051	13534	1511	437313	448805
15581	16047	16915	16527	5071	483183	329996
4076	4508	5013	4902	34	159993	168369
15789	16314	18336	18144	11717	639408	734176
7165	8069	9112	8364	9928	298614	370799
2198	2309	2403	2462	928	101893	114285
10275	9891	9432	9310	4552	247638	267632
708	965	972	964	519	35382	10601
5842	6006	5445	5166	1844	193700	194206
4071	4094	3902	3644	206	119445	171338
24916	23758	21778	19906	9955	637670	832370
33877	33026	26857	23973	16173	916795	1192374
38323	36707	34753	32286	6117	1069604	1439915
19791	17921	16049	14924	14406	448954	854635
5419	4728	4133	3599	373	107285	163984
46837	45842	47707	43546	7478	1236201	1858344
21786	19253	17008	15411	8384	492063	876351
19391	17887	15777	14181	22187	446477	778100
930	476	385	365	34	8819	29296
20526	19604	17899	16332	30538	447897	758930
4084	4021	3815	3571	1447	100766	136059
1136	1003	974	851	444	28359	36291
987	920	915	912	31	31528	26504
11100	10517	9999	9195	1200	238519	360940

小学在校学生数和

Enrolment and Number of Graduates for

地区 Region	在校学 Enrolment 合计 Total	一年级 Grade 1	二年级 Grade 2	三年级 Grade 3
总计 Total	124212382	26241948	23149239	21571838
北京 Beijing	1022166	178919	158677	148471
天津 Tianjin	887412	147643	136607	138579
河北 Hebei	7758504	1581991	1384688	1310842
山西 Shanxi	3143632	658006	627630	616617
内蒙古 Inner Mongolia	2357852	474029	458123	460323
辽宁 Liaoning	3686796	665710	558779	524862
吉林 Jilin	2573496	481416	430876	404721
黑龙江 Heilongjiang	3733782	689683	630554	617073
上海 Shanghai	1179025	199750	179974	168455
江苏 Jiangsu	5949367	1227266	1050988	958947
浙江 Zhejiang	3592273	673801	600731	601668
安徽 Anhui	6010501	1371053	1223685	1142603
福建 Fujian	3638517	664535	701527	701515
江西 Jiangxi	4139142	915901	868206	828608
山东 Shandong	8535663	1928960	1673255	1589393
河南 Henan	9514977	2157698	1870183	1803699
湖北 Hubei	6239081	1303638	1152658	1067534
湖南 Hunan	6973215	1325247	1219238	1162157
广东 Guangdong	8321421	1551619	1479747	1440132
广西 Guangxi	6107709	1385178	1248212	1125922
海南 Hainan	1067308	234474	203829	191503
四川 Sichuan	9163221	1969278	1653035	1333173
贵州 Guizhou	4398053	1068367	849791	747344
云南 Yunnan	4438792	993486	877475	783112
西藏 Tibet	191768	74148	41472	30364
陕西 Shaanxi	3977810	883638	772522	689623
甘肃 Gansu	2499700	683803	517666	455727
青海 Qinghai	443781	120214	82821	76242
宁夏 Ningxia	628009	169601	119342	111553
新疆 Xinjiang	2039409	462896	376948	341076

毕业班学生数(总计)

Next Year in Primary Schools (Regional Aggregates)

单位: 人

生数 四年级 Grade 4	五年级 Grade 5	六年级 Grade 6	毕业班学生数 Graduates for Next Year
21058112	20561618	11629627	19331135
164844	187627	183628	185582
154198	167311	143074	143074
1286919	1245367	948697	1095114
592309	560936	88134	550542
451950	437301	76126	430930
604806	698986	633653	645484
409727	442815	403941	411956
639151	663332	493989	616625
193466	219816	217564	220190
979170	1047990	685006	1034223
669007	713757	333309	664728
1111760	1056893	104507	1052458
677052	610433	283455	566714
787509	706991	31927	704380
1581766	1551011	211278	1544935
1825565	1722951	134881	1706689
1019040	990235	705976	933398
1155605	1135794	975174	1031335
1386303	1311198	1152422	1160267
991355	872396	484646	807342
169919	147212	120371	126310
1324235	1505315	1378185	1405712
648464	575333	508754	511771
710878	632201	441640	563708
18993	14850	11941	11969
609056	553758	469213	469509
400607	332905	108992	316596
71898	66670	25936	62679
104043	94374	29096	91950
318517	295860	244112	264965

小学在校学生数和

Enrolment and Number of Graduates for

地　区 Region	在校学生 Enrolment			
	合计 Total	一年级 Grade 1	二年级 Grade 2	三年级 Grade 3
总　计 Total	15192525	2808998	2490121	2402667
北　京 Beijing	493324	77926	71355	71621
天　津 Tianjin	431543	62947	63692	69898
河　北 Hebei	844471	153992	130336	125666
山　西 Shanxi	446914	84360	77865	76392
内蒙古 Inner Mongolia	372915	69987	64544	66414
辽　宁 Liaoning	1150405	194977	174977	170352
吉　林 Jilin	657689	116517	105237	101300
黑龙江 Heilongjiang	859010	155075	138668	133986
上　海 Shanghai	691205	117629	109030	105749
江　苏 Jiangsu	818654	150155	128247	116104
浙　江 Zhejiang	439283	77620	70566	72051
安　徽 Anhui	519626	102172	88339	82564
福　建 Fujian	287494	47975	47562	49277
江　西 Jiangxi	266214	58253	51773	50402
山　东 Shandong	1002023	201754	169509	170739
河　南 Henan	748251	151023	125716	122203
湖　北 Hubei	1001290	191892	171325	162595
湖　南 Hunan	596573	110313	97929	91543
广　东 Guangdong	973241	181358	171893	161965
广　西 Guangxi	284110	51797	48915	46376
海　南 Hainan	60292	10948	10392	10407
四　川 Sichuan	706485	131103	106947	97212
贵　州 Guizhou	210006	44289	37097	33282
云　南 Yunnan	151665	29246	25690	23055
西　藏 Tibet	15183	2798	2349	2622
陕　西 Shaanxi	543397	110606	97869	88136
甘　肃 Gansu	246745	48347	40314	40553
青　海 Qinghai	58791	11511	9386	8757
宁　夏 Ningxia	64600	11612	10149	10564
新　疆 Xinjiang	251126	50816	42450	40882

毕业班学生数(城市)

Next Year in Primary Schools (Urban)

单位:人

生数			
四年级 Grade 4	五年级 Grade 5	六年级 Grade 6	毕业班学生数 Graduates for Next Year
2594186	2779087	2117466	2595002
82103	94931	95388	95821
79501	85047	70458	70439
141963	162378	130136	152134
79412	83382	45503	78064
68235	69994	33741	68806
201823	227785	180491	190975
111549	123684	99402	105737
148351	164986	117944	145198
121806	124741	112250	114316
127336	150974	145838	148332
79190	83304	56552	74216
88100	88669	69782	84512
52637	49182	40861	47427
50852	50301	4633	50017
189391	201981	68649	201229
135357	139538	74414	133756
169436	177638	128404	171022
93969	103918	98901	103401
161957	157014	139054	139908
45342	47285	44395	46240
9982	9921	8642	9509
111877	131558	127788	129467
31235	32374	31729	31729
24284	26186	23204	25484
2660	2509	2245	2245
85288	85229	76269	76484
41274	42623	33634	40221
9268	10462	9407	9722
10379	11214	10682	11072
39629	40279	37070	37519

小学在校学生数和

Enrolment and Number of Graduates for

地 区 Region	在校学生 Enrolment 合 计 Total	一 年 级 Grade 1	二 年 级 Grade 2	三 年 级 Grade 3
总 计 Total	19324640	3946838	3456837	3208402
北 京 Beijing	214045	40063	34191	30513
天 津 Tianjin	116766	19064	17228	18072
河 北 Hebei	1055378	211695	181008	170837
山 西 Shanxi	385162	81116	76965	75450
内蒙古 Inner Mongolia	400481	77011	72819	75122
辽 宁 Liaoning	372893	67106	56120	51548
吉 林 Jilin	495666	91393	81348	77703
黑龙江 Heilongjiang	590625	106600	97352	95830
上 海 Shanghai	110008	17897	15879	14513
江 苏 Jiangsu	1732731	362001	297892	258102
浙 江 Zhejiang	2220464	419627	372738	374873
安 徽 Anhui	520888	119235	100252	95328
福 建 Fujian	746978	138807	141742	143688
江 西 Jiangxi	932417	209649	195725	185502
山 东 Shandong	517754	120639	103007	98263
河 南 Henan	970232	226784	187644	177979
湖 北 Hubei	470623	98702	88060	80638
湖 南 Hunan	953584	177911	163398	154945
广 东 Guangdong	828626	157144	145489	141529
广 西 Guangxi	372599	74652	69774	65871
海 南 Hainan	119862	22441	19524	19503
四 川 Sichuan	2902526	611559	514503	412759
贵 州 Guizhou	503739	113086	92823	83307
云 南 Yunnan	492485	102411	90133	84218
西 藏 Tibet	38381	7825	6118	5802
陕 西 Shaanxi	687399	149191	130340	117367
甘 肃 Gansu	208591	46868	40029	36595
青 海 Qinghai	87811	18634	15251	14829
宁 夏 Ningxia	63469	13018	11063	11290
新 疆 Xinjiang	212457	44709	38422	36426

毕业班学生数(县镇)

Next Year in Primary Schools (County Seats & Towns)

单位:人

生数			
四年级 Grade 4	五年级 Grade 5	六年级 Grade 6	毕业班学生数 Graduates for Next Year
3238127	3382999	2091437	3233837
33348	38686	37244	38765
20205	22350	19847	19847
171315	179065	141458	161641
73239	71703	6689	71219
75322	76931	23276	74832
60998	71921	65200	65693
79419	86265	79538	81181
99607	108701	82535	99787
16369	21361	23989	23989
274072	315178	225486	319901
415386	442557	195283	414101
96953	95996	13124	96365
141162	132879	48700	126002
175987	156825	8729	156437
94706	93332	7807	93411
184419	182178	11228	180520
76014	74561	52648	72532
153738	159859	143733	148498
135472	131099	117893	118114
62702	61950	37650	59651
19621	19605	19168	19168
416287	491329	456089	469252
75567	71143	67813	67813
79500	80215	56008	75810
6348	6532	5756	5756
104723	98679	87099	87180
34626	32319	18154	30540
15168	14970	8959	14694
11350	12423	4325	12036
34504	32387	26009	29102

小学在校学生数和

Enrolment and Number of Graduates for

地区 Region	在校学 Enrolment			
	合计 Total	一年级 Grade 1	二年级 Grade 2	三年级 Grade 3
总计 Total	89695217	19486112	17202281	15960769
北京 Beijing	314797	60930	53131	46337
天津 Tianjin	339103	65632	55687	50609
河北 Hebei	5858655	1216304	1073344	1014339
山西 Shanxi	2311556	492530	472800	464775
内蒙古 Inner Mongolia	1584456	327031	320760	318787
辽宁 Liaoning	2163498	403627	327682	302962
吉林 Jilin	1420141	273506	244291	225718
黑龙江 Heilongjiang	2284147	428008	394534	387257
上海 Shanghai	377812	64224	55065	48193
江苏 Jiangsu	3397982	715110	624849	584741
浙江 Zhejiang	932526	176554	157427	154744
安徽 Anhui	4969987	1149646	1035094	964711
福建 Fujian	2604045	477753	512223	508550
江西 Jiangxi	2940511	647999	620708	592704
山东 Shandong	7015886	1606567	1400739	1320391
河南 Henan	7796494	1779891	1556823	1503517
湖北 Hubei	4767168	1013044	893273	824301
湖南 Hunan	5423058	1037023	957911	915669
广东 Guangdong	6519554	1213117	1162365	1136638
广西 Guangxi	5451000	1258729	1129523	1013675
海南 Hainan	887154	201085	173913	161593
四川 Sichuan	5554210	1226616	1031585	823202
贵州 Guizhou	3684308	910992	719871	630755
云南 Yunnan	3794642	861829	761652	675839
西藏 Tibet	138204	63525	33005	21940
陕西 Shaanxi	2747014	623841	544313	484120
甘肃 Gansu	2044364	588588	437323	378579
青海 Qinghai	297179	90069	58184	52656
宁夏 Ningxia	499940	144971	98130	89699
新疆 Xinjiang	1575826	367371	296076	263768

毕业班学生数(农村)

Next Year in Primary Schools (Rural)

单位:人

生　　数			毕业班学生数 Graduates for Next Year
四年级 Grade 4	五年级 Grade 5	六年级 Grade 6	
15225799	14399532	7420724	13502296
49393	54010	50996	50996
54492	59914	52769	52788
973641	903924	677103	781339
439658	405851	35942	401259
308393	290376	19109	287292
341985	399280	387962	388816
218759	232866	225001	225038
391193	389645	293510	371640
55291	73714	81325	81885
577762	581838	313682	565990
174431	187896	81474	176411
926707	872228	21601	871581
483253	428372	193894	393285
560670	499865	18565	497926
1297669	1255698	134822	1250295
1505789	1401235	49239	1392413
773590	738036	524924	689844
907898	872017	732540	779436
1088874	1023085	895475	902245
883311	763161	402601	701451
140316	117686	92561	97633
796071	882428	794308	806993
541662	471816	409212	412229
607094	525800	362428	462414
9985	5809	3940	3968
419045	369850	305845	305845
324707	257963	57204	245835
47462	41238	7570	38263
82314	70737	14089	68842
244384	223194	181033	198344

六年制小学在校学生

Enrolment and Number of Graduates for

地区 Region	在校学 Enrolment 合计 Total	一年级 Grade 1	二年级 Grade 2	三年级 Grade 3
总计 Total	80474140	16098882	14149507	12997728
北京 Beijing	1014439	177412	157383	147110
天津 Tianjin	887412	147643	136607	138579
河北 Hebei	6744650	1295305	1161449	1119936
山西 Shanxi	589656	106987	99314	98802
内蒙古 Inner Mongolia	457406	67430	74865	78703
辽宁 Liaoning	3564605	611020	538244	506232
吉林 Jilin	2535258	472150	423408	398645
黑龙江 Heilongjiang	2820828	342226	472570	471567
上海 Shanghai	1139675	171209	176570	166079
江苏 Jiangsu	4003233	797518	647199	573182
浙江 Zhejiang	2043854	381261	311819	294874
安徽 Anhui	626563	115713	101034	95344
福建 Fujian	1936979	303220	339212	345141
江西 Jiangxi	163491	10625	24224	26261
山东 Shandong	1183142	198249	177730	179097
河南 Henan	915733	185125	151552	143178
湖北 Hubei	5044502	1019504	918655	845936
湖南 Hunan	6709537	1275415	1170926	1111675
广东 Guangdong	8266997	1538396	1467509	1428285
广西 Guangxi	4324217	1100550	848429	720820
海南 Hainan	1022693	224500	193512	181793
四川 Sichuan	9045239	1944943	1632348	1311533
贵州 Guizhou	4385165	1064117	849373	744763
云南 Yunnan	3799093	919721	714566	642283
西藏 Tibet	152269	50688	32251	23574
陕西 Shaanxi	3975714	883138	772129	689165
甘肃 Gansu	821768	181873	143476	133474
青海 Qinghai	201857	48340	34831	32211
宁夏 Ningxia	183577	31411	29265	32004
新疆 Xinjiang	1914588	433193	349057	317482

数和毕业班学生数

Next Year in 6-year Primary Schools

单位:人

生数			
四年级 Grade 4	五年级 Grade 5	六年级 Grade 6	毕业班学生数 Graduates for Next Year
12738286	12860110	11629627	11629627
163233	185673	183628	183628
154198	167311	143074	143074
1120313	1098950	948697	948697
97891	98528	88134	88134
77785	82497	76126	76126
588301	687155	633653	633653
402314	434800	403941	403941
499780	540696	493989	493989
191063	217190	217564	217564
601555	698773	685006	685006
340253	382338	333309	333309
101023	108942	104507	104507
338777	327174	283455	283455
35916	34538	31927	31927
199434	217354	211278	211278
149854	151143	134881	134881
791618	762813	705976	705976
1096714	1079633	975174	975174
1377032	1303353	1152422	1152422
620072	549700	484646	484646
161244	141273	120371	120371
1300442	1477788	1378185	1378185
645842	572316	508754	508754
570750	510133	441640	441640
18993	14822	11941	11941
608607	553462	469213	469213
128652	125301	108992	108992
30612	29927	25936	25936
30281	31520	29096	29096
295737	275007	244112	244112

小学在校学生数和毕业

Number of Female Students

地区 Region	在校学 Enrolment 合计 Total	一年级 Grade 1	二年级 Grade 2	三年级 Grade 3
总计 Total	58158966	12405761	10900019	10108811
北京 Beijing	494717	87014	76872	71884
天津 Tianjin	428301	71935	65817	66817
河北 Hebei	3725485	756638	666590	627838
山西 Shanxi	1495508	315009	297796	293267
内蒙古 Inner Mongolia	1118548	224587	217512	217758
辽宁 Liaoning	1774345	320081	271022	252841
吉林 Jilin	1237523	232718	208593	195987
黑龙江 Heilongjiang	1801832	331889	305687	296994
上海 Shanghai	566801	96494	86938	80657
江苏 Jiangsu	2803243	584097	499176	454991
浙江 Zhejiang	1706017	320543	284527	284049
安徽 Anhui	2753203	645872	566488	524700
福建 Fujian	1709228	320090	334625	330374
江西 Jiangxi	1926229	439416	408265	385543
山东 Shandong	4069484	931531	801020	760275
河南 Henan	4466921	1028757	882308	845351
湖北 Hubei	2928139	617415	545410	505542
湖南 Hunan	3303811	635174	582280	554938
广东 Guangdong	3880789	735797	695615	671184
广西 Guangxi	2795375	644860	576555	518447
海南 Hainan	482647	105925	92656	85442
四川 Sichuan	4294890	926584	775772	626346
贵州 Guizhou	1866402	466835	372498	318068
云南 Yunnan	2003738	460234	401527	354384
西藏 Tibet	77725	29819	16712	11320
陕西 Shaanxi	1873479	417383	363994	325857
甘肃 Gansu	1111426	308866	233189	198756
青海 Qinghai	193165	53124	35619	32925
宁夏 Ningxia	277763	74953	53049	49285
新疆 Xinjiang	992232	222121	181907	166991

班学生总数中女生数

in Primary Schools

单位:人

生 数			
四 年 级 Grade 4	五 年 级 Grade 5	六 年 级 Grade 6	毕业班学生数 Graduates for Next Year
9796299	9524365	5423711	8835583
79354	90315	89278	90211
74148	80250	69334	69336
615758	599406	459255	526240
280583	266601	42252	256886
214318	208252	36121	197906
288448	335830	306123	311900
196940	211227	192058	195500
307186	319554	240522	295851
92308	105268	105136	106452
454903	485855	324221	479454
315892	341442	159564	316484
501667	463496	50980	438561
315307	280710	128122	256172
361207	317278	14520	313810
748057	728878	99723	718399
849973	795228	65304	778681
477780	459301	322691	421220
542678	531042	457699	480934
642945	606115	529133	532577
448686	389608	217219	353385
76005	67545	55074	57674
621280	701393	643515	654494
271775	236130	201096	193673
315519	275916	196158	243128
8239	6669	4966	4960
287438	260135	218672	218800
175675	145651	49289	125448
30857	28781	11859	26756
45638	41300	13538	40690
155735	145189	120289	130001

小学教职

Number of Teachers, Staff & Workers

地区 Region	教职 Teachers, Staff			
	合计 Total	专任教师 Full-time Teachers	行政人员 Adm. Personnel	工勤人员 Workers
总 计 Total	6218361	5551597	478104	157964
北 京 Beijing	72307	58649	10166	2699
天 津 Tianjin	61377	50448	7901	2359
河 北 Hebei	294386	271625	18033	3838
山 西 Shanxi	184490	168287	12429	3424
内蒙古 Inner Mongolia	173716	153885	10948	8176
辽 宁 Liaoning	239700	201664	30290	4404
吉 林 Jilin	178245	147678	21340	6886
黑龙江 Heilongjiang	247691	213823	22659	9988
上 海 Shanghai	74892	57190	12026	3667
江 苏 Jiangsu	307471	265854	26823	8543
浙 江 Zhejiang	152350	137744	10814	2519
安 徽 Anhui	290945	265947	20514	3649
福 建 Fujian	177750	161680	14026	1821
江 西 Jiangxi	240173	224599	10503	4522
山 东 Shandong	448575	415928	22656	8321
河 南 Henan	410476	381851	22795	5050
湖 北 Hubei	337973	298769	21213	15914
湖 南 Hunan	321480	300261	11949	8362
广 东 Guangdong	351947	298601	46729	6195
广 西 Guangxi	228571	195101	26853	6187
海 南 Hainan	48844	41682	4595	2518
四 川 Sichuan	482148	427431	35815	17215
贵 州 Guizhou	180959	165276	13046	2557
云 南 Yunnan	192806	175881	12408	4393
西 藏 Tibet	9659	8647	369	618
陕 西 Shaanxi	198194	180592	14081	3143
甘 肃 Gansu	134520	127579	4728	2053
青 海 Qinghai	28558	26495	1107	783
宁 夏 Ningxia	31659	29133	1700	788
新 疆 Xinjiang	116499	99297	9588	7372

工 数（总 计）

in Primary Schools (Regional Aggregates)

单位:人

工 数 & Workers		代课教师 Substitute Teachers	临时工 Temporary Workers
校办工厂、农场职工 Employees in School-run Factories & Farms			
计 Total	其中:由厂、场收入支付工资的职工 Employees maintained by income of school-run businesses		
30696	11081	628508	86775
793	338	3641	5068
669	55	1646	802
890	351	67052	3292
350	141	15882	2222
707	204	6050	1298
3342	2615	9965	3055
2341	2048	9370	530
1221	620	11983	5695
2009	0	766	1525
6251	1870	14995	4430
1273	338	24763	3573
835	109	12978	1699
223	15	25206	1423
549	230	10691	3197
1670	360	12984	1415
780	109	68373	5979
2077	835	7404	2876
908	45	25235	2296
422	106	43747	7110
430	83	90739	1501
49	2	7230	599
1687	134	37680	10174
80	54	27575	2832
124	22	44898	5234
25	0	1531	899
378	56	19482	3035
160	78	4707	996
173	150	370	680
38	3	3454	1396
242	110	18111	1944

小学教职

Number of Teachers, Staff & Workers

地区 Region	教职 Teachers, Staff			
	合计 Total	专任教师 Full-time Teachers	行政人员 Adm. Personnel	工勤人员 Workers
总计 Total	909291	765985	94290	35137
北京 Beijing	37449	29787	5402	1613
天津 Tianjin	30095	23821	4292	1565
河北 Hebei	46660	40499	4341	1562
山西 Shanxi	28471	23897	2937	1508
内蒙古 Inner Mongolia	25326	21395	2486	1116
辽宁 Liaoning	66104	52941	8577	2234
吉林 Jilin	41970	32403	5518	1934
黑龙江 Heilongjiang	52679	42325	6491	3197
上海 Shanghai	39026	29400	6974	2191
江苏 Jiangsu	47616	40263	4285	1015
浙江 Zhejiang	21470	18966	1458	521
安徽 Anhui	30428	27370	1963	863
福建 Fujian	15405	14122	989	251
江西 Jiangxi	17263	15723	1058	432
山东 Shandong	62043	53679	5614	1794
河南 Henan	45194	38640	4393	1688
湖北 Hubei	60916	52271	5379	2626
湖南 Hunan	35135	31261	2381	1192
广东 Guangdong	47110	39889	5634	1407
广西 Guangxi	15929	14032	1259	564
海南 Hainan	2626	2337	183	105
四川 Sichuan	46370	38958	4486	2392
贵州 Guizhou	12623	11103	1131	351
云南 Yunnan	9393	8270	810	299
西藏 Tibet	898	789	42	50
陕西 Shaanxi	29302	24768	3283	1037
甘肃 Gansu	15494	13920	976	494
青海 Qinghai	3677	3377	232	67
宁夏 Ningxia	4022	3588	237	182
新疆 Xinjiang	18597	16191	1479	887

工 数（城 市）

in Primary Schools (Urban)

单位：人

工数 & Workers		代课教师 Substitute Teachers	临时工 Temporary Workers
校办工厂、农场职工 Employees in School-run Factories & Farms			
计 Total	其中：由厂、场收入支付工资的职工 Employees maintained by income of school-run businesses		
13879	7584	24516	14024
647	319	320	2801
417	31	124	532
258	105	2673	594
129	60	1438	665
329	73	251	335
2352	1981	412	1130
2115	1976	678	137
666	362	576	362
461	0	702	1411
2053	1481	1685	607
525	236	671	415
232	29	848	111
43	2	247	53
50	6	254	55
956	282	687	205
473	66	1709	455
640	259	1009	790
301	27	478	149
180	66	4917	1011
74	29	999	118
1	0	83	34
534	80	743	720
38	20	630	142
14	4	54	47
17	0	92	29
214	11	1822	641
104	71	72	166
1	0	53	75
15	1	125	51
40	7	164	183

小学教职

Number of Teachers, Staff & Workers

地区 Region	教职 Teachers, Staff			
	合计 Total	专任教师 Full-time Teachers	行政人员 Adm. Personnel	工勤人员 Workers
总计 Total	1035765	909285	82371	36582
北京 Beijing	14482	11936	2005	468
天津 Tianjin	8805	7273	1155	294
河北 Hebei	47650	43168	3277	934
山西 Shanxi	23853	21393	1718	669
内蒙古 Inner Mongolia	32091	26425	2725	2735
辽宁 Liaoning	25325	21395	2648	657
吉林 Jilin	36071	27764	5696	2434
黑龙江 Heilongjiang	42511	34614	4670	2871
上海 Shanghai	8082	5738	1425	482
江苏 Jiangsu	93335	80144	7790	3260
浙江 Zhejiang	92707	84107	6513	1510
安徽 Anhui	29177	26534	1880	532
福建 Fujian	39098	34535	3844	632
江西 Jiangxi	52482	49012	2197	1100
山东 Shandong	30261	27730	1525	875
河南 Henan	47467	43275	2740	1288
湖北 Hubei	27588	24096	1688	1352
湖南 Hunan	45164	42087	1778	1179
广东 Guangdong	33266	28998	3267	858
广西 Guangxi	21661	18631	1710	1238
海南 Hainan	5846	4849	412	577
四川 Sichuan	153905	133742	13054	6455
贵州 Guizhou	24773	22364	1870	521
云南 Yunnan	27036	23971	2094	933
西藏 Tibet	3222	2700	201	321
陕西 Shaanxi	34418	31064	2451	784
甘肃 Gansu	11454	10453	533	445
青海 Qinghai	5848	5345	267	220
宁夏 Ningxia	4078	3665	245	162
新疆 Xinjiang	14109	12277	993	796

工 数（县 镇）

in Primary Schools (County Seats & Towns)

单位：人

工 数 & Workers		代课教师 Substitute Teachers	临时工 Temporary Workers
校办工厂、农场职工 Employees in School－run Factories & Farms			
计 Total	其中：由厂、场收入支付工资的职工 Employees maintained by income of school－run businesses		
7527	1884	60518	11358
73	9	1063	569
83	2	196	111
271	116	5942	600
73	7	1026	228
206	70	1001	232
625	489	232	64
177	42	1198	177
356	207	940	250
437	0	19	69
2141	241	4350	951
577	90	14436	2058
231	55	904	251
87	8	1897	249
173	107	1687	427
131	40	406	115
164	29	4378	474
452	210	315	168
120	0	1961	261
143	26	2038	462
82	20	1139	84
8	0	98	74
654	19	9061	1808
18	14	1689	288
38	15	1531	369
0	0	351	301
119	42	2084	327
23	2	106	79
16	11	68	94
6	2	80	114
43	11	322	104

小学教职

Number of Teachers, Staff & Workers

地区 Region	教职 Teachers, Staff 合计 Total	专任教师 Full-time Teachers	行政人员 Adm. Personnel	工勤人员 Workers
总计 Total	4273305	3876327	301443	86245
北京 Beijing	20376	16926	2759	618
天津 Tianjin	22477	19354	2454	500
河北 Hebei	200076	187958	10415	1342
山西 Shanxi	132166	122997	7774	1247
内蒙古 Inner Mongolia	116299	106065	5737	4325
辽宁 Liaoning	148271	127328	19065	1513
吉林 Jilin	100204	87511	10126	2518
黑龙江 Heilongjiang	152501	136884	11498	3920
上海 Shanghai	27784	22052	3627	994
江苏 Jiangsu	166520	145447	14748	4268
浙江 Zhejiang	38173	34671	2843	488
安徽 Anhui	231340	212043	16671	2254
福建 Fujian	123247	113023	9193	938
江西 Jiangxi	170428	159864	7248	2990
山东 Shandong	356271	334519	15517	5652
河南 Henan	317815	299936	15662	2074
湖北 Hubei	249469	222402	14146	11936
湖南 Hunan	241181	226913	7790	5991
广东 Guangdong	271571	229714	37828	3930
广西 Guangxi	190981	162438	23884	4385
海南 Hainan	40372	34496	4000	1836
四川 Sichuan	281873	254731	18275	8368
贵州 Guizhou	143563	131809	10045	1685
云南 Yunnan	156377	143640	9504	3161
西藏 Tibet	5539	5158	126	247
陕西 Shaanxi	134474	124760	8347	1322
甘肃 Gansu	107572	103206	3219	1114
青海 Qinghai	19033	17773	608	496
宁夏 Ningxia	23559	21880	1218	444
新疆 Xinjiang	83793	70829	7116	5689

工 数（农村）

in Primary Schools (Rural)

单位：人

工数 & Workers		代课教师 Substitute Teachers	临时工 Temporary Workers
校办工厂、农场职工 Employees in School-run Factories & Farms			
计 Total	其中：由厂、场收入支付工资的职工 Employees maintained by income of school-run businesses		
9290	1613	543474	61393
73	10	2258	1698
169	22	1326	159
361	130	58437	2098
148	74	13418	1329
172	61	4798	731
365	145	9321	1861
49	30	7494	216
199	51	10467	5083
1111	0	45	45
2057	148	8960	2872
171	12	9656	1100
372	25	11226	1337
93	5	23062	1121
326	117	8750	2715
583	38	11891	1095
143	14	62286	5050
985	366	6080	1918
487	18	22796	1886
99	14	36792	5637
274	34	88601	1299
40	2	7049	491
499	35	27876	7646
24	20	25256	2402
72	3	43313	4818
8	0	1088	569
45	3	15576	2067
33	5	4529	751
156	139	249	511
17	0	3249	1231
159	92	17625	1657

小学教职工总数

Number of Primary School Teachers, Staff

地区 Region	教职 Teachers, Staff 合计 Total	专任教师 Full-time Teachers	行政人员 Adm. Personnel	工勤人员 Workers
总计 Total	2013927	1929740	37597	35240
北京 Beijing	0	0	0	0
天津 Tianjin	990	863	12	108
河北 Hebei	106886	105050	845	714
山西 Shanxi	69447	67906	754	683
内蒙古 Inner Mongolia	61148	57912	717	2331
辽宁 Liaoning	48684	44896	1019	287
吉林 Jilin	47867	44587	1200	120
黑龙江 Heilongjiang	63609	61295	1878	168
上海 Shanghai	0	0	0	0
江苏 Jiangsu	101095	91366	3431	3105
浙江 Zhejiang	19590	18740	283	387
安徽 Anhui	130323	126307	2759	1006
福建 Fujian	68	57	6	5
江西 Jiangxi	87583	84608	877	1869
山东 Shandong	236675	229840	2458	3916
河南 Henan	208567	202549	5168	757
湖北 Hubei	165519	148368	6476	9890
湖南 Hunan	118772	115846	509	2170
广东 Guangdong	111289	106684	2183	2371
广西 Guangxi	53878	51549	1757	468
海南 Hainan	3624	3437	25	119
四川 Sichuan	132491	128830	1219	2238
贵州 Guizhou	58042	56518	942	574
云南 Yunnan	29329	28916	183	214
西藏 Tibet	2725	2725	0	0
陕西 Shaanxi	85290	82001	2411	774
甘肃 Gansu	55152	54240	329	526
青海 Qinghai	6320	6134	17	137
宁夏 Ningxia	4367	4222	10	131
新疆 Xinjiang	4597	4294	129	172

中民办教职工数

& Workers Maintained by the Communities

单位:人

工 数 & Workers			
校办工厂、农场职工 Employees in School-run Factories & Farms		代课教师 Substitute Teachers	临 时 工 Temporary Workers
计 Total	其中:由厂、场收入支付工资的职工 Employees maintained by income of school-run businesses		
11350	7588	287071	36343
0	0	0	0
7	0	853	89
277	96	55337	2115
104	74	1517	479
188	105	3079	222
2482	2409	7834	1623
1960	1956	144	162
268	256	2321	3364
0	0	0	0
3193	1703	10375	3303
180	96	12289	1778
251	51	3659	535
0	0	7	0
229	69	4176	1855
461	52	12405	1113
93	3	62071	4470
785	479	5388	1834
247	30	12275	1502
51	12	21155	5491
104	8	27191	580
43	0	3104	321
204	76	13060	2312
8	8	6992	181
16	0	778	203
0	0	195	46
104	33	16506	2031
57	43	2452	413
32	29	35	135
4	0	336	88
2	0	1537	98

小学教职工总数

Number of Female Teachers, Staff &

地区 Region	教职 Teachers, Staff 合计 Total	专任教师 Full-time Teachers	行政人员 Adm. Personnel	工勤人员 Workers
总计 Total	2679147	2506898	97779	63526
北京 Beijing	52063	44672	5413	1636
天津 Tianjin	41316	36121	3735	1265
河北 Hebei	152050	146869	3587	1351
山西 Shanxi	102691	98453	2838	1254
内蒙古 Inner Mongolia	82045	75714	3048	2997
辽宁 Liaoning	139491	125648	10151	1641
吉林 Jilin	96562	86478	6590	2379
黑龙江 Heilongjiang	139107	125416	8904	4144
上海 Shanghai	51027	41421	6669	2198
江苏 Jiangsu	118396	109821	3457	3424
浙江 Zhejiang	76593	73363	1630	1204
安徽 Anhui	90604	86815	1972	1572
福建 Fujian	74881	72854	1087	908
江西 Jiangxi	87122	83612	1531	1809
山东 Shandong	170206	163406	4166	2172
河南 Henan	163789	158278	3936	1378
湖北 Hubei	127146	118065	3409	5005
湖南 Hunan	142219	136591	2233	3196
广东 Guangdong	143288	134680	4652	3794
广西 Guangxi	75783	70753	2195	2707
海南 Hainan	15138	13136	269	1696
四川 Sichuan	197390	183495	6924	6519
贵州 Guizhou	56132	53237	1934	931
云南 Yunnan	66043	61846	1669	2510
西藏 Tibet	3042	2782	89	165
陕西 Shaanxi	81540	78526	2026	906
甘肃 Gansu	39887	38464	629	725
青海 Qinghai	12104	11521	251	289
宁夏 Ningxia	12870	12210	250	398
新疆 Xinjiang	68622	62651	2535	3353

中女教职工数

Workers in Primary Schools

单位:人

工数 & Workers		代课教师 Substitute Teachers	临时工 Temporary Workers
校办工厂、农场职工 Employees in School-run Factories & Farms			
计 Total	其中:由厂、场收入支付工资的职工 Employees maintained by income of school-run businesses		
10944	5631	316903	39901
342	151	3110	2612
195	12	1138	172
243	133	47707	1760
146	75	11510	1342
286	119	3833	527
2051	1794	5874	1319
1115	977	5312	215
643	361	7179	2549
739	0	2	1
1694	902	7971	1818
396	173	17582	2503
245	69	5696	962
32	4	15391	996
170	127	4187	1403
462	136	6530	528
197	33	32297	2899
667	269	2496	975
199	14	10476	1013
162	29	27194	3855
128	43	37919	752
37	1	2621	31
452	54	13751	3767
30	7	8618	1223
18	7	15014	2869
6	0	373	256
82	20	10452	1508
69	52	1501	386
43	21	155	162
12	0	1255	592
83	48	9759	906

小学学龄儿童

Net Enrolment Rate of School-age

地区 Region		校内外学龄儿童总数 Total Number of School-age Children	小学在校 Breakdown of		
			合计 Total	不足七周岁 Under 7 years	七周岁 7 years
总计	**Total**	114319773	111709452	984625	21335298
北京	Beijing	942380	941230	116510	157427
天津	Tianjin	828326	811928	30038	132050
河北	Hebei	7366203	7251001	1890	1331577
山西	Shanxi	2910222	2876618	0	573393
内蒙古	Inner Mongolia	2126120	2091200	0	345798
辽宁	Liaoning	3473708	3445259	0	595608
吉林	Jilin	2415251	2398245	0	428301
黑龙江	Heilongjiang	3474906	3415295	0	566540
上海	Shanghai	1090074	1087109	172660	176849
江苏	Jiangsu	5324762	5294054	97368	1008457
浙江	Zhejiang	3367365	3206723	0	583087
安徽	Anhui	5091251	5004939	50581	1029616
福建	Fujian	3351535	3339125	14248	619864
江西	Jiangxi	3637054	3594532	15694	731951
山东	Shandong	7830190	7724807	150194	1641880
河南	Henan	8325430	8236081	17709	1727285
湖北	Hubei	5745418	5668369	243443	1084123
湖南	Hunan	6665345	6482492	0	1171811
广东	Guangdong	7676912	7635714	0	1304951
广西	Guangxi	5601195	5486911	353	1070641
海南	Hainan	980007	970290	0	168178
四川	Sichuan	8846167	8362900	0	1789973
贵州	Guizhou	4066880	3814030	0	703442
云南	Yunnan	4057729	3909030	8345	706194
西藏	Tibet	316765	165821	0	32725
陕西	Shaanxi	3788875	3727872	65592	709942
甘肃	Gansu	2194989	2101919	0	432031
青海	Qinghai	422867	354751	0	67517
宁夏	Ningxia	533088	506903	0	102683
新疆	Xinjiang	1868759	1804304	0	341404

入学率情况

Children in Primary Schools

单位:人

学龄儿童年龄分组 Students by age						学龄儿童入学率(%) Net Enrolment Rate of School-age Children
八周岁 8 years	九周岁 9 years	十周岁 10 years	十一周岁 11 years	十二周岁 12 years	十三周岁及以上 13 years and over	
20277195	19457690	19671246	19966199	10014226	2973	97.72
149786	155448	173448	188611	0	0	99.88
132566	137488	148122	153628	78036	0	98.02
1277061	1209748	1197639	1264561	968470	55	98.44
581665	576845	548030	536320	60289	76	98.85
402755	408197	410390	426468	97592	0	98.36
519230	501796	585638	701157	541830	0	99.18
404395	380105	392378	431184	361882	0	99.30
574057	564755	599710	658572	451661	0	98.28
159132	177559	204172	196737	0	0	99.73
889186	860118	922585	1041391	474949	0	99.42
537985	573075	658721	658033	195822	0	95.23
989599	953900	947489	971059	62695	0	98.30
645539	624097	620409	603619	211349	0	99.63
749157	734176	704588	632489	26477	0	98.83
1501864	1441005	1448939	1357911	183014	0	98.65
1589473	1553201	1640371	1602431	105611	0	98.93
1022330	977029	948969	884690	507785	0	98.66
1131545	1099667	1127577	1119456	832436	0	97.26
1318763	1293341	1275227	1266952	1176480	0	99.46
1089710	1002165	923051	878310	522681	0	97.96
171103	169792	162081	154776	144360	0	99.01
1407453	1188952	1308765	1550544	1117213	0	94.54
691949	664723	608166	612691	533059	0	93.78
694014	670221	664585	676707	488942	22	96.34
34267	31979	27908	22977	15965	0	52.35
691628	648945	596795	567135	447835	0	98.39
421220	392075	365294	354791	136508	0	95.76
62434	62625	63602	69245	26508	2820	83.89
99745	95446	92992	94821	21216	0	95.09
337584	309217	303605	288933	223561	0	96.55

小学女学龄儿童

Net Enrolment Rate of Female School－age

地区 Region		校内外学龄儿童总数 Total Number of School－age Children	小学在校 Breakdown of		
			合计 Total	不足七周岁 Under 7 years	七周岁 7 years
总计	**Total**	54532260	52797934	478231	10163651
北京	Beijing	458272	457803	56919	75854
天津	Tianjin	403010	393761	14734	65008
河北	Hebei	3564381	3495960	921	643779
山西	Shanxi	1393039	1376467	0	277098
内蒙古	Inner Mongolia	1022413	1001901	0	165901
辽宁	Liaoning	1680735	1664313	0	285379
吉林	Jilin	1171695	1163021	0	207886
黑龙江	Heilongjiang	1687678	1658491	0	276848
上海	Shanghai	530025	526164	84180	85775
江苏	Jiangsu	2564062	2506423	45611	479575
浙江	Zhejiang	1608011	1528394	0	276681
安徽	Anhui	2372699	2313161	23077	482739
福建	Fujian	1594516	1586226	6837	296656
江西	Jiangxi	1724373	1700090	7380	350385
山东	Shandong	3767723	3701679	73988	793494
河南	Henan	3989443	3914527	8711	824393
湖北	Hubei	2726780	2676419	119711	513308
湖南	Hunan	3188538	3082367	0	561221
广东	Guangdong	3617079	3593413	0	621904
广西	Guangxi	2620338	2545497	169	505159
海南	Hainan	453894	446024	0	79022
四川	Sichuan	4215394	3938834	0	844419
贵州	Guizhou	1898878	1644149	0	313399
云南	Yunnan	1905214	1805538	4221	332999
西藏	Tibet	152263	69029	0	12338
陕西	Shaanxi	1811401	1767834	31772	341664
甘肃	Gansu	1036584	964818	0	203564
青海	Qinghai	203080	159468	0	31347
宁夏	Ningxia	255199	231246	0	47347
新疆	Xinjiang	915543	884917	0	168509

入学率情况

Children in Primary Schools

单位: 人

学生年龄分组 Students by age						学龄儿童入学率(%) Net Enrolment Rate of School-age Children
八周岁 8 years	九周岁 9 years	十周岁 10 years	十一周岁 11 years	十二周岁 12 years	十三周岁及以上 13 years and over	
9625318	9210989	9276306	9368901	4673409	1129	96.82
73609	75841	83940	91640	0	0	99.90
64878	66109	71769	74384	36879	0	97.71
617416	585740	575290	607658	465131	25	98.08
279024	276867	261058	254916	27504	0	98.81
192671	195794	197072	203582	46881	0	97.99
251476	243809	284248	335818	263583	0	99.02
197036	184430	191005	208033	174631	0	99.26
278560	275183	291045	318114	218741	0	98.27
77184	86119	98322	94584	0	0	99.27
420292	407613	436485	491373	225474	0	97.75
254910	272669	314909	315917	93308	0	95.05
461319	440576	435162	443202	27086	0	97.49
308423	297589	294157	284359	98205	0	99.48
356027	346167	331134	296111	12886	0	98.59
719312	691438	692266	644868	86313	0	98.25
761047	737524	775249	757753	49850	0	98.12
485877	463704	444770	415157	233892	0	98.15
541114	526309	533264	527703	392756	0	96.67
625357	609952	599809	592597	543794	0	99.35
509540	469629	426637	399579	234784	0	97.14
78548	78066	74554	70452	65382	0	98.27
664304	562809	617691	728769	520842	0	93.44
305041	281305	260362	257352	226690	0	86.59
323384	310677	306458	307892	219895	12	94.77
15228	13307	11283	9934	6939	0	45.34
330371	307304	282502	264567	209654	0	97.59
192840	180850	166999	158761	61804	0	93.08
28598	28116	28177	30733	11405	1092	78.52
45866	44001	42171	42066	9795	0	90.61
166066	151492	148518	141027	109305	0	96.65

特殊教育学校基本情况(包括盲

Basic Statistics of Special Education Schools (Including

地 区 Region	学校数(所) Schools	班 数(个) Classes		毕业生数 Graduates		
		小 学 Primary Schools	初 中 Junior Sec. Schools	计 Total	小 学 Primary Schools	初 中 Junior Sec. Schools
总 计 Total	1123	8760	392	11721	10510	1211
北 京 Beijing	19	239	25	926	774	152
天 津 Tianjin	21	134	17	143	119	24
河 北 Hebei	70	328	4	1132	1122	10
山 西 Shanxi	25	331	11	379	354	25
内蒙古 Inner Mongolia	15	118	2	52	40	12
辽 宁 Liaoning	76	820	28	584	522	62
吉 林 Jilin	40	477	32	507	436	71
黑龙江 Heilongjiang	71	584	23	769	689	80
上 海 Shanghai	36	322	69	302	149	153
江 苏 Jiangsu	126	1223	50	1161	1054	107
浙 江 Zhejiang	53	359	1	548	536	12
安 徽 Anhui	24	186	19	282	220	62
福 建 Fujian	33	226	1	947	876	71
江 西 Jiangxi	21	109	9	355	294	61
山 东 Shandong	117	769	35	1118	1033	85
河 南 Henan	91	386	6	246	236	10
湖 北 Hubei	53	300	21	259	223	36
湖 南 Hunan	35	173	6	319	290	29
广 东 Guangdong	32	558	8	221	206	15
广 西 Guangxi	16	143	0	186	186	0
海 南 Hainan	1	8	0	30	25	5
四 川 Sichuan	82	373	11	549	497	52
贵 州 Guizhou	13	99	0	41	41	0
云 南 Yunnan	10	136	8	204	171	33
西 藏 Tibet	0	0	0	0	0	0
陕 西 Shaanxi	19	170	1	157	139	18
甘 肃 Gansu	11	83	3	125	105	20
青 海 Qinghai	2	29	0	9	9	0
宁 夏 Ningxia	5	25	0	55	55	0
新 疆 Xinjiang	6	52	2	115	109	6

聋哑学校及弱智儿童辅读学校)

Schools for the Blind, the Deaf-mute & the Retarded)

单位:人

招生数 Students Admitted			在校学生数 Enrolment			教职工数 Teachers, Staff & Workers	
计 Total	小学 Primary Schools	初中 Junior Sec. Schools	计 Total	小学 Primary Schools	初中 Junior Sec. Schools	计 Total	其中:专任教师 Of which: Full-time Teachers
33533	31976	1557	168585	163110	5475	29555	20350
1033	874	159	8231	7674	557	882	603
289	233	56	3680	3505	175	690	456
2332	2312	20	15806	15754	52	972	683
882	826	56	4315	4159	156	928	694
206	202	4	1168	1160	8	404	302
1109	1040	69	8079	7760	319	2574	1808
1021	905	116	8005	7610	395	1685	1126
1109	1006	103	8447	8123	324	2574	1756
862	744	118	4365	3619	746	1267	729
5094	4960	134	24517	24082	435	3514	2422
4288	4228	60	13202	12951	251	1081	824
732	631	101	3238	2935	303	624	423
2762	2675	87	11626	11250	376	656	518
784	727	57	2277	2103	174	326	267
2197	2093	104	12250	11929	321	3670	2289
1239	1202	37	5263	5208	55	1602	1124
1819	1751	68	4856	4690	166	1071	757
832	802	30	3206	3018	188	776	528
1191	1162	29	6689	6620	69	690	502
660	660	0	3146	3131	15	356	278
84	81	3	705	695	10	43	23
946	903	43	5192	5090	102	1213	935
217	217	0	1084	1083	1	312	228
607	554	53	2170	2027	143	377	256
0	0	0	0	0	0	0	0
740	730	10	4744	4664	80	488	342
240	220	20	1027	993	34	298	218
41	41	0	356	356	0	85	59
93	93	0	370	370	0	107	69
124	104	20	571	551	20	290	131

特殊教育学校中盲

Basic Statistics of Schools for

地　区 Region	学校数(所) Schools	班数(个) Classes		毕业生数 Graduates		
		小学 Primary Schools	初中 Junior Sec. Schools	计 Total	小学 Primary Schools	初中 Junior Sec. Schools
总计 Total	824	4831	364	5588	4665	923
北　京 Beijing	7	76	25	174	86	88
天　津 Tianjin	7	50	16	85	61	24
河　北 Hebei	55	212	4	177	167	10
山　西 Shanxi	16	132	9	315	290	25
内蒙古 Inner Mongolia	12	81	2	52	40	12
辽　宁 Liaoning	53	413	28	330	268	62
吉　林 Jilin	26	277	32	406	335	71
黑龙江 Heilongjiang	66	500	23	603	523	80
上　海 Shanghai	21	107	55	170	72	98
江　苏 Jiangsu	71	496	46	645	557	88
浙　江 Zhejiang	41	271	0	277	277	0
安　徽 Anhui	20	142	17	272	210	62
福　建 Fujian	14	99	1	94	94	0
江　西 Jiangxi	14	51	9	157	96	61
山　东 Shandong	92	506	35	561	477	84
河　南 Henan	73	307	6	186	176	10
湖　北 Hubei	49	232	21	127	100	27
湖　南 Hunan	32	151	6	134	134	0
广　东 Guangdong	14	111	4	95	81	14
广　西 Guangxi	10	31	0	24	24	0
海　南 Hainan	1	8	0	0	0	0
四　川 Sichuan	74	211	11	195	146	49
贵　州 Guizhou	8	40	0	21	21	0
云　南 Yunnan	8	69	8	163	131	32
西　藏 Tibet	0	0	0	0	0	0
陕　西 Shaanxi	19	109	1	83	83	0
甘　肃 Gansu	9	59	3	95	75	20
青　海 Qinghai	2	21	0	9	9	0
宁　夏 Ningxia	4	21	0	45	45	0
新　疆 Xinjiang	6	48	2	93	87	6

注:本表不包括普校附设的盲聋哑班的学生数

Nomber of students in the blind and deaf-mute classes attached to regular schools are not included.

聋哑学校基本情况

the Blind & the Deaf-mute

单位:人

招生数 Students Admitted			在校学生数 Enrolment			教职工数 Teachers Staff & Workers	
计 Total	小学 Primary Schools	初中 Junior Sec. Schools	计 Total	小学 Primary Schools	初中 Junior Sec. Schools	计 Total	其中:专任教师 Of which: Full-time Teachers
11913	10661	1252	63674	59754	3920	22594	14561
231	152	79	1152	865	287	464	267
155	99	56	698	536	162	386	246
732	712	20	2709	2657	52	783	523
490	446	44	2181	2054	127	662	454
136	132	4	818	814	4	343	243
705	636	69	5100	4781	319	1876	1254
539	423	116	4122	3727	395	1424	905
732	631	101	5525	5217	308	2420	1634
235	127	108	1686	1110	576	898	473
1117	986	131	6829	6457	372	2409	1377
544	544	0	3991	3991	0	905	665
507	408	99	2337	2095	242	547	359
323	323	0	1402	1389	13	354	241
210	153	57	836	675	161	198	146
1287	1185	102	6626	6316	310	2783	1666
971	934	37	4061	4015	46	1379	947
582	541	41	2632	2513	119	945	638
562	544	18	2029	1948	81	717	485
334	309	25	1436	1391	45	377	266
36	36	0	359	359	0	131	80
21	21	0	93	93	0	43	23
369	326	43	2017	1917	100	892	632
136	136	0	492	492	0	198	131
319	267	52	1250	1113	137	304	193
0	0	0	0	0	0	0	0
291	281	10	1416	1406	10	455	312
158	138	20	760	726	34	247	168
27	27	0	264	264	0	74	48
84	84	0	326	326	0	94	58
80	60	20	527	507	20	286	127

幼儿园基本

Basic Statistics of Kindergartens

地区 Region	园数（所） Kindergartens	班数（个） Classes		入园人数 Entrants
	计 Total	计 Total	其中:小学附设学前班 Of which: Pre-school Classes Attached to Primary Schools	
总计 Total	165197	765423	422764	17487940
北京 Beijing	3369	13300	1949	170580
天津 Tianjin	286	5294	3824	95450
河北 Hebei	1376	44464	38017	1268947
山西 Shanxi	6482	34024	23062	594224
内蒙古 Inner Mongolia	1092	14636	9789	327382
辽宁 Liaoning	8631	37710	15139	642864
吉林 Jilin	1971	16294	8817	326442
黑龙江 Heilongjiang	1660	21007	14233	414243
上海 Shanghai	3953	13886	666	192354
江苏 Jiangsu	20283	57097	18768	1115312
浙江 Zhejiang	9179	29396	10246	519650
安徽 Anhui	1948	20173	13351	525935
福建 Fujian	10968	27578	11958	606691
江西 Jiangxi	3705	13910	5826	333047
山东 Shandong	38947	85831	26847	1632584
河南 Henan	16355	45890	34956	1477427
湖北 Hubei	3305	29449	18928	768144
湖南 Hunan	3536	42144	34473	1080934
广东 Guangdong	6533	48733	26314	1353804
广西 Guangxi	1754	29358	23649	906854
海南 Hainan	349	3308	1984	92493
四川 Sichuan	14356	64142	33170	1405981
贵州 Guizhou	985	8275	5126	247474
云南 Yunnan	1093	13757	8793	344645
西藏 Tibet	36	100	22	1645
陕西 Shaanxi	1083	26319	21992	601184
甘肃 Gansu	701	9514	6652	226685
青海 Qinghai	171	1570	935	38328
宁夏 Ningxia	188	2290	1402	59652
新疆 Xinjiang	902	5974	1876	116985

情 况 （总 计）

(Regional Aggregates)

在园幼儿数（人） Children Enrolled		教职工数（人） Teachers, Staff & Workers			
			其中: Of which		
计 Total	其中:小学附设学前班 Of which: Pre-school Classes Attached to Primary Schools	计 Total	园长 Kindergarten Heads	教师 Teachers	保健员 Health Nurses
25525380	14355675	1126333	61683	835976	50877
372368	66505	44741	3067	18114	1264
161948	110392	9354	499	5403	217
1533310	1330798	54002	1409	45736	1810
958654	590331	43553	1738	34885	1754
434069	289477	20750	1130	14170	1167
1145712	466912	72696	5602	43963	3372
488659	271544	32262	2156	21325	2441
604845	398204	39906	2134	26152	1823
397564	20320	40352	2370	25710	1611
2068862	696219	89067	5643	74028	2560
976311	361660	43522	2179	35887	1366
754693	511625	24606	1720	20463	1073
974936	404994	40147	2149	35707	1149
484630	195908	21076	1176	17014	1761
2622473	881250	125640	6651	105947	4647
1834800	1420306	28447	1612	16832	834
1122531	713243	52125	2879	36895	2327
1217993	1003523	52920	1637	43987	3229
1905347	1066270	78482	5473	53534	5336
1053487	863130	28721	1510	21884	711
126444	76937	4662	343	3196	921
2102745	1132544	84791	3658	68913	3125
313795	212644	14573	916	11970	1235
436423	269707	20060	1011	15179	1169
2974	556	300	21	159	57
757277	611166	26053	1150	19401	1192
345721	240358	11912	672	7579	1057
60007	38179	2417	186	1638	393
77536	51666	4338	220	2646	385
189266	59307	14858	772	7659	891

成人高等学校基本情况(总计)(不包

Basic Statistics of Adult Higher Educational
(Evening Schools & Divisions of Correspondence run by Regular

地　区 Region	学校数(所) Schools 计 Total	其中:中央部委所属学校数 Inst. Under Central Ministries & Agencies	本专科学生数 Undergraduate Students 毕业生数 Graduates	招生数 Students Admitted	在校学生数 Enrolment	合　计 Total	校 Teachers, 计 Subtotal	专　任 Full-time 小计 Subtotal	教授 Prof.
总　计 Total	1183	275	251841	485064	1035537	204707	193738	89468	733
北　京 Beijing	86	43	11173	26582	66742	18372	17488	6910	177
天　津 Tianjin	46	5	6771	14270	31713	8154	7971	3542	26
河　北 Hebei	45	15	11165	20608	47711	8594	8003	3516	18
山　西 Shanxi	34	6	7343	9826	19546	6551	5904	2585	9
内蒙古 Inner Mongolia	23	3	5779	7000	15395	4260	4177	2086	5
辽　宁 Liaoning	64	24	13548	23946	57361	12787	12460	5563	37
吉　林 Jilin	46	10	6801	12645	27573	6482	6313	3089	36
黑龙江 Heilongjiang	85	19	15113	18951	44442	12493	11916	5908	25
上　海 Shanghai	67	9	4970	9419	23125	12364	11836	5359	40
江　苏 Jiangsu	64	13	10747	19782	44867	11411	10701	5447	29
浙　江 Zhejiang	38	4	6942	15548	30638	4128	4001	1984	12
安　徽 Anhui	27	6	6262	12086	26622	4391	4195	1935	7
福　建 Fujian	20	1	4261	9913	18132	2392	2299	1144	9
江　西 Jiangxi	25	4	6860	10698	23654	4424	3757	1786	10
山　东 Shandong	54	15	18434	40502	83394	12648	11306	5257	41
河　南 Henan	53	14	12493	20583	44958	9448	9037	4341	21
湖　北 Hubei	63	16	14370	22650	56399	10987	10511	4855	38
湖　南 Hunan	41	8	17094	29535	55468	6130	5583	2581	16
广　东 Guangdong	56	5	16272	52608	88103	9417	9194	4294	75
广　西 Guangxi	24	0	5810	14795	33573	4455	4209	2117	16
海　南 Hainan	5	1	1074	1645	2923	437	437	219	1
四　川 Sichuan	80	18	24071	38961	91322	12993	12272	5548	43
贵　州 Guizhou	17	4	3719	8603	14333	3046	2980	1331	5
云　南 Yunnan	18	4	3010	5652	11422	2796	2674	1252	12
西　藏 Tibet	0	0	0	0	0	0	0	0	0
陕　西 Shaanxi	43	17	6995	15961	30864	7192	6525	3005	5
甘　肃 Gansu	21	9	2714	6408	11948	2932	2833	1417	4
青　海 Qinghai	3	0	620	1494	2670	534	525	259	9
宁　夏 Ningxia	5	0	1492	2241	4986	707	687	330	1
新　疆 Xinjiang	30	2	5938	12152	25653	4182	3944	1808	6

括普通高等学校函授部、夜大学)

Institutions (Regional Aggregates)
Institutions of Higher Education are not included in Aggregates)

单位:人

教职工数 Teachers, Staff & Workers										兼任教师 Part-time Teachers
本部教职工 Staff & Workers in the School Proper							科研机构人员 Personnel in Affiliated Research Org.	校办厂、场职工 Employees in School-run Factories, Farms	附设机构人员 Personnel in Other Subsidiary Units	
教师 Teachers				教辅人员 Supporting Staff	行政人员 Adm. Personnel	工勤人员 Workers				
副教授 Asso. Prof.	讲师 Lecturers	助教 Assistants	教员 Instructors							
15204	37707	25240	10584	22527	50529	31214	1478	6038	3453	24090
1139	2729	1478	1387	2692	5267	2619	93	491	300	3155
538	1433	1313	232	901	2229	1299	52	95	36	1339
674	1277	1248	299	884	2075	1528	48	419	124	410
427	805	1040	304	509	1716	1094	16	505	126	299
407	759	806	109	501	1001	589	18	28	37	103
916	2366	1577	667	1403	3029	2465	28	196	103	605
643	1300	817	293	650	1610	964	47	97	25	222
1161	2934	1329	459	1250	2772	1986	286	215	76	972
840	2779	854	846	1779	2646	2052	185	305	38	503
759	2400	1467	792	1060	2677	1517	25	497	188	890
311	931	551	179	468	948	601	0	86	41	874
382	919	453	174	404	1180	676	7	24	165	655
194	461	357	123	225	700	230	0	69	24	857
320	682	613	161	426	919	626	19	482	166	674
780	1875	2039	522	1409	2862	1778	63	942	337	975
702	1868	1317	433	906	2505	1285	26	344	41	1357
861	2017	1422	517	1372	2698	1586	112	297	67	920
519	1121	602	323	624	1406	972	20	102	425	1096
764	1993	1018	444	996	2417	1487	64	61	98	2380
356	967	598	180	420	988	684	106	80	60	1304
33	94	75	16	24	110	84	0	0	0	63
1089	2329	1171	916	1318	3482	1924	110	221	390	1985
162	449	520	195	379	866	404	15	38	13	471
192	551	380	117	288	662	472	39	41	42	205
0	0	0	0	0	0	0	0	0	0	0
422	1213	874	491	782	1813	925	30	321	316	1142
222	509	465	217	274	712	430	0	45	54	158
38	131	69	12	79	91	96	0	9	0	55
40	144	102	43	68	150	139	9	0	11	54
313	671	685	133	436	998	702	60	28	150	367

成人高等学校本、专科学生数(总计)

Number of Students in Adult Higher Educational (Evening Schools & Divisions of Correspondence run by

地 区 Region		毕业生数 Graduates			招生数 Students Admitted		
		计 Total	本科 Normal Courses	专科 Short-cycle Courses	计 Total	本科 Normal Courses	专科 Short-cycle Courses
总 计	**Total**	251841	11588	240253	485064	22478	462586
北 京	Beijing	11173	815	10358	26582	507	26075
天 津	Tianjin	6771	141	6630	14270	230	14040
河 北	Hebei	11165	350	10815	20608	320	20288
山 西	Shanxi	7343	445	6898	9826	2021	7805
内蒙古	Inner Mongolia	5779	107	5672	7000	0	7000
辽 宁	Liaoning	13548	512	13036	23946	1354	22592
吉 林	Jilin	6801	375	6426	12645	334	12311
黑龙江	Heilongjiang	15113	281	14832	18951	110	18841
上 海	Shanghai	4970	923	4047	9419	401	9018
江 苏	Jiangsu	10747	348	10399	19782	265	19517
浙 江	Zhejiang	6942	297	6645	15548	610	14938
安 徽	Anhui	6262	460	5802	12086	1318	10768
福 建	Fujian	4261	235	4026	9913	250	9663
江 西	Jiangxi	6860	486	6374	10698	369	10329
山 东	Shandong	18434	561	17873	40502	6416	34086
河 南	Henan	12493	454	12039	20583	928	19655
湖 北	Hubei	14370	792	13578	22650	1133	21517
湖 南	Hunan	17094	1229	15865	29535	1150	28385
广 东	Guangdong	16272	479	15793	52608	2210	50398
广 西	Guangxi	5810	290	5520	14795	175	14620
海 南	Hainan	1074	39	1035	1645	151	1494
四 川	Sichuan	24071	988	23083	38961	946	38015
贵 州	Guizhou	3719	204	3515	8603	483	8120
云 南	Yunnan	3010	157	2853	5652	144	5508
西 藏	Tibet	0	0	0	0	0	0
陕 西	Shaanxi	6995	317	6678	15961	412	15549
甘 肃	Gansu	2714	81	2633	6408	125	6283
青 海	Qinghai	620	36	584	1494	20	1474
宁 夏	Ningxia	1492	22	1470	2241	96	2145
新 疆	Xinjiang	5938	164	5774	12152	0	12152

(不包括普通高等学校函授部、夜大学)

Institutions by Type of Courses (Regional Aggregates)
Institutions of Higher Education are not included in Aggregates)

单位:人

在校学生数 Enrolment			毕业班学生数 Graduates for Next Year		
计 Total	本科 Normal Courses	专科 Short-cycle Courses	计 Total	本科 Normal Courses	专科 Short-cycle Courses
1035537	46490	989047	291721	11763	279958
66742	2053	64689	30113	802	29311
31713	890	30823	9131	265	8866
47711	803	46908	11468	217	11251
19546	2771	16775	6462	489	5973
15395	29	15366	4862	29	4833
57361	3621	53740	16158	869	15289
27573	588	26985	7214	117	7097
44442	634	43808	12467	87	12380
23125	1806	21319	5703	715	4988
44867	2004	42863	12853	349	12504
30638	1541	29097	6198	451	5747
26622	2199	24423	8338	380	7958
18132	538	17594	3722	199	3523
23654	989	22665	6611	376	6235
83394	7644	75750	19976	894	19082
44958	2208	42750	12532	664	11868
56399	2150	54249	14792	336	14456
55468	3353	52115	18778	1457	17321
88103	4414	83689	18767	889	17878
33573	641	32932	9836	279	9557
2923	291	2632	927	103	824
91322	2611	88711	24515	905	23610
14333	995	13338	3971	342	3629
11422	245	11177	3797	98	3699
0	0	0	0	0	0
30864	875	29989	8438	199	8239
11948	325	11623	3910	169	3741
2670	20	2650	633	0	633
4986	137	4849	1333	41	1292
25653	115	25538	8216	42	8174

广播电视大

Basic Statistics of

地区 Region	学校数(所) Schools 计 Total	其中:中央部委所属学校数 Inst. under Central Ministries & Agencies	本专科学生数 Undergraduate Students 毕业生数 Graduates	招生数 Students Admitted	在校学生数 Enrolment	合计 Total	校 Teachers, 计 Subtotal	专任 Full-time 小计 Subtotal	教授 Prof.
总计 Total	45	1	101615	213331	437895	41090	39510	17149	40
北京 Beijing	2	1	1182	2914	6735	1221	999	379	3
天津 Tianjin	1	0	1911	5104	10816	1853	1831	725	2
河北 Hebei	1	0	4813	10135	22725	1576	1533	634	2
山西 Shanxi	1	0	1673	2357	5071	565	565	142	0
内蒙古 Inner Mongolia	1	0	2024	3156	5569	967	952	379	0
辽宁 Liaoning	3	0	6166	10953	25327	2025	2023	899	6
吉林 Jilin	2	0	1945	5427	10892	868	868	400	3
黑龙江 Heilongjiang	2	0	7134	9501	19557	3192	3098	1401	1
上海 Shanghai	1	0	433	2178	3882	323	272	74	1
江苏 Jiangsu	2	0	5060	11690	23938	4123	3742	1960	0
浙江 Zhejiang	2	0	4148	9413	19748	1353	1326	660	2
安徽 Anhui	1	0	1866	3819	9337	761	722	226	0
福建 Fujian	2	0	2451	5224	10455	745	738	293	1
江西 Jiangxi	1	0	3194	5752	12695	770	762	335	1
山东 Shandong	2	0	8749	14974	33842	4067	3827	1800	1
河南 Henan	1	0	4783	9448	22380	2272	2211	1041	1
湖北 Hubei	2	0	7631	10973	22925	2912	2810	1324	2
湖南 Hunan	1	0	7751	17055	28346	1111	1107	402	1
广东 Guangdong	3	0	6589	22939	39118	2501	2479	1067	4
广西 Guangxi	1	0	1644	6534	14548	701	695	262	2
海南 Hainan	1	0	200	243	446	99	99	51	0
四川 Sichuan	3	0	9589	18443	41940	1294	1171	306	1
贵州 Guizhou	1	0	1870	4953	7715	943	929	396	1
云南 Yunnan	1	0	1626	4193	8048	654	615	281	4
西藏 Tibet	0	0	0	0	0	0	0	0	0
陕西 Shaanxi	2	0	2929	5662	12693	2087	2039	917	1
甘肃 Gansu	1	0	1522	3234	5900	850	846	349	0
青海 Qinghai	1	0	187	692	993	90	90	26	0
宁夏 Ningxia	1	0	602	1025	2154	158	158	56	0
新疆 Xinjiang	2	0	1943	5340	10100	1009	1003	364	0

学基本情况

Radio/TV Universities

单位:人

教职工数 Teachers, Staff & Workers										兼任教师 Part-time Teachers
本部教职工 Staff & Workers in the School Proper							科研机构人员 Personnel in Affiliated Research Org.	校办厂、场职工 Employees in School-run Factories, Farms	附设机构人员 Personnel in Other Subsidiary Units	
教师 Teachers				教辅人员 Supporting Staff	行政人员 Adm. Personnel	工勤人员 Workers				
副教授 Asso. Prof.	讲师 Lecturers	助教 Assistants	教员 Instructors							
2190	6906	5844	2169	5360	12261	4740	88	753	739	12763
80	233	41	22	80	451	89	8	46	168	501
88	285	290	60	201	635	270	0	22	0	699
102	231	226	73	252	465	182	4	17	22	199
20	49	63	10	71	267	85	0	0	0	125
52	115	176	36	159	265	149	0	11	4	40
137	383	295	78	261	688	175	1	1	0	109
74	188	111	24	165	249	54	0	0	0	108
184	594	395	227	419	884	394	6	54	34	736
17	46	10	0	88	85	25	0	51	0	0
161	814	676	309	375	958	449	7	213	161	410
75	286	221	76	189	343	134	0	26	1	432
30	131	56	9	85	349	62	0	1	38	544
28	124	115	25	78	308	59	0	7	0	446
53	129	125	27	130	223	74	8	0	0	540
188	560	851	200	503	1019	505	9	121	110	646
141	455	333	111	303	668	199	5	30	26	1141
196	481	437	208	388	729	369	6	83	13	461
69	184	106	42	167	381	157	0	4	0	667
130	430	324	179	316	755	341	2	14	6	1315
34	138	69	19	64	283	86	0	6	0	821
8	23	20	0	0	27	21	0	0	0	7
46	178	59	22	272	476	117	0	3	120	1203
35	128	150	82	118	340	75	0	10	4	335
29	121	111	16	40	201	93	17	22	0	108
0	0	0	0	0	0	0	0	0	0	0
108	328	249	231	341	594	187	15	1	32	960
65	106	157	21	91	263	143	0	4	0	48
3	10	9	4	26	24	14	0	0	0	47
4	35	17	0	17	57	28	0	0	0	3
33	121	152	58	161	274	204	0	6	0	112

地区 Region	毕业生数 Graduates 计 Total	本科 Normal Courses	专科 Short-cycle Courses	招生数 Students Admitted 计 Total	本科 Normal Courses	专科 Short-cycle Courses
总计 Total	101615	0	101615	213331	0	213331
北京 Beijing	1182	0	1182	2914	0	2914
天津 Tianjin	1911	0	1911	5104	0	5104
河北 Hebei	4813	0	4813	10135	0	10135
山西 Shanxi	1673	0	1673	2357	0	2357
内蒙古 Inner Mongolia	2024	0	2024	3156	0	3156
辽宁 Liaoning	6166	0	6166	10953	0	10953
吉林 Jilin	1945	0	1945	5427	0	5427
黑龙江 Heilongjiang	7134	0	7134	9501	0	9501
上海 Shanghai	433	0	433	2178	0	2178
江苏 Jiangsu	5060	0	5060	11690	0	11690
浙江 Zhejiang	4148	0	4148	9413	0	9413
安徽 Anhui	1866	0	1866	3819	0	3819
福建 Fujian	2451	0	2451	5224	0	5224
江西 Jiangxi	3194	0	3194	5752	0	5752
山东 Shandong	8749	0	8749	14974	0	14974
河南 Henan	4783	0	4783	9448	0	9448
湖北 Hubei	7631	0	7631	10973	0	10973
湖南 Hunan	7751	0	7751	17055	0	17055
广东 Guangdong	6589	0	6589	22939	0	22939
广西 Guangxi	1644	0	1644	6534	0	6534
海南 Hainan	200	0	200	243	0	243
四川 Sichuan	9589	0	9589	18443	0	18443
贵州 Guizhou	1870	0	1870	4953	0	4953
云南 Yunnan	1626	0	1626	4193	0	4193
西藏 Tibet	0	0	0	0	0	0
陕西 Shaanxi	2929	0	2929	5662	0	5662
甘肃 Gansu	1522	0	1522	3234	0	3234
青海 Qinghai	187	0	187	692	0	692
宁夏 Ningxia	602	0	602	1025	0	1025
新疆 Xinjiang	1943	0	1943	5340	0	5340

本、专科学生数

Universities by Type of Courses

单位: 人

在校学生数 Enrolment			毕业班学生数 Graduates for Next Year		
计 Total	本科 Normal Courses	专科 Short-cycle Courses	计 Total	本科 Normal Courses	专科 Short-cycle Courses
437895	0	437895	109036	0	109036
6735	0	6735	1505	0	1505
10816	0	10816	2973	0	2973
22725	0	22725	4218	0	4218
5071	0	5071	1591	0	1591
5569	0	5569	1586	0	1586
25327	0	25327	6689	0	6689
10892	0	10892	2390	0	2390
19557	0	19557	5002	0	5002
3882	0	3882	689	0	689
23938	0	23938	6621	0	6621
19748	0	19748	3602	0	3602
9337	0	9337	3208	0	3208
10455	0	10455	2037	0	2037
12695	0	12695	3272	0	3272
33842	0	33842	8380	0	8380
22380	0	22380	5073	0	5073
22925	0	22925	7521	0	7521
28346	0	28346	8891	0	8891
39118	0	39118	7489	0	7489
14548	0	14548	3635	0	3635
446	0	446	173	0	173
41940	0	41940	9273	0	9273
7715	0	7715	2077	0	2077
8048	0	8048	2464	0	2464
0	0	0	0	0	0
12693	0	12693	3859	0	3859
5900	0	5900	1933	0	1933
993	0	993	142	0	142
2154	0	2154	572	0	572
10100	0	10100	2171	0	2171

地 区 Region	学校数(所) Schools 计 Total	其中:中央部委所属学校数 Inst. Under Central Ministries & Agencies	本专科学生数 Undergraduate Students 毕业生数 Graduates	招生数 Students Admitted	在校学生数 Enrolment	合 计 Total	校 Teachers, 计 Subtotal	专任 Full-time 小计 Subtotal	教授 Prof.
总 计 Total	714	203	59186	112474	275246	79694	75058	35815	210
北 京 Beijing	46	11	4465	15053	43199	8515	8168	3434	33
天 津 Tianjin	36	2	3747	6530	15962	4316	4218	2093	14
河 北 Hebei	20	8	1656	3247	8167	2973	2846	1274	8
山 西 Shanxi	17	3	1329	2381	4930	2295	2156	990	4
内蒙古 Inner Mongolia	9	3	947	1309	3235	750	732	407	0
辽 宁 Liaoning	52	23	5125	7639	21285	8177	7935	3524	17
吉 林 Jilin	27	7	3109	4123	11555	2259	2222	1105	4
黑龙江 Heilongjiang	56	17	4761	6901	18252	5336	5165	2577	11
上 海 Shanghai	49	9	3499	5723	15782	8110	7809	3374	22
江 苏 Jiangsu	42	9	2603	4802	12051	3278	3076	1681	8
浙 江 Zhejiang	26	3	1041	1834	3906	1101	1068	541	2
安 徽 Anhui	15	6	1231	2855	5880	1619	1610	817	1
福 建 Fujian	9	0	709	1295	3070	396	396	235	1
江 西 Jiangxi	16	3	1415	1706	4671	1454	1396	774	0
山 东 Shandong	30	13	3537	8848	19711	4615	3718	1713	9
河 南 Henan	30	10	2394	3527	9488	2820	2769	1377	6
湖 北 Hubei	38	13	1859	2876	7860	3838	3602	1640	16
湖 南 Hunan	28	6	3690	6570	12138	2681	2226	1143	1
广 东 Guangdong	29	4	3999	7129	15154	2357	2313	1216	40
广 西 Guangxi	9	0	979	2531	4940	1031	925	523	2
海 南 Hainan	2	1	19	103	328	60	60	30	0
四 川 Sichuan	48	16	3134	6038	14040	5361	4907	2434	6
贵 州 Guizhou	6	4	475	1114	2077	556	545	254	1
云 南 Yunnan	10	4	204	267	860	740	731	322	0
西 藏 Tibet	0	0	0	0	0	0	0	0	0
陕 西 Shaanxi	31	17	1036	2220	5210	2897	2373	1141	2
甘 肃 Gansu	15	9	600	1515	3362	1110	1059	617	0
青 海 Qinghai	1	0	61	282	422	71	62	44	2
宁 夏 Ningxia	3	0	447	803	1662	284	278	151	0
新 疆 Xinjiang	14	2	1115	3253	6049	694	693	384	0

校基本情况

Workers' Colleges

单位：人

教职工数 Teachers, Staff & Workers										兼任教师 Part-time Teachers
本部教职工 Staff & Workers in the School Proper							科研机构人员 Personnel in Affiliated Research Org.	校办厂、场职工 Employees in School-run Factories, Farms	附设机构人员 Personnel in Other Subsidiary Units	
教师 Teachers				教辅人员 Supporting Staff	行政人员 Adm. Personnel	工勤人员 Workers				
副教授 Asso. Prof.	讲师 Lecturers	助教 Assistants	教员 Instructors							
5225	15044	9781	5555	8565	17926	12752	538	2509	1589	8922
428	1091	773	1109	1493	2396	845	28	248	71	2369
307	786	825	161	399	1084	642	21	49	28	450
225	448	494	99	274	603	695	28	40	59	141
136	319	350	181	227	443	496	3	26	110	138
67	198	118	24	45	200	80	0	16	2	50
482	1457	1001	567	935	1651	1825	19	183	40	427
188	475	304	134	216	511	390	8	29	0	111
479	1324	592	171	447	1157	984	27	109	35	233
379	1978	677	318	1039	1923	1473	118	145	38	445
211	762	327	373	294	722	379	5	188	9	386
113	266	112	48	102	277	148	0	31	2	355
127	388	193	108	161	343	289	0	9	0	94
27	120	72	15	30	109	22	0	0	0	155
104	275	296	99	137	301	184	5	53	0	110
230	668	591	215	465	862	678	35	656	206	303
244	587	376	164	324	591	477	8	40	3	209
247	678	512	187	444	922	596	37	153	46	106
192	458	320	172	249	455	379	8	43	404	376
212	524	278	162	186	592	319	27	6	11	848
75	267	156	23	87	162	153	47	37	22	233
5	9	13	3	1	18	11	0	0	0	50
347	839	542	700	415	1286	772	101	105	248	687
43	87	86	37	58	140	93	0	11	0	105
56	124	83	59	93	170	146	1	8	0	68
0	0	0	0	0	0	0	0	0	0	0
153	485	273	228	264	570	398	11	274	239	127
62	223	188	144	108	207	127	0	41	10	77
3	12	25	2	5	6	7	0	9	0	8
15	43	53	40	18	39	70	0	0	6	51
68	153	151	12	49	186	74	1	0	0	210

Number of Students in Workers'

地区 Region	毕业生数 Graduates			招生数 Students Admitted		
	计 Total	本科 Normal Courses	专科 Short-cycle Courses	计 Total	本科 Normal Courses	专科 Short-cycle Courses
总计 Total	59186	456	58730	112474	802	111672
北京 Beijing	4465	0	4465	15053	18	15035
天津 Tianjin	3747	0	3747	6530	16	6514
河北 Hebei	1656	11	1645	3247	24	3223
山西 Shanxi	1329	0	1329	2381	44	2337
内蒙古 Inner Mongolia	947	0	947	1309	0	1309
辽宁 Liaoning	5125	72	5053	7639	159	7480
吉林 Jilin	3109	24	3085	4123	27	4096
黑龙江 Heilongjiang	4761	41	4720	6901	0	6901
上海 Shanghai	3499	287	3212	5723	130	5593
江苏 Jiangsu	2603	0	2603	4802	0	4802
浙江 Zhejiang	1041	0	1041	1834	0	1834
安徽 Anhui	1231	0	1231	2855	0	2855
福建 Fujian	709	0	709	1295	0	1295
江西 Jiangxi	1415	0	1415	1706	0	1706
山东 Shandong	3537	0	3537	8848	0	8848
河南 Henan	2394	0	2394	3527	0	3527
湖北 Hubei	1859	21	1838	2876	60	2816
湖南 Hunan	3690	0	3690	6570	0	6570
广东 Guangdong	3999	0	3999	7129	196	6933
广西 Guangxi	979	0	979	2531	0	2531
海南 Hainan	19	0	19	103	0	103
四川 Sichuan	3134	0	3134	6038	6	6032
贵州 Guizhou	475	0	475	1114	71	1043
云南 Yunnan	204	0	204	267	0	267
西藏 Tibet	0	0	0	0	0	0
陕西 Shaanxi	1036	0	1036	2220	51	2169
甘肃 Gansu	600	0	600	1515	0	1515
青海 Qinghai	61	0	61	282	0	282
宁夏 Ningxia	447	0	447	803	0	803
新疆 Xinjiang	1115	0	1115	3253	0	3253

本、专科学生数

Colleges by Type of Courses

单位: 人

在校学生数 Enrolment			毕业班学生数 Graduates for Next Year		
计 Total	本科 Normal Courses	专科 Short-cycle Courses	计 Total	本科 Normal Courses	专科 Short-cycle Courses
275246	2490	272756	86101	732	85369
43199	33	43166	22645	20	22625
15962	150	15812	4735	69	4666
8167	24	8143	2224	0	2224
4930	81	4849	1357	37	1320
3235	0	3235	900	0	900
21285	732	20553	5962	156	5806
11555	65	11490	3169	26	3143
18252	66	18186	5193	37	5156
15782	792	14990	4052	284	3768
12051	0	12051	3462	0	3462
3906	0	3906	1004	0	1004
5880	0	5880	1523	0	1523
3070	0	3070	666	0	666
4671	0	4671	1278	0	1278
19711	0	19711	4637	0	4637
9488	0	9488	2871	0	2871
7860	140	7720	2049	55	1994
12138	0	12138	3811	0	3811
15154	244	14910	4390	48	4342
4940	0	4940	1361	0	1361
328	0	328	112	0	112
14040	6	14034	3956	0	3956
2077	71	2006	259	0	259
860	0	860	250	0	250
0	0	0	0	0	0
5210	86	5124	1406	0	1406
3362	0	3362	986	0	986
422	0	422	58	0	58
1662	0	1662	375	0	375
6049	0	6049	1410	0	1410

农民高等学

Basic Statistics

地区 Region	学校数(所) Schools 计 Total	其中:中央部委所属学校数 Inst. Under Central Ministries & Agencies	本专科学生数 Undergraduate Students 毕业生数 Graduates	招生数 Students Admitted	在校学生数 Enrolment	合计 Total	校 Teachers, 计 Subtotal	专任 Full-time 小计 Subtotal	教授 Prof.
总　计 Total	5	0	109	178	299	260	255	127	0
吉　林 Jilin	5	0	109	178	299	260	255	127	0
山　东 Shandong									

注:农民高等学校都是专科学校学生数。

Note: All students in Peasants' colleges are enrolled in short-cycle courses.

独立函授学

Basic Statistics of

地区 Region	学校数(所) Schools 计 Total	其中:中央部委所属学校数 Inst. Under Central Ministries & Agencies	本专科学生数 Undergraduate Students 毕业生数 Graduates	招生数 Students Admitted	在校学生数 Enrolment	合计 Total	校 Teachers, 计 Subtotal	专任 Full-time 小计 Subtotal	教授 Prof.
总　计 Total	4	2	3568	4018	12139	690	690	413	7
北　京 Beijing	2	2	401	564	1968	136	136	98	3
湖　北 Hubei	1	0	662	678	1972	40	40	36	1
四　川 Sichuan	1	0	2339	2776	8004	514	514	279	3

独立函授学院

Number of Students in Independent

地区 Region	毕业生数 Graduates 计 Total	本科 Normal Courses	专科 Short-cycle Courses	招生数 Students Admitted 计 Total	本科 Normal Courses	专科 Short-cycle Courses
总　计 Total	3568	201	3367	4018	82	3936
北　京 Beijing	401	201	200	564	82	482
湖　北 Hubei	662	0	662	678	0	678
四　川 Sichuan	2339	0	2339	2776	0	2776

校基本情况
of Peasants ' Colleges

单位:人

教职工数 Teachers, Staff & Workers											兼任教师 Part-time Teachers
本部教职工 Staff & Workers in the School Proper								科研机构人员 Personnel in Affiliated Research Org.	校办厂、场职工 Employees in School-run Factories, Farms	附设机构人员 Personnel in Other Subsidiary Units	
教师 Teachers				教辅人员 Supporting Staff	行政人员 Adm. Personnel	工勤人员 Workers					
副教授 Asso. Prof.	讲师 Lecturers	助教 Assistants	教员 Instructors								
11	50	35	31	9	76	43		0	5	0	0
11	50	35	31	9	76	43		0	5	0	0

院基本情况
Independent Correspondence Colleges

单位:人

教职工数 Teachers, Staff & Workers											兼任教师 Part-time Teachers
本部教职工 Staff & Workers in the School Proper								科研机构人员 Personnel in Affiliated Research Org.	校办厂、场职工 Employees in School-run Factories, Farms	附设机构人员 Personnel in Other Subsidiary Units	
教师 Teachers				教辅人员 Supporting Staff	行政人员 Adm. Personnel	工勤人员 Workers					
副教授 Asso. Prof.	讲师 Lecturers	助教 Assistants	教员 Instructors								
90	202	76	38	115	124	38		0	0	0	322
24	42	26	3	4	20	14		0	0	0	46
9	7	7	12	1	3	0		0	0	0	276
57	153	43	23	110	101	24		0	0	0	0

本、专科学生数
Correspondence Colleges by Type of Courses

单位:人

在校学生数 Enrolment			毕业班学生数 Graduates for Next Year		
计 Total	本科 Normal Courses	专科 Short-cycle Courses	计 Total	本科 Normal Courses	专科 Short-cycle Courses
12139	425	11714	3042	188	2854
1968	425	1543	537	188	349
1972	0	1972	603	0	603
8004	0	8004	1860	0	1860

地区 Region	学校数(所) Schools 计 Total	其中:中央部委所属学校数 Inst. Under Central Ministries & Agencies	本专科学生数 Undergraduate Students 毕业生数 Graduates	招生数 Students Admitted	在校学生数 Enrolment	合计 Total	校 Teachers, 计 Subtotal	专任 Full-time 小计 Subtotal	教授 Prof.
总计 Total	249	6	64624	95477	216865	45945	43591	22363	196
北京 Beijing	2	0	1586	539	2590	593	543	247	7
天津 Tianjin	1	0	537	646	1318	452	449	206	5
河北 Hebei	15	1	3409	2269	10202	2041	2006	1038	0
山西 Shanxi	11	0	3716	3602	7410	1948	1770	873	4
内蒙古 Inner Mongolia	10	0	2311	1846	5304	1983	1933	1046	4
辽宁 Liaoning	2	0	1095	1560	4958	1037	996	525	3
吉林 Jilin	7	0	875	529	1284	1272	1238	855	11
黑龙江 Heilongjiang	19	2	2250	1200	4169	2745	2481	1458	7
上海 Shanghai	12	0	875	534	1803	3109	2981	1592	13
江苏 Jiangsu	11	0	2451	1547	5974	2355	2234	1086	13
浙江 Zhejiang	6	0	1489	3092	5638	1022	989	530	6
安徽 Anhui	9	0	2944	4264	9716	1619	1473	743	5
福建 Fujian	5	0	504	1607	2120	696	653	371	4
江西 Jiangxi	5	0	1483	1566	3443	1009	895	407	4
山东 Shandong	16	2	4846	12312	22860	2732	2633	1331	23
河南 Henan	18	1	4683	5796	10510	3038	2776	1415	9
湖北 Hubei	14	0	3361	5425	19423	2218	2143	1065	6
湖南 Hunan	8	0	4098	2818	10255	1274	1192	569	9
广东 Guangdong	13	0	3965	17383	25989	2583	2552	1241	16
广西 Guangxi	10	0	2520	3611	10657	1824	1743	989	9
海南 Hainan	2	0	855	1299	2149	278	278	138	1
四川 Sichuan	17	0	7185	8110	21124	3341	3273	1580	11
贵州 Guizhou	6	0	965	1712	3253	856	818	373	3
云南 Yunnan	6	0	969	921	1908	1181	1111	537	7
西藏 Tibet	0	0	0	0	0	0	0	0	0
陕西 Shaanxi	6	0	2129	6593	10678	1385	1347	620	1
甘肃 Gansu	4	0	492	1073	1889	750	706	348	3
青海 Qinghai	1	0	372	520	1255	373	373	189	7
宁夏 Ningxia	1	0	277	413	975	265	251	123	1
新疆 Xinjiang	12	0	2382	2690	8011	1966	1754	868	4

基 本 情 况

Educational Colleges

单位：人

教职工数 Teachers, Staff & Workers — 本部教职工 Staff & Workers in the School Proper — 教师 Teachers — 副教授 Asso. Prof.	讲师 Lecturers	助教 Assistants	教员 Instructors	教辅人员 Supporting Staff	行政人员 Adm. Personnel	工勤人员 Workers	科研机构人员 Personnel in Affiliated Research Org.	校办厂、场职工 Employees in School-run Factories, Farms	附设机构人员 Personnel in Other Subsidiary Units	兼任教师 Part-time Teachers
5029	9264	5993	1881	4716	9924	6588	569	1063	722	1042
85	101	38	16	85	146	65	4	38	8	0
49	100	52	0	85	108	50	3	0	0	26
185	353	394	106	186	522	260	0	27	8	32
171	275	370	53	156	436	305	12	154	12	22
227	347	422	46	233	394	260	18	1	31	5
166	245	102	9	98	231	142	0	0	41	0
242	322	205	75	87	185	111	20	9	5	0
380	750	272	49	252	452	319	239	18	7	3
394	568	107	510	529	459	401	34	94	0	10
248	477	297	51	236	509	403	10	93	18	33
89	251	158	26	112	170	177	0	29	4	81
194	324	170	50	144	347	239	5	14	127	17
91	120	78	78	53	158	71	0	43	0	256
98	170	111	24	112	185	191	0	2	112	15
289	475	455	89	322	587	393	4	74	21	0
238	587	459	122	154	861	346	0	262	0	0
278	442	271	68	276	503	299	54	21	0	72
156	263	94	47	118	316	189	6	55	21	47
273	637	267	48	294	556	461	15	0	16	48
178	425	286	91	151	334	269	59	10	12	186
20	62	42	13	23	65	52	0	0	0	6
420	691	353	105	325	846	522	2	51	15	49
55	139	144	32	125	212	108	12	17	9	31
93	256	139	42	137	246	191	17	11	42	22
0	0	0	0	0	0	0	0	0	0	0
108	244	244	23	129	404	194	0	18	20	27
80	144	78	43	54	176	128	0	0	44	33
32	109	35	6	48	61	75	0	0	0	0
21	66	32	3	33	54	41	9	0	5	0
169	321	318	56	159	401	326	46	22	144	21

教育学院本、

Number of Students in Educational

地区 Region	毕业生数 Graduates 计 Total	本科 Normal Courses	专科 Short-cycle Courses	招生数 Students Admitted 计 Total	本科 Normal Courses	专科 Short-cycle Courses
总计 Total	64624	10706	53918	95477	20532	74945
北京 Beijing	1586	551	1035	539	197	342
天津 Tianjin	537	141	396	646	179	467
河北 Hebei	3409	339	3070	2269	296	1973
山西 Shanxi	3716	445	3271	3602	1977	1625
内蒙古 Inner Mongolia	2311	107	2204	1846	0	1846
辽宁 Liaoning	1095	426	669	1560	1113	447
吉林 Jilin	875	351	524	529	287	242
黑龙江 Heilongjiang	2250	240	2010	1200	62	1138
上海 Shanghai	875	636	239	534	271	263
江苏 Jiangsu	2451	348	2103	1547	265	1282
浙江 Zhejiang	1489	297	1192	3092	610	2482
安徽 Anhui	2944	460	2484	4264	1318	2946
福建 Fujian	504	229	275	1607	243	1364
江西 Jiangxi	1483	420	1063	1566	365	1201
山东 Shandong	4846	535	4311	12312	6121	6191
河南 Henan	4683	454	4229	5796	921	4875
湖北 Hubei	3361	757	2604	5425	1026	4399
湖南 Hunan	4098	1213	2885	2818	963	1855
广东 Guangdong	3965	479	3486	17383	1979	15404
广西 Guangxi	2520	290	2230	3611	175	3436
海南 Hainan	855	39	816	1299	151	1148
四川 Sichuan	7185	968	6217	8110	855	7255
贵州 Guizhou	965	204	761	1712	412	1300
云南 Yunnan	969	157	812	921	144	777
西藏 Tibet	0	0	0	0	0	0
陕西 Shaanxi	2129	317	1812	6593	361	6232
甘肃 Gansu	492	81	411	1073	125	948
青海 Qinghai	372	36	336	520	20	500
宁夏 Ningxia	277	22	255	413	96	317
新疆 Xinjiang	2382	164	2218	2690	0	2690

专 科 学 生 数

Colleges by Type of Courses

单位: 人

在校学生数 Enrolment			毕业班学生数 Graduates for Next Year		
计 Total	本 科 Normal Courses	专 科 Short-cycle Courses	计 Total	本 科 Normal Courses	专 科 Short-cycle Courses
216865	42001	174864	64589	10422	54167
2590	1301	1289	1166	512	654
1318	705	613	267	196	71
10202	727	9475	3449	187	3262
7410	2690	4720	2865	452	2413
5304	29	5275	1911	29	1882
4958	2751	2207	2043	685	1358
1284	503	781	379	91	288
4169	520	3649	1157	50	1107
1803	1014	789	659	431	228
5974	2004	3970	1817	349	1468
5638	1541	4097	1275	451	824
9716	2199	7517	3270	380	2890
2120	522	1598	341	190	151
3443	924	2519	1100	315	785
22860	7215	15645	5371	799	4572
10510	2201	8309	3820	664	3156
19423	1931	17492	3424	249	3175
10255	3094	7161	4442	1385	3057
25989	4135	21854	4677	841	3836
10657	641	10016	3712	279	3433
2149	291	1858	642	103	539
21124	2508	18616	6891	893	5998
3253	924	2329	1214	342	872
1908	245	1663	748	98	650
0	0	0	0	0	0
10678	789	9889	2376	199	2177
1889	325	1564	785	169	616
1255	20	1235	433	0	433
975	137	838	344	41	303
8011	115	7896	4011	42	3969

管 理 干 部 学

Basic Statistics of

地 区 Region	学校数(所) Schools		本专科学生数 Undergraduate Students				校 Teachers,		
	计 Total	其中:中央部委所属学校数 Inst. Under Central Ministries & Agencies	毕业生数 Graduates	招生数 Students Admitted	在校学生数 Enrolment	合 计 Total	计 Subtotal	专 任 Full-time	
								小 计 Subtotal	教 授 Prof.
总 计 Total	166	62	22739	59586	93093	37028	34634	13601	280
北 京 Beijing	34	29	3539	7512	12250	7907	7642	2752	131
天 津 Tianjin	8	3	576	1990	3617	1533	1473	518	5
河 北 Hebei	9	6	1287	4957	6617	2004	1618	570	8
山 西 Shanxi	6	3	625	1486	2135	1743	1413	580	1
内蒙古 Inner Mongolia	2	0	497	689	1287	560	560	254	1
辽 宁 Liaoning	7	1	1162	3794	5791	1548	1506	615	11
吉 林 Jilin	6	3	763	2388	3543	1823	1730	602	18
黑龙江 Heilongjiang	8	0	968	1349	2464	1220	1172	472	6
上 海 Shanghai	5	0	163	984	1658	822	774	319	4
江 苏 Jiangsu	9	4	633	1743	2904	1655	1649	720	8
浙 江 Zhejiang	4	1	264	1209	1346	652	618	253	2
安 徽 Anhui	2	0	221	1148	1689	392	390	149	1
福 建 Fujian	4	1	597	1787	2487	555	512	245	3
江 西 Jiangxi	3	1	768	1674	2845	1191	704	270	5
山 东 Shandong	5	0	1302	4368	6981	1234	1128	413	8
河 南 Henan	4	3	633	1812	2580	1318	1281	508	5
湖 北 Hubei	8	3	857	2698	4219	1979	1916	790	13
湖 南 Hunan	4	1	1555	3092	4729	1064	1058	467	5
广 东 Guangdong	11	1	1719	5157	7842	1976	1850	770	15
广 西 Guangxi	4	0	667	2119	3428	899	846	343	3
海 南 Hainan	0	0	0	0	0	0	0	0	0
四 川 Sichuan	11	2	1824	3594	6214	2483	2407	949	22
贵 州 Guizhou	4	0	409	824	1288	691	688	308	0
云 南 Yunnan	1	0	211	271	606	221	217	112	1
西 藏 Tibet	0	0	0	0	0	0	0	0	0
陕 西 Shaanxi	4	0	901	1486	2283	823	766	327	1
甘 肃 Gansu	1	0	100	586	797	222	222	103	1
青 海 Qinghai	0	0	0	0	0	0	0	0	0
宁 夏 Ningxia	0	0	0	0	0	0	0	0	0
新 疆 Xinjiang	2	0	498	869	1493	513	494	192	2

院基本情况

Institutes for Administration

单位:人

教职工数 Teachers, Staff & Workers 本部教职工 Staff & Workers in the School Proper 教师 Teachers 副教授 Asso. Prof.	讲师 Lecturers	助教 Assistants	教员 Instructors	教辅人员 Supporting Staff	行政人员 Adm. Personnel	工勤人员 Workers	科研机构人员 Personnel in Affiliated Research Org.	校办厂、场职工 Employees in School-run Factories, Farms	附设机构人员 Personnel in Other Subsidiary Units	兼任教师 Part-time Teachers
2659	6241	3511	910	3762	10218	7053	283	1708	403	1041
522	1262	600	237	1030	2254	1606	53	159	53	239
94	262	146	11	216	402	337	28	24	8	164
162	245	134	21	172	485	391	16	335	35	38
100	162	257	60	55	570	208	1	325	4	14
61	99	90	3	64	142	100	0	0	0	8
131	281	179	13	109	459	323	8	12	22	69
128	265	162	29	173	589	366	19	54	20	3
118	266	70	12	132	279	289	14	34	0	0
50	187	60	18	123	179	153	33	15	0	48
139	347	167	59	155	488	286	3	3	0	61
34	128	60	29	65	158	142	0	0	34	6
31	76	34	7	14	141	86	2	0	0	0
48	97	92	5	64	125	78	0	19	24	0
65	108	81	11	47	210	177	6	427	54	9
73	172	142	18	119	394	202	15	91	0	26
79	239	149	36	125	385	263	13	12	12	7
131	409	195	42	263	541	322	15	40	8	5
102	216	82	62	90	254	247	6	0	0	6
149	402	149	55	200	514	366	20	41	65	169
69	137	87	47	118	209	176	0	27	26	64
0	0	0	0	0	0	0	0	0	0	0
219	468	174	66	196	773	489	7	62	7	46
29	95	140	44	78	174	128	3	0	0	0
14	50	47	0	18	45	42	4	0	0	7
0	0	0	0	0	0	0	0	0	0	0
53	156	108	9	48	245	146	4	28	25	28
15	36	42	9	21	66	32	0	0	0	0
0	0	0	0	0	0	0	0	0	0	0
0	0	0	0	0	0	0	0	0	0	0
43	76	64	7	67	137	98	13	0	6	24

管理干部学院

Number of Students in Institutes for

地　区 Region	毕业生数 Graduates			招生数 Students Admitted		
	计 Total	本　科 Normal Courses	专　科 Short－cycle Courses	计 Total	本　科 Normal Courses	专　科 Short－cycle Courses
总　计 Total	22739	225	22514	59586	1062	58524
北　京 Beijing	3539	63	3476	7512	210	7302
天　津 Tianjin	576	0	576	1990	35	1955
河　北 Hebei	1287	0	1287	4957	0	4957
山　西 Shanxi	625	0	625	1486	0	1486
内蒙古 Inner Mongolia	497	0	497	689	0	689
辽　宁 Liaoning	1162	14	1148	3794	82	3712
吉　林 Jilin	763	0	763	2388	20	2368
黑龙江 Heilongjiang	968	0	968	1349	48	1301
上　海 Shanghai	163	0	163	984	0	984
江　苏 Jiangsu	633	0	633	1743	0	1743
浙　江 Zhejiang	264	0	264	1209	0	1209
安　徽 Anhui	221	0	221	1148	0	1148
福　建 Fujian	597	6	591	1787	7	1780
江　西 Jiangxi	768	66	702	1674	4	1670
山　东 Shandong	1302	26	1276	4368	295	4073
河　南 Henan	633	0	633	1812	7	1805
湖　北 Hubei	857	14	843	2698	47	2651
湖　南 Hunan	1555	16	1539	3092	187	2905
广　东 Guangdong	1719	0	1719	5157	35	5122
广　西 Guangxi	667	0	667	2119	0	2119
海　南 Hainan	0	0	0	0	0	0
四　川 Sichuan	1824	20	1804	3594	85	3509
贵　州 Guizhou	409	0	409	824	0	824
云　南 Yunnan	211	0	211	271	0	271
西　藏 Tibet	0	0	0	0	0	0
陕　西 Shaanxi	901	0	901	1486	0	1486
甘　肃 Gansu	100	0	100	586	0	586
青　海 Qinghai	0	0	0	0	0	0
宁　夏 Ningxia	0	0	0	0	0	0
新　疆 Xinjiang	498	0	498	869	0	869

本、专科学生数

Administration by Type of Courses

单位:人

在校学生数 Enrolment			毕业班学生数 Graduates for Next Year		
计 Total	本科 Normal Courses	专科 Short-cycle Courses	计 Total	本科 Normal Courses	专科 Short-cycle Courses
93093	1574	91519	28832	421	28411
12250	294	11956	4260	82	4178
3617	35	3582	1156	0	1156
6617	52	6565	1577	30	1547
2135	0	2135	649	0	649
1287	0	1287	465	0	465
5791	138	5653	1464	28	1436
3543	20	3523	1155	0	1155
2464	48	2416	1115	0	1115
1658	0	1658	303	0	303
2904	0	2904	953	0	953
1346	0	1346	317	0	317
1689	0	1689	337	0	337
2487	16	2471	678	9	669
2845	65	2780	961	61	900
6981	429	6552	1588	95	1493
2580	7	2573	768	0	768
4219	79	4140	1195	32	1163
4729	259	4470	1634	72	1562
7842	35	7807	2211	0	2211
3428	0	3428	1128	0	1128
0	0	0	0	0	0
6214	97	6117	2535	12	2523
1288	0	1288	421	0	421
606	0	606	335	0	335
0	0	0	0	0	0
2283	0	2283	797	0	797
797	0	797	206	0	206
0	0	0	0	0	0
0	0	0	0	0	0
1493	0	1493	624	0	624

普通高等学校举办函授

Number of Students by Type of Courses in Correspondence Divisions、Evening School

地区 Region	函授部、夜大学 Divisions of Correspondence and Evening Schools								
	毕业生数 Graduates			招生数 Students Admitted			在校学生数 Enrolment		
	计 Total	本科 Normal Courses	专科 Short-cycle Courses	计 Total	本科 Normal Courses	专科 Short-cycle Courses	计 Total	本科 Normal Courses	专科 Short-cycle Courses
总计 Total	183111	36521	146590	360592	53326	307266	802248	134541	667707
北京 Beijing	17909	3401	14508	31750	3151	28599	78412	10174	68238
天津 Tianjin	3446	417	3029	7682	882	6800	15089	2293	12796
河北 Hebei	4130	912	3218	11413	2421	8992	22310	4653	17657
山西 Shanxi	5477	224	5253	7303	1465	5838	16900	1917	14983
内蒙古 Inner Mongolia	2559	663	1896	3515	524	2991	7795	2122	5673
辽宁 Liaoning	15559	2772	12787	19906	2861	17045	52038	8285	43753
吉林 Jilin	9015	2901	6114	13720	4920	8800	34469	11327	23142
黑龙江 Heilongjiang	10028	2351	7677	13916	3019	10897	39120	9684	29436
上海 Shanghai	8186	3682	4504	13009	3322	9687	34588	12584	22004
江苏 Jiangsu	8103	1475	6628	18497	1931	16566	38703	4038	34665
浙江 Zhejiang	2696	584	2112	9499	2316	7183	16488	3647	12841
安徽 Anhui	5709	921	4788	11412	1547	9865	22396	3395	19001
福建 Fujian	2202	786	1416	3733	380	3353	11708	1801	9907
江西 Jiangxi	3348	931	2417	5482	1089	4393	12628	2900	9728
山东 Shandong	12490	3258	9232	30255	7169	23086	65334	15921	49413
河南 Henan	10259	761	9498	25228	194	25034	51209	2466	48743
湖北 Hubei	15713	4416	11297	28476	6056	22420	64258	13919	50339
湖南 Hunan	9528	1038	8490	20621	2190	18431	41616	5319	36297
广东 Guangdong	6562	323	6239	20747	405	20342	36386	948	35438
广西 Guangxi	2153	678	1475	4199	514	3685	10152	1759	8393
海南 Hainan	736	22	714	2307	103	2204	4040	103	3937
四川 Sichuan	10098	1293	8805	24054	3158	20896	52179	6230	45949
贵州 Guizhou	1230	0	1230	3057	348	2709	6113	348	5765
云南 Yunnan	2734	359	2375	5313	820	4493	11990	1616	10374
西藏 Tibet	0	0	0	0	0	0	0	0	0
陕西 Shaanxi	7680	2042	5638	12365	1644	10721	30482	5549	24933
甘肃 Gansu	2466	311	2155	4785	897	3888	11109	1543	9566
青海 Qinghai	0	0	0	0	0	0	0	0	0
宁夏 Ningxia	207	0	207	375	0	375	968	0	968
新疆 Xinjiang	2888	0	2888	7973	0	7973	13768	0	13768

部、夜大学、干部专修科分本专科学生数

s & Short-cycle Courses for Cadres run by Regular Institutions of Higher Education

单位:人

干　部　专　修　科
Short-cycle Courses for Cadres

毕业生数 Graduates			招生数 Students Admitted			在校学生数 Enrolment		
计 Total	本科 Normal Courses	专科 Short-cycle Courses	计 Total	本科 Normal Courses	专科 Short-cycle Courses	计 Total	本科 Normal Courses	专科 Short-cycle Courses
6254	0	6254	16975	204	16771	25142	204	24938
881	0	881	1245	42	1203	2233	42	2191
56	0	56	249	0	249	371	0	371
154	0	154	271	0	271	576	0	576
31	0	31	58	0	58	82	0	82
123	0	123	228	0	228	423	0	423
132	0	132	189	0	189	299	0	299
67	0	67	185	0	185	387	0	387
207	0	207	556	0	556	786	0	786
177	0	177	419	0	419	880	0	880
298	0	298	575	0	575	1236	0	1236
156	0	156	304	0	304	555	0	555
68	0	68	664	0	664	787	0	787
45	0	45	70	0	70	137	0	137
7	0	7	0	0	0	0	0	0
180	0	180	453	0	453	554	0	554
22	0	22	726	0	726	747	0	747
191	0	191	994	0	994	1275	0	1275
58	0	58	49	0	49	129	0	129
175	0	175	915	0	915	1197	0	1197
356	0	356	2389	0	2389	3349	0	3349
0	0	0	41	0	41	79	0	79
1243	0	1243	3715	162	3553	4967	162	4805
710	0	710	1118	0	1118	1748	0	1748
511	0	511	537	0	537	800	0	800
0	0	0	0	0	0	0	0	0
325	0	325	520	0	520	846	0	846
81	0	81	315	0	315	410	0	410
0	0	0	9	0	9	39	0	39
0	0	0	130	0	130	199	0	199
0	0	0	51	0	51	51	0	51

成人高等学校其

Number of Other Students in Adult Higher

地　区 Region	招　生　数 Entrants					
	合　计 Total	证书教育 Certificate－oriented education		岗位培训 Job－specific training		大学后继续教育 Post－collegiate continuing education
		单科班 Single subject courses	专业证书班 Classes for certificate－oriented trainees	资格培训 Qualifications－oriented training	适应培训 Adaptation training	
总　计　Total	1283626	125669	100830	326966	470925	70745
北　京　Beijing	118237	2760	26275	22778	41939	3961
天　津　Tianjin	105592	13332	1952	28175	51087	6295
河　北　Hebei	39419	1759	3724	10022	11088	524
山　西　Shanxi	14761	20	2514	5299	4515	2165
内蒙古　Inner Mongolia	14761	229	1679	5495	2768	247
辽　宁　Liaoning	89008	3469	4613	15845	56133	2209
吉　林　Jilin	9887	351	1472	2111	3272	2520
黑龙江　Heilongjiang	82746	760	2003	26968	38798	5723
上　海　Shanghai	145344	19245	4049	42981	35459	20041
江　苏　Jiangsu	72533	7412	4859	24836	21276	5431
浙　江　Zhejiang	63301	9065	2325	33636	10374	1454
安　徽　Anhui	15027	0	1408	7235	1573	468
福　建　Fujian	29284	2703	1237	17687	4624	200
江　西　Jiangxi	8305	1109	344	1456	4183	469
山　东　Shandong	79604	3280	13150	8930	44821	1829
河　南　Henan	65346	8560	1509	2407	46860	1454
湖　北　Hubei	61015	12346	1977	8827	27309	4052
湖　南　Hunan	43366	7951	915	5224	3481	704
广　东　Guangdong	90666	4420	6168	34226	33860	6601
广　西　Guangxi	39848	0	7633	2118	14932	1798
海　南　Hainan	528	89	0	352	87	0
四　川　Sichuan	32900	13491	1370	3419	1355	554
贵　州　Guizhou	23302	1081	5446	10614	2498	577
云　南　Yunnan	2482	242	109	638	312	260
西　藏　Tibet	14427	2298	2422	3434	4250	755
陕　西　Shaanxi	8605	421	671	1214	3148	454
甘　肃　Gansu	727	314	54	113	108	0
青　海　Qinghai	3749	3606	40	0	103	0
宁　夏　Ningxia	8856	5356	912	926	712	0
新　疆　Xinjiang						

他学生数(总计)

Educational Institutions (Regional Aggregates)

单位:人

其他 Others	在校学生数 Enrolment: 合计 Total	证书教育 Certificate-oriented education: 单科班 Single subject courses	证书教育 Certificate-oriented education: 专业证书班 Classes for certificate-oriented trainees	岗位培训 Job-specific training: 资格培训 Qualifications-oriented training	岗位培训 Job-specific training: 适应培训 Adaptation training	大学后继续教育 Post-collegiate continuing education	其他 Others
188491	869806	130535	126497	159700	223767	50099	179208
20524	70678	3508	41452	8680	4387	2534	10117
4751	30913	11173	2712	3290	3319	3701	6718
12302	31880	2166	4296	6105	4374	111	14828
248	15256	20	2514	5445	4635	2394	248
4343	10145	422	1749	2803	945	62	4164
6739	51219	4782	4720	4752	26671	1874	8420
161	13305	230	10445	57	1593	849	131
8494	38083	880	681	13429	5534	10737	6822
23569	63584	10256	3682	16790	12411	5422	15023
8719	35702	4204	4178	13578	6568	3106	4068
6447	36631	7177	3318	11733	5873	1264	7266
4343	15448	0	2081	8128	402	166	4671
2833	21101	3049	1446	11577	1677	203	3149
744	7208	1248	325	879	869	756	3131
7594	60393	5253	12963	13800	20793	1883	5701
4556	79997	9597	919	2330	57621	3013	6517
6504	27715	9208	2168	2032	1789	2214	10304
25091	64333	18320	2598	6842	7422	3866	25285
5391	53955	4888	5957	19853	16341	1843	5073
13367	56964	0	7558	1276	34251	793	13086
0	308	0	0	221	87	0	0
12711	39183	17241	2414	2488	1946	2096	12998
3086	8303	1082	4753	915	648	441	464
921	2404	96	80	333	127	431	1337
1268	8533	2909	2158	1204	1216	120	926
2697	3267	182	515	487	1616	220	247
138	354	179	92	0	0	0	83
0	3646	3606	40	0	0	0	0
950	4914	1550	683	673	652	0	1356

成人中等专业学校基本情况

Basic Statistics of Adult Specialized

(Limited to State-planned enrolment

地 区 Region		学校数(所) Schools	毕业生数 Graduates	招生数 Students Admitted			在校学生数 Enrolment
				合计 Total	招高中毕业起点 Graduates From Senior Sec. School	招初中毕业起点 Graduates From Junior Sec. School	
总计	**Total**	4783	540306	856764	247978	608786	2067594
北京	Beijing	141	17235	24180	7942	16238	64107
天津	Tianjin	96	9970	14550	5212	9338	32357
河北	Hebei	248	27463	41284	30552	10732	96970
山西	Shanxi	179	14929	28695	13810	14885	78597
内蒙古	Inner Mongolia	118	13381	14812	1204	13608	43056
辽宁	Liaoning	251	24033	34094	6583	27511	85438
吉林	Jilin	152	10383	15029	2304	12725	37043
黑龙江	Heilongjiang	329	35581	36145	5492	30653	104561
上海	Shanghai	125	10784	16839	3600	13239	37397
江苏	Jiangsu	247	28449	61958	26366	35592	135223
浙江	Zhejiang	132	11924	25446	5612	19834	48493
安徽	Anhui	114	19945	23863	4828	19035	51930
福建	Fujian	172	8611	27422	6283	21139	48804
江西	Jiangxi	133	6708	14969	11403	3566	31201
山东	Shandong	211	47085	65215	30183	35032	158150
河南	Henan	231	34606	34182	8254	25928	99731
湖北	Hubei	294	28271	50468	9423	41045	112315
湖南	Hunan	280	62372	61744	11298	50446	150974
广东	Guangdong	284	36077	68978	13027	55951	164273
广西	Guangxi	146	22446	44473	14424	30049	119340
海南	Hainan	27	2605	6066	817	5249	9678
四川	Sichuan	346	27452	70465	16233	54232	160914
贵州	Guizhou	27	5292	15169	0	15169	32845
云南	Yunnan	140	6215	11283	912	10371	36163
西藏	Tibet	0	0	0	0	0	0
陕西	Shaanxi	131	8548	10729	5137	5592	33617
甘肃	Gansu	96	7234	13913	3546	10367	33431
青海	Qinghai	17	753	2832	756	2076	5449
宁夏	Ningxia	28	2262	2628	408	2220	6409
新疆	Xinjiang	88	9692	19333	2369	16964	49128

(总计)(列入计划,学制两年以上)
Secondary Schools (Regional Aggregates) and Courses Lasting 2 Years and Over)

单位:人

毕业班学生数 Graduates for Nert Year	教职工数 Teachers, Staff & Workers 合计 Total	专任教师 Full-time Teachers	教辅人员 Supportin Staff	行政人员 Adm. Personnel	工勤人员 Workers	兼任教师 Part-time Teachers
613710	202947	103856	21565	44493	33033	41873
19120	8133	3412	1098	2287	1336	2405
8667	4375	2147	493	1138	597	727
38948	8037	4499	716	1645	1177	277
33599	5736	3051	505	1186	994	471
14655	6395	3168	687	1645	895	482
29700	12315	7253	771	2723	1568	782
10821	9385	5248	1164	1765	1208	528
32382	13994	7143	1514	2948	2389	1588
12133	5158	2493	748	1042	875	584
35876	12580	6330	1023	2726	2501	3504
8831	4845	2314	454	1174	903	2213
13591	3371	1608	415	904	444	1606
8197	4748	2672	512	1013	551	1463
5059	3739	2068	321	664	686	471
43204	11069	6202	1170	2018	1679	735
41294	14336	7699	2106	2478	2053	1373
33272	14352	7439	1292	2842	2779	2450
53104	11400	6107	883	2407	2003	4997
38111	9552	5039	621	2090	1802	3223
30331	6989	3645	504	1435	1405	1336
2621	1054	500	31	220	303	176
43736	13921	5948	2375	3532	2066	5322
6680	1226	605	123	315	183	605
10350	2707	1436	184	602	485	916
0	0	0	0	0	0	0
10829	5131	1876	1110	1588	557	1821
9579	2839	1346	301	674	518	527
1364	508	227	74	155	52	156
2240	844	416	88	168	172	119
15416	4208	1965	282	1109	852	1016

广播电视中等专业学校基本

Basic Statistics of Radio/TV

(Limited to State-planned enrolment

地 区 Region	学校数(所) Schools	毕业生数 Graduates	招生数 Students Admitted			在校学生数 Enrolment
			合 计 Total	招高中毕业起点 Graduates From Senior Sec. School	招初中毕业起点 Graduates From Junior Sec. School	
总 计 Total	124	104233	215016	34096	180920	562302
北 京 Beijing	1	5177	5407	2148	3259	16908
天 津 Tianjin	2	180	1236	38	1198	7273
河 北 Hebei	5	1049	2010	966	1044	7629
山 西 Shanxi	2	802	5470	637	4833	36581
内蒙古 Inner Mongolia	3	1942	2488	0	2488	11136
辽 宁 Liaoning	12	9439	10524	123	10401	32737
吉 林 Jilin	2	1677	2121	196	1925	4881
黑龙江 Heilongjiang	6	6249	4998	968	4030	29913
上 海 Shanghai	2	4837	4368	0	4368	10159
江 苏 Jiangsu	3	8140	18201	3975	14226	37709
浙 江 Zhejiang	16	1784	9251	1430	7821	18862
安 徽 Anhui	8	8272	7732	911	6821	17296
福 建 Fujian	3	1500	10473	142	10331	17655
江 西 Jiangxi	2	601	5751	4951	800	9019
山 东 Shandong	5	4715	5806	2715	3091	16366
河 南 Henan	4	2940	4215	2	4213	12568
湖 北 Hubei	5	710	2133	458	1675	4201
湖 南 Hunan	15	14387	30889	5516	25373	70647
广 东 Guangdong	3	1738	5842	267	5575	9786
广 西 Guangxi	2	1184	4395	247	4148	7250
海 南 Hainan	1	0	2516	0	2516	2516
四 川 Sichuan	8	13509	33942	6089	27853	92400
贵 州 Guizhou	1	962	11034	0	11034	16132
云 南 Yunnan	3	2662	4680	760	3920	17610
西 藏 Tibet	0	0	0	0	0	0
陕 西 Shaanxi	3	2816	2233	257	1976	8119
甘 肃 Gansu	2	3182	5821	870	4951	17024
青 海 Qinghai	1	153	598	212	386	1274
宁 夏 Ningxia	1	1180	573	0	573	1620
新 疆 Xinjiang	3	2446	10309	218	10091	27031

情况（列入计划，学制两年以上）
Specialized Secondary Schools
and Courses Lasting 2 Years and Over)

单位：人

毕业班学生数 Graduates for Next Year	教职工数 Teachers, Staff & Workers					兼任教师 Part-time Teachers
	合计 Total	专任教师 Full-time Teachers	教辅人员 Supportin Staff	行政人员 Adm. Personnel	工勤人员 Workers	
154557	16149	7414	3102	4132	1501	14998
6448	959	439	111	325	84	659
1318	155	93	17	22	23	71
1900	153	98	7	40	8	0
17322	86	41	4	25	16	28
4212	673	277	154	204	38	212
11660	602	226	14	281	81	116
1516	26	19	6	1	0	13
7556	1316	364	435	348	169	480
4549	65	41	2	17	5	6
7768	1324	745	114	355	110	1234
3000	480	212	65	152	51	817
3649	549	236	136	146	31	730
1954	309	71	152	30	56	455
840	243	178	28	21	16	56
4476	624	462	64	83	15	44
5644	1004	530	179	243	52	1052
1461	471	263	69	57	82	89
19243	1488	744	100	521	123	4090
1654	618	350	58	130	80	336
916	727	322	97	214	94	427
0	27	0	0	14	13	106
24921	1577	706	345	346	180	1928
2000	289	92	45	111	41	121
4748	472	421	14	28	9	473
0	0	0	0	0	0	0
2739	1101	81	866	120	34	669
4851	47	26	3	13	5	273
376	87	46	17	16	8	42
746	18	0	0	18	0	0
7090	659	331	0	251	77	471

职工中等专业学校基本情

Basic Statistics of Specialized

(Limited to State－planned enrolment

地 区 Region	学校数(所) Schools	毕业生数 Graduates	招生数 Students Admitted			在校学生数 Enrolment
			合 计 Total	招高中毕业起点 Graduates From Senior Sec. School	招初中毕业起点 Graduates From Junior Sec. School	
总 计 Total	1880	130796	253313	44966	208347	560076
北 京 Beijing	86	5723	10024	3516	6508	24948
天 津 Tianjin	50	4793	6401	1584	4817	12872
河 北 Hebei	57	3448	6329	1372	4957	16816
山 西 Shanxi	55	3323	6057	1529	4528	12852
内蒙古 Inner Mongolia	46	4499	6560	0	6560	14296
辽 宁 Liaoning	121	6311	12784	948	11836	31007
吉 林 Jilin	66	4814	8995	438	8557	19287
黑龙江 Heilongjiang	193	17169	22411	3021	19390	52799
上 海 Shanghai	112	5418	11783	2912	8871	25291
江 苏 Jiangsu	156	7268	17040	5272	11768	37696
浙 江 Zhejiang	62	2966	13500	2523	10977	21025
安 徽 Anhui	39	1452	3674	463	3211	7423
福 建 Fujian	46	1212	4135	481	3654	8516
江 西 Jiangxi	33	1246	3244	2131	1113	5725
山 东 Shandong	32	5321	9556	3316	6240	23200
河 南 Henan	63	3006	3701	835	2866	10330
湖 北 Hubei	190	15620	27329	2622	24707	59308
湖 南 Hunan	82	7829	13814	521	13293	33283
广 东 Guangdong	123	10874	25267	2048	23219	57502
广 西 Guangxi	30	3777	5678	819	4859	13453
海 南 Hainan	6	520	688	150	538	1531
四 川 Sichuan	83	5027	16451	2750	13701	29536
贵 州 Guizhou	17	1498	1575	0	1575	5625
云 南 Yunnan	10	410	637	34	603	3032
西 藏 Tibet	0	0	0	0	0	0
陕 西 Shaanxi	36	1316	4375	2654	1721	7906
甘 肃 Gansu	32	1728	3561	637	2924	7427
青 海 Qinghai	13	305	1191	498	693	2409
宁 夏 Ningxia	11	553	1522	370	1152	3138
新 疆 Xinjiang	30	3370	5031	1522	3509	11843

况（列入计划，学制两年以上）
Secondary Schools for Staff & Workers and Courses Lasting 2 Years and Over)

单位：人

毕业班学生数 Graduates for Next Year	教职工数 Teachers, Staff & Workers					兼任教师 Part-time Teachers
	合计 Total	专任教师 Full-time Teachers	教辅人员 Supportin Staff	行政人员 Adm. Personnel	工勤人员 Workers	
158335	74128	36642	6355	17306	13825	14397
7503	3473	1454	407	921	691	1078
2998	1812	939	136	474	263	426
4924	2788	1294	247	680	567	122
3746	2439	1250	178	573	438	137
4334	2405	1166	208	636	395	138
10212	4587	2213	353	1245	776	421
4952	3672	1897	418	709	648	173
17525	7094	3423	482	1641	1548	767
6876	3647	1714	388	891	654	578
9106	5974	3130	448	1277	1119	1446
3262	2443	1183	229	626	405	1105
2258	1245	661	117	302	165	319
1794	927	510	72	234	111	522
1204	1197	657	95	267	178	91
7772	1764	1091	131	263	279	137
4207	2395	1183	144	643	425	152
17605	8484	4333	764	1714	1673	1272
11497	3425	1671	260	768	726	487
12076	3364	1735	296	823	510	2212
2765	1758	858	144	357	399	216
599	199	98	14	39	48	56
8000	3202	1459	282	824	637	1604
3480	596	346	56	118	76	143
872	181	74	26	57	24	22
0	0	0	0	0	0	0
1138	1212	562	78	316	256	243
2060	1276	577	137	319	243	113
682	297	150	40	75	32	68
869	465	217	34	101	113	82
4019	1807	797	171	413	426	267

农民中等专业学校基本情

Basic Statistics of Specialized

(Limited to State－planned enrolment

地区 Region		学校数(所) Schools	毕业生数 Graduates	招生数 Students Admitted			在校学生数 Enrolment
				合计 Total	招高中毕业起点 Graduates From Senior Sec. School	招初中毕业起点 Graduates From Junior Sec. School	
总计	**Total**	369	40595	66992	7880	59112	144126
北京	Beijing	16	4458	5773	1215	4558	14402
天津	Tianjin	12	2619	3193	843	2350	7102
河北	Hebei	23	914	1385	50	1335	4497
山西	Shanxi	2	0	36	36	0	67
内蒙古	Inner Mongolia	3	52	118	0	118	198
辽宁	Liaoning	24	3375	4369	335	4034	9967
吉林	Jilin	11	970	1208	19	1189	2992
黑龙江	Heilongjiang	34	6413	6245	758	5487	14151
上海	Shanghai	0	0	0	0	0	0
江苏	Jiangsu	0	0	0	0	0	0
浙江	Zhejiang	2	0	282	38	244	568
安徽	Anhui	3	196	216	0	216	955
福建	Fujian	4	47	646	0	646	853
江西	Jiangxi	2	0	0	0	0	0
山东	Shandong	30	3706	11394	2299	9095	24051
河南	Henan	31	2785	5427	13	5414	11177
湖北	Hubei	35	2480	5043	1006	4037	9210
湖南	Hunan	41	4041	5913	383	5530	11330
广东	Guangdong	49	5845	10935	643	10292	24189
广西	Guangxi	14	797	2138	75	2063	3673
海南	Hainan	3	125	252	0	252	498
四川	Sichuan	26	1698	2223	116	2107	4031
贵州	Guizhou	0	0	0	0	0	0
云南	Yunnan	0	0	0	0	0	0
西藏	Tibet	0	0	0	0	0	0
陕西	Shaanxi	0	0	0	0	0	0
甘肃	Gansu	2	34	162	51	111	162
青海	Qinghai	0	0	0	0	0	0
宁夏	Ningxia	2	40	34	0	34	53
新疆	Xinjiang	0	0	0	0	0	0

况（列入计划，学制两年以上）
Secondary Schools for Peasants and Courses Lasting 2 Years and Over)

单位：人

毕业班学生数 Graduates for Next Year	教职工数 Teachers, Staff & Workers					兼任教师 Part-time Teachers
	合计 Total	专任教师 Full-time Teachers	教辅人员 Supportin Staff	行政人员 Adm. Personnel	工勤人员 Workers	
41269	14314	8230	1162	2227	2695	2005
3643	770	326	116	195	133	526
1934	631	314	81	163	73	100
1585	533	308	56	90	79	67
31	49	25	4	9	11	0
80	58	39	0	11	8	0
3987	1018	601	24	192	201	122
1151	426	217	36	107	66	19
4005	1534	928	116	266	224	275
0	0	0	0	0	0	0
0	0	0	0	0	0	0
88	64	30	4	23	7	21
220	56	33	2	14	7	76
207	62	48	1	6	7	18
0	0	0	0	0	0	0
6783	1466	872	164	207	223	172
3418	1447	826	166	157	298	44
2641	1230	737	76	149	268	84
3935	1757	1099	114	233	311	103
5600	1759	1019	74	205	461	262
831	561	316	57	57	131	46
60	103	54	7	9	33	2
1051	705	412	55	116	122	61
0	0	0	0	0	0	0
0	0	0	0	0	0	0
0	0	0	0	0	0	0
0	0	0	0	0	0	0
0	48	17	3	10	18	5
0	0	0	0	0	0	0
19	37	9	6	8	14	2
0	0	0	0	0	0	0

教师进修学校基本情况

Basic Statistics of In-service

(Limited to State-planned enrolment

地区 Region		学校数(所) Schools	毕业生数 Graduates	招生数 Students Admitted			在校学生数 Enrolment
				合计 Total	招高中毕业起点 Graduates From Senior Sec. School	招初中毕业起点 Graduates From Junior Sec. School	
总计	**Total**	2100	185923	199112	115417	83695	494598
北京	Beijing	23	765	371	74	297	1121
天津	Tianjin	17	1511	2023	2023	0	2023
河北	Hebei	154	20788	29572	26874	2698	64204
山西	Shanxi	115	8763	13376	11296	2080	15329
内蒙古	Inner Mongolia	61	3747	4338	1204	3134	10359
辽宁	Liaoning	93	4652	6417	5177	1240	11469
吉林	Jilin	66	40	950	864	86	2646
黑龙江	Heilongjiang	96	5750	2491	745	1746	7698
上海	Shanghai	11	529	688	688	0	1947
江苏	Jiangsu	80	8071	11138	6311	4827	29517
浙江	Zhejiang	47	1892	0	0	0	2539
安徽	Anhui	44	7127	6790	2489	4301	12604
福建	Fujian	75	3060	7484	2917	4567	9804
江西	Jiangxi	92	4011	1097	525	572	7121
山东	Shandong	120	19805	28324	16231	12093	70778
河南	Henan	130	21395	6656	1666	4990	30698
湖北	Hubei	48	2929	10421	4570	5851	19948
湖南	Hunan	106	34809	8090	4301	3789	31201
广东	Guangdong	98	13721	19541	9497	10044	54758
广西	Guangxi	73	11641	22217	11073	11144	72933
海南	Hainan	17	1960	2610	667	1943	5133
四川	Sichuan	196	2708	8900	4332	4568	15764
贵州	Guizhou	4	182	93	0	93	475
云南	Yunnan	125	1174	919	118	801	1985
西藏	Tibet	89	1674	1472	925	547	5793
陕西	Shaanxi	53	1048	729	183	546	1612
甘肃	Gansu	0	0	0	0	0	0
青海	Qinghai	13	68	125	38	87	306
宁夏	Ningxia	54	2103	2280	629	1651	4833
新疆	Xinjiang						

(列入计划，学制两年以上)
Teacher Training Schools
and Courses Lasting 2 Years and Over)

单位：人

毕业班学生数 Graduates for Next Year	教职工数 Teachers, Staff & Workers 合计 Total	专任教师 Full-time Teachers	教辅人员 Supportin Staff	行政人员 Adm. Personnel	工勤人员 Workers	兼任教师 Part-time Teachers
163900	76798	43024	7064	14466	12244	2375
677	2110	937	401	548	224	73
1511	1005	531	153	234	87	50
22945	4057	2558	369	706	424	60
6820	2786	1616	260	499	411	113
2986	2676	1519	216	519	422	16
3654	6088	4206	374	999	509	47
0	4410	2699	554	788	369	189
3296	4050	2428	481	693	448	66
708	1446	738	358	134	216	0
8068	4273	2070	381	722	1100	47
1272	1688	806	146	317	419	188
3141	1035	471	95	271	198	130
748	2654	1628	227	531	268	108
1902	2095	1144	138	326	487	160
18893	6274	3267	722	1213	1072	62
17240	5204	3032	480	847	845	43
4535	2272	1232	196	365	479	49
16699	3367	1970	294	515	588	142
15232	3339	1734	184	707	714	119
19473	2719	1587	114	434	584	0
1962	725	348	10	158	209	12
5111	5393	2771	386	1345	891	333
200	119	78	9	18	14	0
1022	1853	899	122	393	439	76
2400	2201	1137	166	640	258	216
897	1139	618	103	225	193	43
0	0	0	0	0	0	0
156	318	188	48	37	45	0
2352	1502	812	77	282	331	33

干部中等专业学校基本情

Basic Statistics of Specialized

(Limited to State－planned enrolment

地　区 Region	学校数(所) Schools	毕业生数 Graduates	招生数 Students Admitted			在校学生数 Enrolment
			合计 Total	招高中毕业起点 Graduates From Senior Sec. School	招初中毕业起点 Graduates From Junior Sec. School	
总　计 Total	243	18537	46225	15352	30873	88508
北　京 Beijing	13	355	1230	325	905	2931
天　津 Tianjin	15	867	1697	724	973	3087
河　北 Hebei	7	257	910	260	650	1595
山　西 Shanxi	1	74	208	0	208	427
内蒙古 Inner Mongolia	5	143	151	0	151	310
辽　宁 Liaoning	0	0	0	0	0	0
吉　林 Jilin	5	241	307	86	221	565
黑龙江 Heilongjiang	0	0	0	0	0	0
上　海 Shanghai	0	0	0	0	0	0
江　苏 Jiangsu	6	2060	7897	5559	2338	12016
浙　江 Zhejiang	1	38	71	44	27	215
安　徽 Anhui	12	256	917	102	815	2243
福　建 Fujian	41	1392	2246	529	1717	4999
江　西 Jiangxi	2	0	114	61	53	146
山　东 Shandong	20	2305	6773	3246	3527	13158
河　南 Henan	1	1958	6277	827	5450	11239
湖　北 Hubei	8	1251	557	130	427	1116
湖　南 Hunan	34	1117	2684	357	2327	4120
广　东 Guangdong	8	956	2283	572	1711	6247
广　西 Guangxi	24	3172	8031	1995	6036	14354
海　南 Hainan	0	0	0	0	0	0
四　川 Sichuan	27	1268	2222	484	1738	4866
贵　州 Guizhou	4	226	469	0	469	1514
云　南 Yunnan	0	169	500	0	500	2066
西　藏 Tibet	0	0	0	0	0	0
陕　西 Shaanxi	1	0	0	0	0	0
甘　肃 Gansu	6	348	490	5	485	988
青　海 Qinghai	2	30	191	46	145	306
宁　夏 Ningxia	0	54	0	0	0	0
新　疆 Xinjiang	0	0	0	0	0	0

况(列入计划,学制两年以上)
Secondary Schools for Cadres and Courses Lasting 2 Years and Over)

单位:人

毕业班学生数 Graduates for Next Year	教职工数 Teachers, Staff & Workers 合计 Total	专任教师 Full-time Teachers	教辅人员 Supportin Staff	行政人员 Adm. Personnel	工勤人员 Workers	兼任教师 Part-time Teachers
25977	11079	4943	928	3208	2000	1467
811	684	192	40	265	187	69
906	772	270	106	245	151	80
613	495	230	37	129	99	28
167	72	31	1	32	8	5
159	188	88	16	58	26	1
0	0	0	0	0	0	0
284	226	101	29	54	42	0
0	0	0	0	0	0	0
0	0	0	0	0	0	0
5096	429	167	33	110	119	28
117	44	18	2	12	12	9
430	280	146	14	94	26	77
1381	754	408	40	200	106	338
32	42	21	0	16	5	2
3044	801	419	79	220	83	102
3249	1783	852	186	472	273	73
302	329	155	31	94	49	8
1730	1336	616	105	366	249	156
990	136	58	7	36	35	59
3113	886	441	41	230	174	269
0	0	0	0	0	0	0
1591	1351	554	114	449	234	112
800	183	68	13	51	51	29
702	0	0	0	0	0	0
0	0	0	0	0	0	0
0	0	0	0	0	0	0
341	209	77	25	48	59	18
119	79	31	9	27	12	4
0	0	0	0	0	0	0
0	0	0	0	0	0	0

成人中学基

Basic Statistics of General Secondary

地区 Region	学校数(所) Schools	教学班(点)(个) External Teaching Sites (Classes)	毕业生数 Graduates 合计 Total	 其中:女生 Of which Female Students	招 Students 合计 Total
总计 Total	5879	11771	527862	206444	603027
北京 Beijing	456	465	5827	2732	6425
天津 Tianjin	12	21	457	220	470
河北 Hebei	206	395	28103	14053	13536
山西 Shanxi	631	750	19152	8610	21284
内蒙古 Inner Mongolia	155	234	87164	24232	51273
辽宁 Liaoning	421	872	49061	17796	47340
吉林 Jilin	175	313	7024	2866	10237
黑龙江 Heilongjiang	359	717	23885	10853	26857
上海 Shanghai	96	136	33478	17064	61980
江苏 Jiangsu	695	1932	64099	31337	67649
浙江 Zhejiang	334	945	18343	8400	26038
安徽 Anhui	149	287	26801	3829	20657
福建 Fujian	121	234	3591	1880	4853
江西 Jiangxi	147	395	9698	4751	13993
山东 Shandong	171	280	22374	6675	22732
河南 Henan	150	400	56485	19091	48895
湖北 Hubei	47	183	11645	4877	10426
湖南 Hunan	449	727	17862	7673	18627
广东 Guangdong	0	0	0	0	0
广西 Guangxi	86	228	3796	1978	5940
海南 Hainan	13	15	292	194	412
四川 Sichuan	547	1119	30160	13090	28447
贵州 Guizhou	0	0	0	0	0
云南 Yunnan	17	127	1788	955	4447
西藏 Tibet	0	0	0	0	0
陕西 Shaanxi	417	436	2421	1083	75464
甘肃 Gansu	3	17	490	364	515
青海 Qinghai	0	0	0	0	0
宁夏 Ningxia	0	0	0	0	0
新疆 Xinjiang	22	543	3866	1841	14530

本情况（总计）

Schools for Adults (Regional Aggregates)

单位:人

生数 Admitted	在校学生数 Enrolment		教职工数 Teachers, Staff & Workers		
其中女生 Of which Female Students	合计 Total	其中女生 Of shich Female Students	合计 Total	其中:专任教师 Of which: Full-time Teachers	兼任教师 Part-time Teachers
250976	686394	278126	37235	20400	38577
3020	14936	6323	6899	3037	8647
245	258	119	70	50	33
6550	17542	8760	1071	427	927
9111	26429	12828	1115	169	1379
24418	81991	25209	1953	1104	1195
18333	51840	19804	2594	1572	1869
4834	10744	3984	684	483	500
12777	25254	11311	3334	1910	1808
30539	45633	22937	1656	1019	1813
32716	87714	44605	4656	2965	7014
12549	35924	16075	1107	591	2151
9119	23153	10168	611	508	772
2958	7881	4613	396	191	539
7135	18256	8629	924	467	1006
7180	27780	9279	1293	668	874
20127	24462	12142	303	128	923
4452	10971	4747	353	164	249
8597	25611	12205	3532	2005	1968
0	0	0	0	0	0
2954	8575	3954	405	212	432
270	412	270	2	2	51
12369	41533	17585	3323	2234	2136
0	0	0	0	0	0
1662	5492	2172	278	100	353
0	0	0	0	0	0
10368	76886	10837	201	113	1300
298	539	337	55	9	39
0	0	0	0	0	0
0	0	0	0	0	0
8395	16578	9233	420	272	599

职工中学

Basic Statistics of General Secondary

地区 Region	学校数(所) Schools	教学班(点)(个) External Teaching Sites (Classes)	毕业生数 Graduates 合计 Total	其中:女生 Of which Female Students	招 Students 合计 Total
总计 Total	2371	5697	311969	121863	310680
北京 Beijing	456	439	5077	2529	6222
天津 Tianjin	4	10	303	125	63
河北 Hebei	132	279	9345	4716	9424
山西 Shanxi	47	71	2473	1023	2268
内蒙古 Inner Mongolia	102	183	83864	22901	47956
辽宁 Liaoning	166	447	31514	13185	27097
吉林 Jilin	55	97	3859	1786	4656
黑龙江 Heilongjiang	288	598	21191	9832	23697
上海 Shanghai	82	127	26654	13510	51600
江苏 Jiangsu	288	1152	31253	14293	35125
浙江 Zhejiang	131	587	11151	5297	16632
安徽 Anhui	73	104	2361	1179	3436
福建 Fujian	64	141	2013	1038	2587
江西 Jiangxi	98	276	8821	4288	9012
山东 Shandong	8	40	1919	852	1630
河南 Henan	57	248	46123	13724	40541
湖北 Hubei	19	72	2480	1454	3090
湖南 Hunan	128	217	7403	3128	6912
广东 Guangdong	0	0	0	0	0
广西 Guangxi	29	89	1322	727	2480
海南 Hainan	3	5	112	60	180
四川 Sichuan	79	221	5535	2540	7110
贵州 Guizhou	0	0	0	0	0
云南 Yunnan	17	127	1788	955	4447
西藏 Tibet	0	0	0	0	0
陕西 Shaanxi	22	37	1706	819	1918
甘肃 Gansu	3	17	490	364	515
青海 Qinghai	0	0	0	0	0
宁夏 Ningxia	0	0	0	0	0
新疆 Xinjiang	20	113	3212	1538	2082

基 本 情 况

Schools for Staff & Workers

单位:人

生 数 Admitted	在校学生数 Enrolment		教职工数 Teachers, Staff & Workers		兼任教师 Part-time Teachers
其中女生 Of which Female Students	合计 Total	其中女生 Of which Female Students	合计 Total	其中:专任教师 Of which: Full-time Teachers	
145964	347072	152114	24827	13360	20722
2920	14290	6018	5598	2720	5146
36	16	8	45	34	4
4478	12051	6072	769	295	675
978	3322	1509	212	60	179
23102	77277	23337	1671	1026	907
13582	28145	13216	1669	947	1385
1391	4992	1465	372	255	233
11368	19534	8821	2752	1503	1501
25071	39034	19168	1491	928	1243
16896	49330	25396	3036	1806	3395
7940	23115	9736	628	300	1190
1761	5342	2789	568	465	365
1476	4538	2610	344	142	300
4454	12614	5802	811	422	722
705	3972	1555	343	189	84
15813	12994	6291	186	74	537
1661	3362	1837	183	95	160
3371	8793	4918	2388	1190	1296
0	0	0	0	0	0
1464	3518	1873	210	98	175
102	180	102	2	2	19
3476	9119	4447	648	358	534
0	0	0	0	0	0
1662	5492	2172	278	100	353
0	0	0	0	0	0
901	2040	968	176	98	122
298	539	337	55	9	39
0	0	0	0	0	0
0	0	0	0	0	0
1058	3463	1667	392	244	158

地 区 Region	学校数(所) Schools	教学班(点)(个) External Teaching Sites (Classes)	毕业生数 Graduates 合计 Total	毕业生数 Graduates 其中:女生 Of which Female Student	招 Students 合计 Total
总 计 Total	3508	6074	215893	84581	292347
北 京 Beijing	0	26	750	203	203
天 津 Tianjin	8	11	154	95	407
河 北 Hebei	74	116	18758	9337	4112
山 西 Shanxi	584	679	16679	7587	19016
内蒙古 Inner Mongolia	53	51	3300	1331	3317
辽 宁 Liaoning	255	425	17547	4611	20243
吉 林 Jilin	120	216	3165	1080	5581
黑龙江 Heilongjiang	71	119	2694	1021	3160
上 海 Shanghai	14	9	6824	3554	10380
江 苏 Jiangsu	407	780	32846	17044	32524
浙 江 Zhejiang	203	358	7192	3103	9406
安 徽 Anhui	76	183	24440	2650	17221
福 建 Fujian	57	93	1578	842	2266
江 西 Jiangxi	49	119	877	463	4981
山 东 Shandong	163	240	20455	5823	21102
河 南 Henan	93	152	10362	5367	8354
湖 北 Hubei	28	111	9165	3423	7336
湖 南 Hunan	321	510	10459	4545	11715
广 东 Guangdong	0	0	0	0	0
广 西 Guangxi	57	139	2474	1251	3460
海 南 Hainan	10	10	180	134	232
四 川 Sichuan	468	898	24625	10550	21337
贵 州 Guizhou	0	0	0	0	0
云 南 Yunnan	0	0	0	0	0
西 藏 Tibet	0	0	0	0	0
陕 西 Shaanxi	395	399	715	264	73546
甘 肃 Gansu	0	0	0	0	0
青 海 Qinghai	0	0	0	0	0
宁 夏 Ningxia	0	0	0	0	0
新 疆 Xinjiang	2	430	654	303	12448

基本情况

Schools for Peasants

单位:人

生数 Admitted	在校学生数 Enrolment		教职工数 Teachers, Staff & Workers		兼任教师 Part-time Teachers
其中女生 Of which Female Students	合计 Total	其中女生 Of which Female Students	合计 Total	其中:专任教师 Of which: Full-time Teachers	
105012	339322	126012	12408	7040	17855
100	646	305	1301	317	3501
209	242	111	25	16	29
2072	5491	2688	302	132	252
8133	23107	11319	903	109	1200
1316	4714	1872	282	78	288
4751	23695	6588	925	625	484
3443	5752	2519	312	228	267
1409	5720	2490	582	407	307
5468	6599	3769	165	91	570
15820	38384	19209	1620	1159	3619
4609	12809	6339	479	291	961
7358	17811	7379	43	43	407
1482	3343	2003	52	49	239
2681	5642	2827	113	45	284
6475	23808	7724	950	479	790
4314	11468	5851	117	54	386
2791	7609	2910	170	69	89
5226	16818	7287	1144	815	672
0	0	0	0	0	0
1490	5057	2081	195	114	257
168	232	168	0	0	32
8893	32414	13138	2675	1876	1602
0	0	0	0	0	0
0	0	0	0	0	0
0	0	0	0	0	0
9467	74846	9869	25	15	1178
0	0	0	0	0	0
0	0	0	0	0	0
0	0	0	0	0	0
7337	13115	7566	28	28	441

成人技术培训学

Basic Statistics of Technical Training

地区 Region	学校数(所) Schools	毕业生数 Graduates 合计 Total	其中: Of which 长班 A	短班 B	招 Students 合计 Total
总计 Total	298295	57067996	7167621	49900375	50061419
北京 Beijing	275	1776082	1776082	0	2090319
天津 Tianjin	3097	519602	122858	396744	757993
河北 Hebei	34400	5065725	397374	4668351	4859278
山西 Shanxi	21452	1950568	66678	1883890	1473256
内蒙古 Inner Mongolia	6117	1340000	40000	1300000	1240000
辽宁 Liaoning	11625	3430598	188438	3242160	3150842
吉林 Jilin					
黑龙江 Heilongjiang	10666	3480000	260000	3220000	3220000
上海 Shanghai					
江苏 Jiangsu	19288	3584958	459456	3125502	3438389
浙江 Zhejiang	7222	1615937	189404	1426533	1801537
安徽 Anhui	3714	977718	28060	949658	907241
福建 Fujian	11284	2054631	149428	1905203	2309873
江西 Jiangxi	8520	1187085	18593	1168492	1201091
山东 Shandong	42947	4309872	341584	3968288	3791485
河南 Henan	19457	2750658	426534	2324124	2868895
湖北 Hubei	8028	1988735	183109	1805626	1547623
湖南 Hunan	17619	1556119	142095	1414024	1368567
广东 Guangdong	2100	670000	70000	600000	660000
广西 Guangxi	11899	2397098	69334	2327764	2511293
海南 Hainan	619	100742	8869	91873	121050
四川 Sichuan	349891	0533300	1966446	8566854	6262375
贵州 Guizhou	3379	545375	27337	518038	502496
云南 Yunnan	1723	1516194	14561	1501633	541258
西藏 Tibet					
陕西 Shaanxi	12227	1640000	100000	1540000	1490000
甘肃 Gansu	3326	975803	49395	926408	1036231
青海 Qinghai	149	78534	1556	76978	81914
宁夏 Ningxia	1264	393051	20669	372382	312391
新疆 Xinjiang	909	629611	49761	579850	516022

A. Lengthy courses (total teaching time no less than 150h.)

B. Short courses (total leaching time less than 150h.)

校基本情况（总计）

Schools for Adults (Regional Aggregates)

单位：人

生数 Admitted		在校学生数 Enrolment			教职工数 Teachers, Staff & Workers		兼任教师 Part-time Teachers
其中: Of which		合计 Total	其中: Of which		合计 Total	其中: 专任教师 Of which: Full-time Teachers	
长班 A	短班 B		长班 A	短班 B			
6837485	43223934	41725124	4577445	37147679	320470	110660	728130
2090319	0	555587	555587	0	6899	3037	8647
258615	499378	98828	34146	64682	1494	869	5151
334186	4525092	4380888	292673	4088215	29438	8120	59918
65911	1407345	1983941	182459	1801482	59581	4445	44896
40000	1200000	1300000	40000	1260000	5972	2461	15651
247993	2902849	2317395	254364	2063031	20224	7431	31895
310000	2910000	2340000	140000	2200000	20000	10000	50000
401624	3036765	2710942	349567	2361375	14937	7975	50695
283366	1518171	1282594	246903	1035691	7210	3140	25947
36814	870427	862583	38449	824134	2002	1339	12933
173786	2136087	2187196	154089	2033107	4497	2088	30775
31656	1169435	1226929	36273	1190656	4971	1077	21342
370252	3421233	3286660	297454	2989206	47188	21371	69625
418644	2450251	1823045	292856	1530189	4238	3117	41975
174521	1373102	1313322	143838	1169484	12497	6763	24577
90893	1277674	1344275	112454	1231821	21536	7407	44569
70000	590000	640000	50000	590000	2615	406	5030
47743	2463550	2537054	94100	2442954	8753	2126	30809
10794	110256	121595	10674	110921	361	14	2570
1107231	5155144	5596467	1005202	4591265	27203	14603	83203
29922	472574	442287	32114	410173	3005	387	12412
10345	530913	552023	10622	541401	1431	718	7986
100000	1390000	1200000	70000	1130000	10000	0	30000
54659	981572	698810	52508	646302	1853	737	8819
1619	80295	84899	1561	83338	223	63	653
1092	311299	301407	1254	300153	460	91	2619
75500	440522	536397	78298	458099	1882	875	5433

职工技术培训

Basic Statistics of Technical Training

地区 Region	学校数(所) Schools	毕业生数 Graduates 合计 Total	其中: Of which 长班 A	短班 B	招 Students 合计 Total
总计 Total	9774	4253421	1871998	2381423	4925315
北京 Beijing	0	1214071	1214071	0	1505199
天津 Tianjin	4	780	17	763	756
河北 Hebei	1079	256479	49817	206662	263999
山西 Shanxi	396	75260	1816	73444	40245
内蒙古 Inner Mongolia	181	50000	10000	40000	60000
辽宁 Liaoning	714	293871	49767	244104	326521
吉林 Jilin					
黑龙江 Heilongjiang	709	500000	100000	400000	530000
上海 Shanghai					
江苏 Jiangsu	1149	405130	74626	330504	455118
浙江 Zhejiang	944	183226	45891	137335	293348
安徽 Anhui	101	23856	4138	19718	40823
福建 Fujian	345	57106	8419	48687	260771
江西 Jiangxi	96	39805	5249	34556	22546
山东 Shandong	290	95616	22889	72727	118914
河南 Henan	1158	322281	70511	251770	335238
湖北 Hubei	468	140905	46632	94273	122600
湖南 Hunan	607	98446	23763	74683	103316
广东 Guangdong	161	90000	30000	60000	80000
广西 Guangxi	225	40482	6213	34269	76674
海南 Hainan	41	9717	2248	7469	11174
四川 Sichuan	484	214604	75216	139388	126519
贵州 Guizhou	43	2055	1363	692	3460
云南 Yunnan	36	12381	654	11727	11795
西藏 Tibet					
陕西 Shaanxi	390	70000	20000	50000	80000
甘肃 Gansu	93	12469	843	11626	11820
青海 Qinghai	3	638	81	557	650
宁夏 Ningxia	3	2213	1250	963	207
新疆 Xinjiang	54	42030	6524	35506	43622

学校基本情况

Schools for Staff & Workers

单位:人

生数 Admitted 其中: Of which 长班 A	生数 Admitted 其中: Of which 短班 B	在校学生数 Enrolment 合计 Total	在校学生数 Enrolment 其中: Of which 长班 A	在校学生数 Enrolment 其中: Of which 短班 B	教职工数 Teachers, Staff & Workers 合计 Total	教职工数 Teachers, Staff & Workers 其中:专任教师 Of which: Full-time Teachers	兼任教师 Part-time Teachers
2235136	2690179	3039763	1061599	1978164	59328	26127	87912
1505199	0	532478	532478	0	5598	2720	5146
17	739	293	17	276	27	18	7
60488	203511	194980	32013	162967	3623	1762	4880
2269	37976	60628	2005	58623	1496	622	1926
10000	50000	50000	10000	40000	1348	819	1612
52394	274127	216115	44758	171357	6624	2599	5517
130000	400000	270000	40000	230000	10000	0	20000
78919	376199	318049	77942	240107	5903	3188	7646
90223	203125	227471	64411	163060	2665	1280	4244
6404	34419	37330	5555	31775	1411	865	1196
9431	251340	279602	9692	269910	1755	1376	8500
3348	19198	24619	4956	19663	470	260	878
29596	89318	64380	17940	46440	1719	1101	843
68972	266266	160458	42813	117645	2285	1535	6273
41583	81017	103141	37182	65959	3124	2132	1960
18901	84415	86447	19504	66943	3368	1786	3138
30000	50000	60000	20000	40000	386	262	775
8269	68405	40392	9615	30777	1662	560	1437
2767	8407	11174	2767	8407	0	0	413
54184	72335	153389	53612	99777	4139	2488	9535
2604	856	4249	3188	1061	104	49	148
394	11401	11947	508	11439	435	187	429
20000	60000	70000	20000	50000	0	0	0
666	11154	17039	1572	15467	345	176	464
93	557	55	55	0	38	19	0
0	207	207	0	207	22	20	12
8415	35207	45320	9016	36304	781	303	933

农民技术培训

Basic Statistics of Technical

地区 Region	学校数(所) Schools	毕业生数 Graduates 合计 Total	其中: Of which 长班 A	 短班 B	招 Students 合计 Total
总计 Total	288521	52814575	5295623	47518952	45136104
北京 Beijing	275	562011	562011	0	585120
天津 Tianjin	3093	518822	122841	395981	757237
河北 Hebei	33321	4809246	347557	4461689	4595279
山西 Shanxi	21056	1875308	64862	1810446	1433011
内蒙古 Inner Mongolia	5936	1290000	30000	1260000	1180000
辽宁 Liaoning	10911	3136727	138671	2998056	2824321
吉林 Jilin					
黑龙江 Heilongjiang	9957	2980000	160000	2820000	2690000
上海 Shanghai					
江苏 Jiangsu	18139	3179828	384830	2794998	2983271
浙江 Zhejiang	6278	1432711	143513	1289198	1508189
安徽 Anhui	3613	953862	23922	929940	866418
福建 Fujian	10939	1997525	141009	1856516	2049102
江西 Jiangxi	8424	1147280	13344	1133936	1178545
山东 Shandong	42657	4214256	318695	3895561	3672571
河南 Henan	18299	2428377	356023	2072354	2533657
湖北 Hubei	7560	1847830	136477	1711353	1425023
湖南 Hunan	17012	1457673	118332	1339341	1265251
广东 Guangdong	1939	580000	40000	540000	580000
广西 Guangxi	11674	2356616	63121	2293495	2434619
海南 Hainan	578	91025	6621	84404	109876
四川 Sichuan	345051	0318696	1891230	8427466	6135856
贵州 Guizhou	3336	543320	25974	517346	499036
云南 Yunnan	1687	1503813	13907	1489906	529463
西藏 Tibet					
陕西 Shaanxi	11837	1570000	80000	1490000	1410000
甘肃 Gansu	3233	963334	48552	914782	1024411
青海 Qinghai	146	77896	1475	76421	81264
宁夏 Ningxia	1261	390838	19419	371419	312184
新疆 Xinjiang	855	587581	43237	544344	472400

学校基本情况

Training Schools for Peasants

单位：人

招生数 Admitted：其中 Of which 长班 A	招生数 Admitted：其中 Of which 短班 B	在校学生数 Enrolment：合计 Total	在校学生数 Enrolment：其中 Of which 长班 A	在校学生数 Enrolment：其中 Of which 短班 B	教职工数 Teachers, Staff & Workers：合计 Total	教职工数 Teachers, Staff & Workers：其中：专任教师 Of which: Full-time Teachers	兼任教师 Part-time Teachers
4602349	40533755	38685361	3515846	35169515	261142	84533	640218
585120	0	23109	23109	0	1301	317	3501
258598	498639	98535	34129	64406	1467	851	5144
273698	4321581	4185908	260660	3925248	25815	6358	55038
63642	1369369	1923313	180454	1742859	58085	3823	42970
30000	1150000	1250000	30000	1220000	4624	1642	14039
195599	2628722	2101280	209606	1891674	13600	4832	26378
180000	2510000	2070000	100000	1970000	10000	10000	30000
322705	2660566	2392893	271625	2121268	9034	4787	43049
193143	1315046	1055123	182492	872631	4545	1860	21703
30410	836008	825253	32894	792359	591	474	11737
164355	1884747	1907594	144397	1763197	2742	712	22275
28308	1150237	1202310	31317	1170993	4501	817	20464
340656	3331915	3222280	279514	2942766	45469	20270	68782
349672	2183985	1662587	250043	1412544	1953	1582	35702
132938	1292085	1210181	106656	1103525	9373	4631	22617
71992	1193259	1257828	92950	1164878	18168	5621	41431
40000	540000	580000	30000	550000	2229	144	4255
39474	2395145	2496662	84485	2412177	7091	1566	29372
8027	101849	110421	7907	102514	361	14	2157
1053047	5082809	5443078	951590	4491488	23064	12115	73668
27318	471718	438038	28926	409112	2901	338	12264
9951	519512	540076	10114	529962	996	531	7557
80000	1330000	1130000	50000	1080000	10000	0	30000
53993	970418	681771	50936	630835	1508	561	8355
1526	79738	84844	1506	83338	185	44	653
1092	311092	301200	1254	299946	438	71	2607
67085	405315	491077	69282	421795	1101	572	4500

成 人 小 学

Basic Statistics of

地 区 Region	学校数(所) Schools	教学班(点)(个) External Teaching Sites (Classes)	毕业生数 Graduates		招 Students
			合 计 Total	其中:女生 Of which Female Students	合 计 Total
总 计 Total	159435	385711	7739994	4519651	7371140
北 京 Beijing	0	681	635	477	298
天 津 Tianjin	217	405	7273	3182	7801
河 北 Hebei	9481	14357	316895	159146	322449
山 西 Shanxi	12909	13428	150909	72352	209207
内蒙古 Inner Mongolia	3752	7485	236624	99751	221546
辽 宁 Liaoning	3450	7468	305257	73328	353871
吉 林 Jilin	6845	13868	277821	139369	151619
黑龙江 Heilongjiang	7443	16276	139223	83650	158255
上 海 Shanghai	0	82	972	589	1734
江 苏 Jiangsu	4880	30524	837788	593491	722281
浙 江 Zhejiang	2729	6056	126998	69544	141898
安 徽 Anhui	6055	24841	718288	426569	855040
福 建 Fujian	12755	17251	424171	380485	271203
江 西 Jiangxi	7909	15087	278644	193992	278310
山 东 Shandong	19971	28089	599642	349563	655278
河 南 Henan	16084	45711	714591	445941	766098
湖 北 Hubei	3664	7101	166041	102041	157684
湖 南 Hunan	9987	20053	244561	144383	268787
广 东 Guangdong	0	0	0	0	0
广 西 Guangxi	3806	10004	171964	93027	179388
海 南 Hainan	343	1095	10354	7211	28167
四 川 Sichuan	12050	37696	774496	441912	583841
贵 州 Guizhou	3324	10928	167422	77536	176182
云 南 Yunnan	18	14951	195222	114880	11352
西 藏 Tibet	0	0	0	0	0
陕 西 Shaanxi	8979	16159	354807	186432	339880
甘 肃 Gansu	1995	15272	241636	138967	307043
青 海 Qinghai	311	2135	36306	17502	52219
宁 夏 Ningxia	281	1734	48840	28623	64925
新 疆 Xinjiang	197	6974	192614	75708	84784

基本情况

Adults Primary Schools

单位:人

生数 Admitted	在校学生数 Enrolment		教职工数 Teachers, Staff & Workers		兼任教师 Part-time Teachers
其中女生 Of which Female Students	合计 Total	其中女生 Of which Female Students	合计 Total	其中:专任教师 Of which: Full-time Teachers	
4306141	7876951	4551203	128447	40541	461251
195	1095	329	0	0	0
4171	2050	1513	64	50	394
160331	332195	153208	4153	1223	24063
91600	247306	106011	7644	1366	15862
89520	224583	95438	4547	1209	10559
117638	358689	121068	3603	1088	14832
74902	89935	47307	3968	1425	12148
80638	163918	96596	12582	6346	19478
1129	999	645	52	28	31
525436	674441	508720	6089	2832	29909
100327	142716	102232	1307	658	8510
485128	912239	520575	2921	1038	25735
241682	327258	292126	2286	239	20501
196258	324982	227230	4209	1414	25799
402866	584489	311571	17121	4985	33399
477189	635942	377392	1955	1612	30807
95467	172202	98318	4008	1815	8368
167084	294730	179767	10627	2808	23967
0	0	0	0	0	0
104248	213510	124966	5148	728	17310
19144	41639	29136	60	60	1878
324662	585206	327103	12806	6758	39479
85223	185652	96702	4908	418	16334
5516	296885	173900	599	216	14354
0	0	0	0	0	0
176835	386136	192814	6811	1227	22378
186836	365018	221794	9918	733	33905
27322	55458	29327	313	44	2537
30650	60945	28706	508	46	2998
34144	196733	86709	240	175	5716

职 工 小 学

Basic Statistics of

地 区 Region	学校数(所) Schools	教学班(点)(个) External Teaching Sites (Classes)	毕业生数 Graduates 合 计 Total	其中:女生 Of which Female Students	招 Students 合 计 Total
总 计 Total	1959	4679	137215	67532	150369
北 京 Beijing	0	21	28	18	0
天 津 Tianjin	5	17	1104	285	17
河 北 Hebei	823	1577	21801	8730	26108
山 西 Shanxi	29	44	2061	540	973
内蒙古 Inner Mongolia	63	152	1545	912	2619
辽 宁 Liaoning	11	24	732	393	914
吉 林 Jilin	60	169	7632	3364	6106
黑龙江 Heilongjiang	28	59	3907	2326	2255
上 海 Shanghai	0	3	464	209	592
江 苏 Jiangsu	301	856	25439	14100	38821
浙 江 Zhejiang	109	148	4042	2212	7836
安 徽 Anhui	2	19	426	300	180
福 建 Fujian	50	102	1788	1514	1173
江 西 Jiangxi	3	4	1525	118	212
山 东 Shandong	14	29	2480	1109	2250
河 南 Henan	105	255	10957	4839	12602
湖 北 Hubei	238	657	23855	14872	23918
湖 南 Hunan	48	205	9032	2651	6185
广 东 Guangdong	0	0	0	0	0
广 西 Guangxi	5	9	450	298	756
海 南 Hainan	3	3	142	80	150
四 川 Sichuan	4	8	704	457	279
贵 州 Guizhou	4	11	650	230	655
云 南 Yunnan	2	151	2341	1200	1705
西 藏 Tibet	0	0	0	0	0
陕 西 Shaanxi	50	148	13961	6722	13855
甘 肃 Gansu	1	1	0	0	30
青 海 Qinghai	0	0	0	0	0
宁 夏 Ningxia	0	0	0	0	0
新 疆 Xinjiang	1	7	149	53	178

基本情况

Worker Primary Schools

单位:人

生数 Admitted	在校学生数 Enrolment		教职工数 Teachers, Staff & Workers		兼任教师 Part-time Teachers
其中女生 Of which Female Students	合计 Total	其中女生 Of which Female Students	合计 Total	其中:专任教师 Of which: Full-time Teachers	
76938	158825	84008	2601	1322	9349
0	651	0	0	0	0
17	183	73	9	4	1
9949	27525	10411	468	221	3714
238	1465	515	35	5	131
1270	2039	953	100	54	122
439	876	452	46	20	58
3106	6436	3354	117	64	183
1186	2795	1496	202	102	118
274	282	134	32	19	15
21228	45930	27578	509	216	1314
4485	7962	4589	117	54	591
80	150	75	0	0	8
942	1721	1367	3	3	542
123	238	130	2	0	8
1105	2600	1218	65	35	30
5613	10559	4260	15	14	391
14783	24123	14889	163	103	1124
3513	5907	3727	256	152	803
0	0	0	0	0	0
342	505	207	10	5	17
86	150	86	1	1	6
113	279	113	19	19	11
234	753	302	44	14	39
863	1705	863	31	20	24
0	0	0	0	0	0
6861	13751	7112	340	183	91
16	30	16	2	2	1
0	0	0	0	0	0
0	0	0	0	0	0
72	210	88	15	12	7

农民小学

Basic Statistics of

地区 Region	学校数(所) Schools	教学班(点)(个) External Teaching Sites (Classes)	毕业生数 Graduates		招 Students
			合计 Total	其中:女生 Of which Female Students	合计 Total
总计 Total	157476	381032	7602779	4452119	7220771
北京 Beijing	0	660	607	459	298
天津 Tianjin	212	388	6169	2897	7784
河北 Hebei	8658	12780	295094	150416	296341
山西 Shanxi	12880	13384	148848	71812	208234
内蒙古 Inner Mongolia	3689	7333	235079	98839	218927
辽宁 Liaoning	3439	7444	304525	72935	352957
吉林 Jilin	6785	13699	270189	136005	145513
黑龙江 Heilongjiang	7415	16217	135316	81324	156000
上海 Shanghai	0	79	508	380	1142
江苏 Jiangsu	4579	29668	812349	579391	683460
浙江 Zhejiang	2620	5908	122956	67332	134062
安徽 Anhui	6053	24822	717862	426269	854860
福建 Fujian	12705	17149	422383	378971	270030
江西 Jiangxi	7906	15083	277119	193874	278098
山东 Shandong	19957	28060	597162	348454	653028
河南 Henan	15979	45456	703634	441102	753496
湖北 Hubei	3426	6444	142186	87169	133766
湖南 Hunan	9939	19848	235529	141732	262602
广东 Guangdong	0	0	0	0	0
广西 Guangxi	3801	9995	171514	92729	178632
海南 Hainan	340	1092	10212	7131	28017
四川 Sichuan	12046	37688	773792	441455	583562
贵州 Guizhou	3320	10917	166772	77306	175527
云南 Yunnan	16	14800	192881	113680	9647
西藏 Tibet	0	0	0	0	0
陕西 Shaanxi	8929	16011	340846	179710	326025
甘肃 Gansu	1994	15271	241636	138967	307013
青海 Qinghai	311	2135	36306	17502	52219
宁夏 Ningxia	281	1734	48840	28623	64925
新疆 Xinjiang	196	6967	192465	75655	84606

基本情况

Peasant Primary Schools

单位:人

生数 Admitted	在校学生数 Enrolment		教职工数 Teachers, Staff & Workers		兼任教师 Part－time Teachers
其中女生 Of which Female Students	合计 Total	其中女生 Of which Female Students	合计 Total	其中:专任教师 Of which: Full－time Teachers	
4226203	7718126	4467195	125846	39219	451902
195	444	329	0	0	0
4154	1867	1440	55	46	393
150382	304670	142797	3685	1002	20349
91362	245841	105496	7609	1361	15731
88250	222544	94485	4447	1155	10437
117199	357813	120616	3557	1068	14774
71796	83499	43953	3851	1361	11965
79452	161123	95100	12380	6244	19360
855	717	511	20	9	16
504208	628511	481142	5580	2616	28595
95842	134754	97643	1190	604	7919
485048	912089	520500	2921	1038	25727
240740	325537	290759	2283	236	19959
196135	324744	227100	4207	1414	25791
401761	581889	310353	17056	4950	33369
471576	625383	373132	1940	1598	30416
80684	148079	83429	3845	1712	7244
163571	288823	176040	10371	2656	23164
0	0	0	0	0	0
103906	213005	124759	5138	723	17293
19058	41489	29050	59	59	1872
324549	584927	326990	12787	6739	39468
84989	184899	96400	4864	404	16295
4653	295180	173037	568	196	14330
0	0	0	0	0	0
166974	372385	185702	6471	1044	22287
186820	364988	221778	9916	731	33904
27322	55458	29327	313	44	2537
30650	60945	28706	508	46	2998
34072	196523	86621	225	163	5709

农民小学中扫

Basic Statistics of Literacy Classes

地　区 Region	学校数(所) Schools	教学班(点)(个) External Teaching Sites (Classes)	毕业生数 Graduates 合计 Total	其中:女生 Of which Female Students	招 Students 合计 Total
总　计 Total	106439	289623	5481692	3352078	4629171
北　京 Beijing	0	660	607	459	298
天　津 Tianjin	92	235	624	510	1694
河　北 Hebei	6033	7670	105561	55001	123362
山　西 Shanxi	5952	7756	76202	36917	57152
内蒙古 Inner Mongolia	2347	4697	162825	71989	145494
辽　宁 Liaoning	1688	4738	32515	18211	29629
吉　林 Jilin	2257	7889	226099	114537	72535
黑龙江 Heilongjiang	4520	11588	83666	52915	78021
上　海 Shanghai	0	19	290	184	302
江　苏 Jiangsu	2610	20514	630202	449530	430249
浙　江 Zhejiang	1817	4306	76772	52235	96423
安　徽 Anhui	4862	22557	676817	402133	794978
福　建 Fujian	7749	10804	310710	280805	150378
江　西 Jiangxi	5998	11842	223640	157453	231717
山　东 Shandong	13481	21007	368579	219515	293222
河　南 Henan	12599	35130	443099	288638	471273
湖　北 Hubei	3198	6072	124215	77340	117337
湖　南 Hunan	6115	14838	173649	107868	192698
广　东 Guangdong	0	0	0	0	0
广　西 Guangxi	2587	7248	137782	73374	138345
海　南 Hainan	271	954	7959	6155	26043
四　川 Sichuan	8324	26905	537328	315870	318826
贵　州 Guizhou	3196	10600	159713	73198	167316
云　南 Yunnan	0	0	0	0	0
西　藏 Tibet	0	14317	184283	108857	0
陕　西 Shaanxi	8244	14393	296529	158548	283134
甘　肃 Gansu	1868	14593	235280	135344	295056
青　海 Qinghai	280	2031	35817	17199	48764
宁　夏 Ningxia	281	1662	48840	28623	64925
新　疆 Xinjiang	70	4598	122089	48670	0

盲班基本情况

in Peasant Primary Schools

单位:人

生数 Admitted	在校学生数 Enrolment		教职工数 Teachers, Staff & Workers		兼任教师 Part-time Teachers
其中女生 Of which Female Students	合计 Total	其中女生 Of which Female Students	合计 Total	其中:专任教师 Of which: Full-time Teachers	
2782895	5074180	3029631	91868	26037	349602
195	444	329	0	0	0
1330	1135	865	15	14	235
60753	123845	61750	2110	502	15724
27422	72551	32095	2830	478	8162
60232	158067	68473	3288	630	7120
16138	32446	18486	2282	524	7392
33128	33381	18159	3157	973	5524
39395	64365	39896	9288	4143	14708
193	12	9	16	7	9
305587	354648	269930	3334	1357	19896
71552	94342	67854	817	400	6040
450841	841359	479331	1681	559	23190
136305	195377	176446	1644	79	12884
161696	260568	180851	3237	1328	21208
170547	244433	133307	10063	2758	24626
310991	415876	251259	1504	1254	22142
73442	131001	75240	3418	1525	6707
121641	212842	130083	7970	1790	18585
0	0	0	0	0	0
78378	149326	86827	3936	506	13398
18010	39009	27304	54	54	1651
178451	321253	178764	9050	4743	28840
80729	178610	93005	4803	389	15339
0	0	0	0	0	0
0	280224	165877	495	140	13755
149573	308705	157339	6131	1021	20756
180216	357031	217774	9891	724	32879
25500	51938	27483	297	44	2289
30650	58643	27056	508	46	2998
0	92749	43839	49	49	3545

TRANSLATOR'S NOTES

Considering that many foreign readers might not be familiar with the educational system of China, it is appropriate to give some explanations to part of the English terms used in this book.

1. "Secondary school" is used throughout instead of the conventional "middle school" to indicate zhongxue (中学), in view of the fact that in the United States and the United Kingdom, "middle school" means quite different things from Zhongxue in China, the upper stage of which leads to higher education directly.

2. "Putong gaodeng xuexiao" (普通高等学校) is rendered into "regular higher educational institutions" so as to distinguish them from institutions for adult. But "putong zhongxue" (普通中学) is rendered into "general secondary schools" so as to distinguish them from schools for adults as well as from vocational–technical schools.

3. "Duanqi zhiye daxue" (短期职业大学) is rendered into "short–cycle vocational colleges".

4. "Zhuanke xuexiao" (专科学校) is rendered into "short–cycle colleges".

5. "Guangbo dianshi daxue" (广播电视大学), "zhigong gaodeng xuexiao" (职工高等学校), "nongmin gaodeng xuexiao" (农民高等学校), "guanli ganbu xueyuan" (管理干部学院), and "jiaoyu xueyuan" (教育学院) are rendered into radio/TV universities, workers' colleges, peasants' colleges, institutes for administration, and educational colleges respectively.

6. In summary tables showing the number of schools and enrolments and the number of staff and workers, the number of schools is always given in an absolute number, while the other figures are given in 10 thousand.

7. In the statistical tables the translator has freely used the device of English letters to indicate the more clumsy terms or phrases, with the full translations given at the bottom of the table.